KB157519

韓國史硏究叢書 107

여말선초 지방군제 연구

오종록

국학자료원

▪ 책머리에

이 책의 출발점은 내 석사학위논문인 「조선초기의 병마절도사」이다. 1983년에 제출하였던 석사논문의 내용을 좀 덜고 수정하여서 「조선초기 병마절도사제의 성립과 운용」이라 제목을 바꾸고 1985년에 그 상편을 『진단학보』 59집에, 하편을 『진단학보』 60집에 실었었다. 사실 석사논문의 상당 부분은 지도교수이신 민현구 선생의 공이고, 또 수정된 논문은 여기에 더해 심사를 맡아 지도해 주신 차문섭 선생과 박용운 선생 두 분의 가르침이 포함된 것이어서 온전히 내 글이라고 하기에는 쑥스러운 측면이 없지 않으나, 이제 와서 내 이름으로 책을 내며 함께 실었다. 이 책의 1부를 이루는 고려말기의 지방군제 부분은 박사과정 때 박용운 선생께 고려시대사 수업을 들으며 기말 과제로 제출하였던 것을 다듬어서 1986년에 『진단학보』 62집에 실었던 논문인 「고려말의 도순문사 –하삼도의 도순문사를 중심으로–」와 국사편찬위원회로부터 연구비를 지원 받고 논문을 제출하여 1991년에 『국사관논총』 24집에 실었던 「고려후기의 군사 지휘체계」를 합쳐서 다시 정리한 것이다. 본래의 논문에서는 한문으로 된 그대로 인용문을 제시하고 본문 서술에서도 한자를 많이 썼었는데, 인용문은 모두 우리말로 번역하였고, 한자는 한글로 쓰고 그 옆에 한자를 넣거나 아니면 한글로 바꾸어 고쳤다. 이 책에 실으면서 제외한 내용도 좀 있고, 일부 추가하거나 다시 해석한 것들도 있다. 그러나 전반적으로는 본래 글들의 취지를 유지하였다.

이 책에서 다루고 있는 시기는 13세기 전반에서 15세기 말엽까지로 짧지 않다. 이 동안 동아시아 세계에서는 몽골이 주도권을 쥐었다가 한 세기만에 고비사막 북쪽으로 물러나고, 다시 중화민족의 명 왕조가 들어서서 그들 중심의 국제질서로 재편해 나가는 변화가 진행되었다. 그런데 멀리 역사를 되짚어 보면, 중화민족의 통일왕조가 들어서서 그 위세를 내뿜을 때면 우리 역사는 엄청난 고난을 겪어야 했었다. 그 첫 번째는 한이 시황제가 세웠던 진을 대신하여 중국의 통일왕조가 된 뒤 무제 때 고조선을 멸망시켰던 사건이다. 그리고 두 번째는 당이 백제에 이어 고구려를 멸망시킨 사건이다. 수 양제의 고구려 침입은 그 이전 단계에 벌어진 사건이었고, 신라가 살아남은 것이 그나마 다행이었다. 그렇다면 명이 건국한 뒤에는 어떠했을까? 고려와 조선도 멸망할 수 있었던 것이 당시의 상황이었다고 나는 생각한다. 명 태조가 우왕 즉위 후 고려에 보낸 문서나 철령위를 설치할 때 또 조선 건국 후 정도전을 명으로 압송하도록 요구하며 보낸 문서 따위를 보면 조선이 건국하고 이어서 살아남았던 것도 대단히 다행한 일로 생각하게 된다. 그렇다면 지금은? 앞으로도 상당 기간 최강의 군사력을 보유한 국가는 미국일 것이나, 이미 세계 경제의 주도권은 중국이 장악했다는 평가가 유력한데, 우리가 적절하게 대처하고 있다고는 생각되지 않는다.

다시 이 책이 다룬 시기로 돌아가 보면, 고려가 그 국민을 보호하는 국가 본연의 임무를 완전히 방기한 것은 아니었다는 것을 이 책의 내용을 통해서 파악할 수 있다. 그러나 국가는 가난하고 왕실과 세력가들만이 부자였던 탓에 외적의 침입을 방지하지 못한 것이 엄연한 사실이다. 결국 그것을 빌미로 새 왕조가 들어섰고, 새로 들어선 조선은 그 초기의 약 백년 동안 부국강병을 기치로 하여 여러 제도를 개편하였고, 지방의 군사제도와 국방체제도 그 일환으로 정비되었다. 간단하게 말하자면 이 책은 바로 그 과정과 내용을 찾아내어 소개한 것이라 할 수 있다.

이 책을 내면서 다시금 민현구 선생과 차문섭 선생, 박용운 선생께 감사드린다. 또 형제들이 다 대학에 진학해 쪼들리는 형편에서 큰아들이 대학을 졸업하고 다시 학문의 길에 접어들도록 해주신 부모님께 뒤늦게나마 깊이 감사드린다. 그리고 아내와 장인 장모 두 분께도 감사드린다. 이 책의 표와 지도를 다시 정리하고 본문 내용을 교정하는 데에는 최소영 양과 김율희 양이 많은 도움을 주었다. 그리고 출판계가 전체적으로 어려운 사정에 있음에도 기꺼이 출판을 맡아 준 국학자료원 정찬용 원장과 정구형 대표 두 분과 우정민 양을 비롯하여 예쁜 책을 만들어 주시느라 애쓰신 편집진 여러분께도 감사의 말씀을 전한다.

2014년 10월

개운산 자락에 있는 학교 연구실에서

목 차

제2부 조선초기의 지방군제

머리말

군사제도는 정치권력이 지배를 관철하는 데 바탕을 이루는 물리력 곧 군사력을 갖추고 행사하는 장치라 할 수 있다. 그 가운데 군사력 즉 군대를 어떠한 사람들로 채워서 어떻게 갖추는가를 규정하는 것이 군역체계이고, 군대를 장악하여 정치적 목적에 따라 부리는 장치가 군사 지휘체계이다. 한 시기 군사제도의 전체상을 밝히기 위해서는 이 양쪽에 대한 구명이 아울러 요구된다. 다만 이 책에서 다루는 지방군사제도는 국가가 그 국민을 보호하는 기능 즉 국방의 기능을 위주로 하면서 한편으로는 정치권력이 지배를 관철하는 물리력으로도 기능한다는 점에서 중앙군사제도와 차별성을 지닌다.

무신집권기와 대몽항쟁기를 거친 뒤 중앙의 2군軍 6위衛와 지방의 주현군州縣軍, 주진군州鎭軍으로 대표되던 고려전기의 군사제도와 군사력은 거의 그 본래의 모습을 잃고 있었다. 이어서 원元이 고려를 장기간에 걸쳐 지배하게 됨에 따라 고려의 군사력은 더욱 위축되어 왕실을 호위하고 남쪽 해안지역을 지키기 위한 소수의 군사력만을 보유하게 되었다. 원의 정치적 간섭으로부터 벗어나고자 반원 개혁을 추진하고 있던 공민왕恭愍王 초엽에 원의 요청에 따라 원에서 발생한 장사성張士誠의 반란을 진압하기 위한 지원군 2천 여 명을 보내고 나서 궁궐 호위가 불안하여 서해도西海道

에서 궁수弓手를 모아 만약의 사태에 대비하였다는 기록은[1] 고려에 이렇다 할 만한 군대가 거의 없었음을 알려준다. 이에 고려는 공민왕의 반원개혁 단행 이후 국가의 주권을 지키고 행사하기 위해서 우선 군사력을 새롭게 갖추어 가야 했다.

따라서 고려후기 군제사 연구에서 가장 먼저 구명해야 할 것이 당시의 군역체계 내용과 군사력이 새로이 조직되어 간 내용이었다. 이에 대해서는 민현구 교수가 고려전기의 군역체계가 무너지고 군인전이 역役과 유리되어 구분전口分田으로 존속하는 상황에서 새로이 농민 출신 시위군侍衛軍 및 진변별초군鎭邊別抄軍 등이 편성됨으로써 종래와는 구별되는 새 군역체계가 태동하였음을 정치적 사회경제적 변화와의 관련 속에서 밝힌 바 있다.[2] 이 외에는 사병私兵에 대해 간단히 고찰한 연구 성과들이 있을 뿐,[3] 군역에 대한 연구는 더 진전되지 않았다. 상대적으로 고려가 멸망하고 조선이 건국하는 과정과 관련하여 중앙군제에 대한 연구는 활발히 이루어졌던 편이다.[4] 이에 비해 지방군제 연구는 상대적으로 부진한 편이다. 원의 정치적 간섭 속에서 그 군사제도의 영향을 받아 고려의 군사제도에 새로운 요소로 등장한 만호부 및 만호에 대한 몇 편의 연구와[5] 14세기 후반 양계에 편성된 익군에 대한 연구,[6] 도순문사를 통해 도 단위 국방체제와 군사운용이 성립되는 과정에 대한 연구[7] 등이 있으며, 이들 개별

---

1) 『高麗史節要』 권 26, 恭愍王 3년 7월.

2) 閔賢九, 「高麗後期의 軍制」, 『高麗軍制史』, 陸軍本部, 1983.

3) 林英正, 「麗末鮮初의 私兵 －高麗時代 私兵의 發生과 그 背景(上)」, 『韓國史論』 7, 國史編纂委員會, 1980.
閔賢九, 「朝鮮初期의 私兵」, 『東洋學』 14, 1983.

4) 윤훈표, 「고려시대 군제사 연구의 현황과 과제」, 『軍史』, 34, 1997. 참조.

5) 韓沽劤, 「麗末鮮初 巡軍硏究」, 『震檀學報』 22, 1961.
崔壹聖, 「高麗의 萬戶」, 『淸大史林』 4 · 5, 1985.
崔根成, 「高麗 萬戶府制에 관한 硏究」, 『關東史學』 3, 1988.

6) 李基白, 「高麗 末期의 翼軍」, 『李弘植博士回甲紀念 韓國史學論叢』, 1969.

7) 吳宗祿, 「高麗末의 都巡問使」, 『震檀學報』 62, 1986.

군사제도들이 군사제도 전체의 틀 속에서 어떻게 짜여져 운영되었는지를 밝히고자 한 연구 등이 있다.[8] 그런데 1990년대 초엽 이후로는 고려말엽의 지방군제에 대한 연구가 정체되어 있는 실정이다.[9]

조선초기의 군제사에 대한 연구도 중앙군제에 대한 것이 가장 큰 비중을 차지하고 있으며, 무기 체계와 병서兵書, 군사 훈련이나 군법 등 그 주제도 다양화되고 있다. 이에 비해 조선초기의 군역이나 지방군제에 대한 연구는 상대적으로 연구 성과가 많지 않은 편이다.[10] 그러한 가운데 조선 건국 후 정치권력이 차츰 안정을 이루면서 시위군 등이 지방군화하고 지방군제와 국방체제로서 진관체제가 갖추어져 시행되는 과정에 대한 연구,[11] 병마절도사와 그 제도적 운용에 대한 연구,[12] 양계의 익군翼軍과 국방체제에 대한 연구,[13] 영진군營鎭軍에 대한 연구,[14] 수군水軍에 대한 연구[15] 등을 통

8) 吳宗祿, 「高麗後期의 軍事 指揮體系」, 『國史館論叢』 24, 1991.

9) 고려시대 군제사 연구 성과는 그 전반적인 내용이 1997년에 정리된 바 있는데(윤훈표, 「고려시대 군제사 연구의 현황과 과제」, 『軍史』, 34, 1997), 이 뒤로 고려말엽 내지는 고려후기의 군제사 연구 중 지방군제 부분은 별다른 진전을 이루지 못하고 있다. 한편 최근 고려시대 군사사가 정리되면서 그 작업의 일환으로 고려말엽의 군제사도 전반에 대한 정리가 이루어진 바 있다(한국군사연구소, 『한국군사사 4, 고려 II』, 육군본부, 2012).

10) 閔賢九, 「韓國 軍制史 硏究의 回顧와 展望 − 朝鮮前期를 中心으로 −」, 『史叢』 26, 1982(『朝鮮初期의 軍事制度와 政治』, 韓國硏究院, 1983.에 「韓國 軍制史 硏究의 槪觀」으로 다시 수록). ; 오종록, 「朝鮮前期 軍事史 硏究의 現況과 課題」, 『軍史』 36, 1998. ; 오종록, 「조선시기 군사사 연구의 동향 −2001~2004년−」, 『軍史』 53, 2004. 등 참조.

11) 閔賢九, 『朝鮮初期의 軍事制度와 政治』, 韓國硏究院, 1983.

12) 張炳仁, 「朝鮮初期의 兵馬節度使」, 『韓國學報』 34, 1984. ; 吳宗祿, 「朝鮮初期 兵馬節度使制의 成立과 運用」(上, 下), 『震檀學報』 59, 60, 1985.

13) 李載龒, 「朝鮮初期의 翼軍」, 『崇田大論文集』 <人文科學篇>, 1982.(『朝鮮初期社會構造硏究』, 一潮閣, 1984.에 再收錄) ; 吳宗祿, 「朝鮮初期 兩界의 軍事制度와 國防體制」, 1992. 高麗大 博士論文.

14) 吳宗祿, 「朝鮮初期의 營鎭軍」, 『宋甲鎬敎授停年退任紀念論文集』, 1993.

15) 李載龒, 「朝鮮初期의 水軍」, 『韓國史硏究』 5, 1970.(『朝鮮初期社會構造硏究』에 다시 수록) ; 崔永昌, 「朝鮮初期의 水軍과 水軍役」, 1989. 高麗大 碩士論文 ; 盧永九, 「朝鮮初期 水軍役과 海領職의 변화」, 『韓國史論』 33, 서울대 국사학과, 1995. ; 尹大遠, 「麗末鮮初 江華의 防禦體制」, 2001. 高麗大 碩士論文.

하여 조선초기의 지방군제의 전반적인 내용을 파악할 수 있게 되었다.

이 책은 앞의 여말선초의 지방군제 연구 성과 가운데서 필자가 쓴 글들을 모아 다시 정리한 것이다. 이 책이 다룬 시기는 13세기 후반 대몽항쟁이 끝날 무렵으로부터 조선 건국 후 『경국대전』을 편찬하여 군사제도가 법제적으로 정비되는 성종연간까지이다. 13세기 후반부터 고려가 멸망하기까지의 시기를 고려말엽 또는 여말麗末이라는 말로 호칭하였고, 조선 건국 후 성종 때까지는 조선초기라 하거나 선초鮮初라 구분하였다. 이 시기에 일어난 가장 중요한 사건은 역시 고려가 멸망하고 조선이 건국한 것이었는데, 조선 건국을 코앞에 둔 시기에 지방군사제에도 중요한 변화가 이루어져, 지방군제 중 그 변화 이전의 것을 여말에, 그 뒤의 것은 선초에 넣어 정리하였다. 지방군제 가운데 육군이 중심 대상이고, 수군은 육군과 관련된 경우에 국한하여 다루었다.

고려말엽은 고려가 멸망하는 과정으로, 그 가장 중요한 원인은 대토지 소유형태의 하나인 농장의 발달이라는 것이 일반적인 이해라 할 수 있다. 그런데 이를 군사제도의 측면에서 보자면 표면적으로는 국방이 주요 기능인 지방군사제도가 제대로 기능하지 못하여 국가가 국민을 보호하는 본연의 임무를 수행하지 못함으로써 고려 국가의 존립 가치를 부정당한 데에 있다고 할 수 있다. 이를 '표면적'이라 하는 이유는 이러한 판단이 조선 건국을 정당화하는 관점에서 서술된 『고려사』와 『고려사절요』의 편찬자들의 판단에서 크게 벗어나지 않는다는 데에 있다. 두 역사서의 기록에 관통하고 있는 국방 관련 내용에 대한 서술의 맥락은 고려의 지방군사제도가 제대로 갖추어져 있지 않고 뛰어난 장수도 많지 않아 외적의 침입에 백성들이 큰 고통을 겪는 가운데, 이성계가 가장 뛰어난 장수였으며 그가 도탄에 빠진 백성을 구했다는 것으로 정리할 수 있다. 그런데 약 150년 정도인 고려말엽 동안 지방군제는 새로운 내용과 성격의 것으로 차츰 개편,

정비되면서 조선초기의 지방군제로 이어지고 있었음을 알 수 있다. 이 책의 중심 목적은 이러한 점을 구체적으로 밝히는 데에 있다. 특히 지방군사제도와 도제道制의 관계에 주목하면서 이를 구명하고자 한다.

고려 멸망의 가장 중요한 원인이 농장의 발달이라고 할 때, 이 사회경제적 현상이 군사제도의 내용 및 그 운영방식과 아무런 관계가 없을 수 없었다고 판단된다. 사전私田의 발달이라고도 설명되는 이 현상은 특히 군사제도 운영에서의 사병적私兵的 속성과 어떤 형태로든 어느 정도 관계가 있었을 것이라는 가정을 할 수 있다. 따라서 공전公田 중심의 토지제도로 개혁을 하여 과전법科田法을 단행한 뒤 건국한 조선왕조에서 국가 군사력의 사병적 속성을 해결하고자 한 것은 당연한 귀결이었다. 그것이 조선의 지방군사제도가 정비되는 과정에서는 어떤 방식으로 진행되었는지를 살피는 것이 이 책의 또 다른 목적이다. 과전법의 시행은 거꾸로 군사제도 중 특히 새로운 내용으로 바뀌고 있던 군역체계와 깊은 관계가 있다는 것이 필자의 판단이다. 이 측면도 함께 다루고 싶었으나, 여러 사정 상 별도의 책으로 엮어 설명하고자 한다.

고려가 멸망하고 조선이 건국하는 변화는 동아시아 국제정세와 무관할 수 없었다. 몽골제국의 몰락은 사실 동아시아를 넘어 전세계적으로 역사적 변화를 일으키는 중요한 원인으로 작용하였고, 농민항쟁을 발판으로 명明이 건국하여 곧바로 원元을 사막 북쪽으로 내몬 것은 동아시아 국제질서 변동의 중요한 원인이었다. 그 결과 명 중심의 국제질서가 형성되는 과정에서 고려는 몇 차례 북방으로부터 침입을 당하였고, 고려의 군대가 국경 밖으로 나아가 군사 활동을 한 적도 있었다. 그런데 고려 사회와 고려의 백성들에게 더 큰 위협이 된 것은 왜구倭寇였다. 왜구는 그 명칭과 달리 정규군의 조직을 갖추고 침입한 경우도 적지 않았으며, 우왕禑王 때에는 한반도 남부의 내륙까지 전쟁터가 되었다. 이러한 경험은 조선 건국 후 남부 지역에도 국방체제를 갖추고 그것을 뒷받침할 지방군사제도가 운영되는 원인으로 작용하였다. 이 책의 또 하나의 중요한 목표는 육군을 중심으로 도 단위 군사제도가 실제 어떻게 운용될 수 있도록 구성되었는지를 밝히는 데에 있다. 그 한편 조선 건국 후 북부의 양계지역에서는 여진족의 침구가 국방체제의 변화에 중요한 요인으로 작용하게 되었다. 이와 관련된 조선초기 양계 지역의 군사제도와 국방의 문제 역시 별도의 책으로 묶고자 하여, 여기서는 간략히 살피는 데서 그치고자 한다.

이 책이 대상으로 삼은 시기 가운데 고려말엽은 그 지방군제 연구를 어렵게 하는 요인이 몇 가지가 있다. 그 가운데 가장 대표적인 것이 군사제도 전체를 알 수 있을 정도로 구체적인 내용을 담고 있거나, 그렇지는 않더라도 전체상을 추출할 수 있도록 정리되어 있는 기록이 별로 없다는 점이다. 이와 아울러 이 시기의 군제가 고려의 전통을 잇는 부분과 원의 영향 속에서 새로 추가된 부분이 함께 자리하고 있는 점 및 정치세력 특히 권력을 장악한 권력집단이 격변했던 점을 들 수 있다. 군역체계의 변화상이 대체로 밝혀지기는 했으나, 군역체계를 바탕으로 하는 군사조직과 지휘체계가 어떻게 바뀌어 갔는지 잘 드러나지 않는 한편, 특히 14세기 후반에 군사 지휘를 위해 두어진 여러 직책들이 어떠한 틀 속에서 그 직임을 수행한 것인지 파악되지 못했던 것은 이러한 이유들 때문이라 할 수 있다. 그러한 까닭에 이 책에서는 『고려사』와 『고려사절요』에서 군사적 사명을 띠고 지방에 파견된 도순문사와 순문사, 도지휘사와 지휘사, 원수 등등의 파견 기록을 정리하여 관련 기록들과 연결하여서 역사적 해석과 판단을 하는 방법을 택하였다. 조선초기의 실록實錄 등의 기록은 제도적 변화상의 파악에 충분한 자료를 제공하고 있어서, 조선초기 지방군제를 파악하고 설명하는 데에는 주로 『태조실록』에서 『중종실록』에 이르는 연대기자료의 내용을 이용하는 데서 그치고, 병마도절제사나 병마절도사 등의 파견 기록을 따로 정리하지는 않았다.

조선초기의 지방군제는 조선 건국 직전에 설치된 병마도절제사馬都節制使가 병마절도사兵馬節度使로 개편되어 제도화하는 내용을 중심으로 살펴 정리하였다. 육군의 군사도軍事道가 설치 변천하는 과정이나 그 운영 내용, 지방군 본연의 임무인 국방을 위해 갖추어진 국방체제가 운영되는 내용 등도 역시 병마도절제사와 병마절도사를 중심으로 고찰하였다. 아울러 이 책에서 병마도절제사는 도절제사都節制使로, 병마절도사는 병사兵使로, 수군도안무처치사水軍都安撫處置使는 처치사處置使로, 수군절도사水軍節度使는 수사水使로 약칭하였음을 밝혀 둔다.

제1부 고려말엽의 지방군사제도

제1장 도별 지방군사제도의 배태

1. 도순문사의 창설

고려전기高麗前期에는 양계兩界의 경우 남부지역의 도道에 해당하는 계界를 단위로 병마사兵馬使가 두어져 주진군州鎭軍을 총괄하였으나, 남방에는 도 단위로 주현군州縣軍을 관장하는 기구가 두어져 있지 않았다. 양계의 경우에는 병마사를 정점으로 하는 엄밀한 조직체계를 통해 주진군 지휘가 이루어졌으나 그 이남 지역에서는 상설적 지휘체계가 없이 유사시에 중앙에서 임시로 지휘관을 파견하거나 안렴사按廉使 또는 수령守令이 주현군을 징발 지휘하는 것이 보통이었다.[1] 이에 비해 고려 말엽의 사료에는 양계는 물론 남방의 여러 도에서도 도별 지방군사제도가 운영된 것으로 보이는 자료가 산견되고 있고, 이와 관련되어 주목되는 것이 도순문사都巡問使이다.[2] 도순문사는 한편으로는 조선시기에 도별 지방군사제도

1) 李基白, 「高麗州縣軍考」, 『高麗兵制史研究』, 1968, 206~208쪽; 「高麗 兩界의 州鎭軍」, 같은 책, 243, 258쪽.

2) 도순문사는 閔賢九 교수가 忠定王代 이후 倭寇의 본격적 침입으로 남방의 沿海地域이 國防線화되자 國防政策의 현실적 필요에 따라 道單位 軍事運用이 촉진되었으리라는 점과 관련하여 다룬 바 있고(閔賢九, 『朝鮮初期 軍事諸道와 政治』, 1983, 179 180쪽), 이 외에 恭愍王 5년 兩界를 收復한 뒤 都巡問使가 兩界의 軍事 民事를 관장하는 長官으로 등장하는 과정이 邊太燮 교수에 의해 간략히 다루어진 바 있다(邊太燮, 「高麗兩界의 支配組織」, 『高麗政治制度史研究』, 1971. 230~235쪽).

의 정점에 위치했던 병마절도사兵馬節度使로 연결되는 직임이기도 하다.

이같은 도순문사가 처음 파견된 것은 충렬왕 때이나, 도순문사와 성격이 비슷하다고 판단되는 순문사巡問使는 그보다 54년 전인 1227년(고종 14)에 전라도 순문사로 김희제金希磾를 파견한 것이 첫 파견 기록으로 나타나고,[3] 이 뒤 1243년(고종 30)에는 경상주도慶尙州道와 전라주도全羅州道, 충청주도忠淸州道에 동시에 각각 순문사를 파견한 기록이 보인다.[4]

13세기 전반은 고려사회가 무신정권의 통치 아래 심각한 외환을 겪고 있던 시기이다. 거란契丹 잔당의 침입에 이어 1231년(고종 18)부터 1257년(고종 46)까지 몽골군이 7차에 걸쳐 대규모로 침입해 왔고, 아직 큰 위협은 되지 않았지만 왜구倭寇의 침입도 1223년부터 시작되고 있었다. 따라서 일단 순문사와 도순문사가 군사적 직임이었으리라는 짐작이 드는데, 먼저 그 파견 추세를 살피기 위해 처음 순문사가 파견된 이후로부터 왜구 침입이 본격화되는 1350년(충정왕 2) 전까지 『고려사』와 『고려사절요』에 보이는 도순문사 · 순문사 파견 기록을 간략히 정리한 것이 다음의 <도표 1>이다.

<도표 1> 1227~1350년의 도순문사 · 순문사 파견

년 월	임명도	직함	성 명	임명시 관직	전거('사'는 『고려사』, 절요'는 『고려사절요』임)
1227년 고종 14년	전라도	순문사	金希磾 김희제	–	史 권 103, 열전, 김희제전
1243년 고종 30년	경상주도	순문사	閔 曦 민 희	–	史 권 79, 식화지 2, 농상, 고종 30년 2월

3) 『高麗史』 권 103, 列傳, 金希磾傳.

4) 『高麗史』 권 79, 食貨志 2, 勸農, 高宗 30년 2월.

1243년 2월 고종 30년	전라주도	순문사	孫襲卿 손습경	–	위와 같음
1243년 2월 고종 30년	충청주도	순문사	宋國瞻 송국첨	형부상서	위와 같음
1247년 고종 34년	경상주도	순문사	宋國瞻 송국첨	–	節要 권 16, 고종 34년 6월
1254년 3월 고종 41년	전라주도	순문사	李純孝 이순효	–	節要 권 17, 고종 41년 3월
1255년 4월 고종 43년	충주도	순문사	韓 就 한 취	–	節要 권 17, 고종 43년 4월
1281년 7월 충렬왕 7년	경상충청 전라도	도순문사	李存庇 이존비	밀직부사	史 권 111, 열전, 이암(李嵒)전
1284년 12월 충렬왕 10년	경상충청 전라도	도순문사	廉承益 염승익	부밀직사사	史 권 29, 세가, 충렬왕 10년 12월 무자
1289년 3월 충렬왕 15년	충청도	도순문사	羅 裕 나 유	지밀직사사	史 권 30, 세가, 충렬왕 15년 3월 신묘
1289년 3월 충렬왕 15년	경상전라도	도순문사	朴之亮 박지량	판삼사사	위와 같음
1309년 10월 충렬왕 28년	서북면	도순문사	鄭允宜 정윤의	밀직제학	史 권 32, 세가, 충렬왕 28년 10월 을해
1327년 충숙왕 14년	경상전라도	도순문사	金 倫 김 륜	–	史 권 110, 열전, 김륜전
1343년 9월 충혜왕 4년	강릉교주도	도순문사	尹 桓 윤 환	찬성사	史 권 36, 세가, 충혜왕 4년 9월 정묘
1347년 1월 충목왕 3년	교주도	도순문사	金允藏 김윤장	지밀직사사	史 권 37, 세가, 충목왕 3년 1월 임신
1347년 10월 충목왕 3년	서북면	도순문사	金用謙 김용겸	평양윤으로 서 겸임	史 권 37, 세가, 충목왕 3년 10월 신사

<도표 1>에서 보듯이 1227년 이후 120년 동안 도순문사와 순문사의 파견 기록은 13회뿐이며, 총 16명이 파견되었다. 이 점은 기록의 누락을 고려한다고 해도 당시 이들이 임시 사행使行으로서 사명을 수행하였음을 보여준다고 하겠다. 그러면 도순문사와 순문사의 차이에 대한 검토는 다음 절로 미루고, 고종 때의 순문사부터 살피기로 한다.

1227년에 파견된 전라도 순문사 김희제에게 어떠한 사명이 부여됐는지는 분명치 않으나, 1243년에 파견된 3도의 순문사에 대해서는 다음과 같은 설명이 보인다.

> 여러 도에 순문사를 보내다. 민희(閔曦)는 경상주도(慶尙州道), 손습경(孫襲卿)은 전라주도(全羅州道), 송국첨(宋國瞻)은 충청주도(忠淸州道)로 보냈다. 또 각도에 산성겸권농별감(山城兼勸農別監)을 보냈는데, 모두 37명이다. 이름은 권농이라 했으나 실은 바로 방어태세를 갖추려는 것이다. 순문사가 곧 번잡하다고 권농별감 혁파를 청하여 그에 따랐다.[5]

고려가 몽골이 내세운 군대 철수 조건에 응하기 위해 왕족인 영녕공永寧公 준綧을 귀족자제 10명과 함께 볼모로 몽골로 보낸 일이 있으나,[6] 몽골에 완전히 항복하고 강화도로부터 나와 환도還都한 때는 1259년(고종 46)이며, 1228년(고종 15) 이후로 고종의 재위기간 동안에는 왜구 침입이 기록되어 있지 않다. 따라서 당시 순문사를 보내 방비한 것은 몽골군의 침입이었다고 판단된다.

1243년 당시는 고려가 몽골과 강화를 추진하면서도 아직은 그들의 고

---

5) 遣諸道巡問使 閔曦于慶尙州道 孫襲卿于全羅州道 宋國瞻于忠淸州道 又遣各道山城兼勸農別監 凡三十七人 名爲勸農 實乃備禦也 巡問使尋以煩冗請罷勸農別監 從之(『高麗史』 권 79, 食貨志 2, 勸農, 高宗 30년 2월).

6) 『高麗史』 권 23, 世家, 高宗 28년 4월.

종 친조親朝 및 출륙出陸 요구를 강경히 거부하고 있었으므로,[7] 권농을 명분으로 산성별감山城別監을 파견하였던 것이다. 1247년(고종 34) 경상주도 순문사 송국첨이 몽골군 침입에 민심이 이반할까 염려하여, 무뢰배를 모아 재산 증식을 일삼던 최이崔怡의 두 아들 만종(萬宗: 뒤에 抗으로 개명)과 만전萬全의 소환을 청한 일이나,[8] 1256년 충주도순문사 한취가 아주牙州에서 몽골군과 전투한 것에서[9] 역시 순문사를 파견한 이유가 몽골군에 대한 방비였음을 확인할 수 있다. 그러므로 1227년에 처음 파견한 순문사도 몽골 침입의 직접 계기가 된 몽골사신 저고여著古與 피살 사건 2년 뒤의 일이라는 점에서 또한 몽골의 침입에 대한 대비였으리라고 추측된다.[10]

고려는 대몽항쟁에서 해도海島 및 산성山城 입보책入保策을 주요 전략으로 사용했는데, 행정구역 단위별로 수령이나 방호별감防護別監이 입보를 지휘하고 양계의 경우 병마사가 이를 총괄하여 지휘하고 있었다.[11] 이에 비해 도가 군사구역 단위로 기능하고 있지 않았던 남방에서는 따로 순문사를 파견하여 안찰사와 함께 도별로 입보를 지휘 감독토록 한 것이 눈에 띈다.[12] 이 입보가 당시 순문사에게 부여된 주요임무였다고 생각되며, 1256년 충주도순문사가 아주에서 몽골군과 전투를 벌인 것은 아주 연안이 고려와 몽골 사이에 치열한 해상 접전이 진행된 곳이라는 점을 감안할 때[13] 역시 이 지역 바다의 국방력을 강화하려는 순문사의 해도海

7) 姜晋哲, 「蒙古의 侵入에 對한 抗爭」, 『한국사』 권 7, 국사편찬위원회, 1973, 354~356쪽.

8) 『高麗史』 권 129, 列傳, 崔忠獻傳 附崔怡傳; 『高麗史節要』 권 16, 高宗 34년 6월.

9) 『高麗史節要』 권 17, 高宗 43년 4월.

10) 한편 高宗 14년에 파견된 巡問使는 그 파견 지역이 全羅道이고 高宗 10~14년에는 倭寇 침입 기록이 7회 나타나므로 倭寇에 대한 대비였을 가능성도 배제할 수 없다.

11) 尹龍赫, 「高麗의 海島入保策과 蒙古의 前略變化 – 麗蒙戰爭 전개의 一樣相–」, 『歷史教育』 32, 1982, 56~69쪽.

12) 北界兵馬使報蒙兵渡鴨綠江 卽移牒五道按察使及三道巡問使 督令居民 入保山城 海道(『高麗史』 권 24, 世家, 高宗 40년 7월 갑신).

13) 尹龍赫, 앞 논문, 75쪽.

島 입보 지휘와 관계되어 일어난 일로 생각된다.

본래 고려의 남방에 설치된 주현군은 원래가 남방을 외침의 염려가 없는 무풍지대로 간주한 상황에서 만들어진 데다가 13세기 당시에는 이미 제도 자체가 실질적으로 붕괴되어 있었다. 12세기 이래로 대규모 인구 유이와 치열한 농민항쟁을 거치면서 주현군은 조직 자체가 무너져서 대몽항쟁에서는 새로 조직된 별초別抄가 동원되어 활약하고 있었다. 별초에 대한 지휘는 종래와 같이 안렴사나 수령 때로는 지방의 유력자가 맡기도 했는데,[14] 대몽항쟁 기간 동안 산성해도방호별감山城海島防護別監이 두어짐으로써 주로 이들이 별초의 지휘체계를 통해 군사를 지휘해서 침입한 외적을 막게 되는 변화가 일어나 있었다. 그리고 그 위에서 이들을 지휘하도록 때로는 지휘사指揮使 등이 파견되기도 했지만[15] 대체로 순문사가 파견되어 임시로 도 단위 지휘체계가 짜여져 운영되었던 것이다. 즉 대몽항쟁을 진행하면서 임시적이지만 도 단위로 군사제도가 운영되었고, 그 군사적 직임을 수행하는 임시 사행으로서 순문사, 도순문사가 창설된 것이었다.

2. 진변만호부와 도순문사

고려가 원의 부마국駙馬國이 된 뒤인 1281년(충렬왕 7)부터 1347년(충목왕 8)까지의 도순문사는 고종 때의 순문사와 계통이 같다고 생각되나, 사명의 내용에는 변화가 일어나게 되었다. 그러나 외적의 침입에 대한 대비가 아니었을 뿐 임시로 필요한 군사적 조치를 수행한다는 점에서는 맥

14) 金塘澤, 「武臣政權時代의 軍制」, 『高麗軍制史』, 1983, 311~315쪽.

15) 『高麗史』 권 101, 列傳, 文漢卿 附 權世侯 白敦明傳; 같은 책 권 103, 列傳, 金慶孫傳, 金允侯傳, 李子晟傳.

을 같이 하였다. 예를 들면 1281년의 경상충청전라도 도순문사 이존비李存庇에게 부여된 임무는 원의 제 2차 일본 정벌 계획에 따라 군량과 전함을 미리 준비 조달하는 것이었고, 1289년(충렬왕 15)의 충청도 도순문사 나유羅裕와 경상전라도 도순문사 박지량朴之亮의 임무는 군량 운송의 감독이었으며, 1342년의 교주도 도순문사 전윤장全允藏의 임무는 쌍성雙城지역 호구의 조사 수괄搜括이었다.16)

그런데 충렬왕 때에는 하나 또는 몇 개의 도를 단위로 군사업무를 수행하는 직임으로서 오히려 도순문사보다 도지휘사가 자주 파견되고 있었다. 먼저 도지휘사 파견 추이를 볼 수 있도록 고종 때부터 충정왕 즉위 전까지 도지휘사와 지휘사를 파견한 기록을 정리한 것이 다음의 <도표 2>이다.

<도표 2> 고종~충렬왕 연간의 도지휘사, 지휘사 파견

연 대	임명도	직 함	성명	임명시 관직	전거(모두 『高麗史』임) 와 비고
1236년 10월 고종 23년	전라도	지휘사	田甫龜 전보구	상장군	권 23, 世家, 高宗 23년 10월 甲午
1237년 봄 고종 24년	〃	지휘사	金慶孫 김경손	–	권23, 世家, 高宗24년 春 초적 이연년을 토벌, 평정
1241년 고종 30년	동남도	都指揮副使	分 碩 유 석	–	권 121, 列傳, 分碩傳
1272년 12월 원종 13년	충청도	지휘사	宋松禮 송송례	–	권 27, 世家, 元宗 13년 12월 庚戌
1273년 원종 14년	전라도	지휘사	張 鎰 장 일	–	권 106, 列傳, 張鎰傳

16) 『高麗史』 권 111, 列傳, 李嵓傳; 같은 책 권 30, 世家, 忠烈王 15년 3월 신묘; 같은 책 권 37, 世家, 忠穆王 3년 10월 신사.

1274년 1월 원종 15년	전주도	도지휘사	許 珙 허 홍	추밀원부사	권 27, 世家, 元宗 15년 1월
1274년 1월 원종 15년	나주도	지휘사	洪祿遒 홍록주	우복야	권 27, 世家, 元宗 15년 1월
1275년 10월 충렬왕 원년	경상도	도지휘사	金光遠 김광원	–	권 28, 世家, 忠烈王 원년 10월, 전함 건조
1277년 10월 충렬왕 3년	〃	지휘사	金伯均 김백균	–	권 28, 世家, 忠烈王 3년 10월 戊午
1279년 9월 충렬왕 5년	〃	도지휘사	許 珙 허 홍	–	권 29, 世家, 忠烈王 5년 9월 癸丑, 전함 건조
〃	전라도	〃	洪子藩 홍자번	–	권 29, 世家, 忠烈王 5년 9월 癸丑, 전함 건조
〃	충청도	〃	權 晅 권 단	–	권 29, 世家, 忠烈王 5년 9월 癸丑, 군사 점검
1280년 7월 충렬왕 6년	서해도	〃	禹濟沖 우예충	–	권 29, 世家, 忠烈王 6년 7월 乙丑, 서해도 計點使
1285년 10월 충렬왕 11년	충청전라경상도	計點都指揮使	金周鼎 김주정	–	권 30, 世家, 忠烈王 11년 10월 乙卯
1285년 12월 충렬왕 11년	경상도	造船都指揮使	宋 玢 송 분	–	권 30, 世家, 忠烈王 11년 12월 癸卯
1289년 3월 충렬왕 15년	충청도	지휘사	林 庇 임 비	대장군	권 30, 世家, 忠烈王 15년 3월 辛卯, 군량 수송
〃	전라도	〃	崔 諹 최 양	좌사의대부	권 30, 世家, 忠烈王 15년 3월 辛卯, 군량 수송
1290년 1월 충렬왕 16년	경상도	도지휘사	安 戩 안 전	–	권 30, 世家, 忠烈王 16년 1월 乙丑
〃	전라도	〃	金之淑 김지숙	–	권 30, 世家, 忠烈王 16년 1월 乙丑

〃	충청도	〃	宋 玢 송 분	첨의참리	권 30, 世家, 忠烈王 16년 1월 戊辰
1290년 7월 충렬왕 16년	서북면	〃	鄭仁卿 정인경	부밀직사사	권 30, 世家, 忠烈王 16년 7월 庚申, 서역유수 겸임
1290년 9월 충렬왕 16년	전라도	〃	閔 萱 민 훤	衛尉府尹	권 30, 世家, 忠烈王 16년 9월 癸丑
〃	충청도	〃	嚴守安 엄수안	판사재시사	권 30, 世家, 忠烈王 16년 9월 癸丑
1290년 12월 충렬왕 16년	〃	〃	安 戩 안 전	–	권 30, 世家, 忠烈王 16년 12월
1291년 7월 충렬왕 17년	서북면	〃	〃	–	권 30, 世家, 忠烈王 17년 7월 丁巳
1291년 8월 충렬왕 17년	〃	지휘사	李德孫 이덕손	–	권 30, 世家, 忠烈王 17년 8월 乙酉
1291년 10월 충렬왕 17년	경상도	도지휘사	宋 玢 송 분	–	권 30, 世家, 忠烈王 17년 10월 壬申
〃	동북면	〃	韓希愈 한희유	–	권 30, 世家, 忠烈王 17년 10월 壬申
〃	서북면	〃	金之淑 김지숙	–	권 30, 世家, 忠烈王 17년 10월 壬申
1293년 8월 충렬왕 19년	충청도	〃	〃	판밀직	권 30, 世家, 忠烈王 19년 8월, 선박과 군량 준비
〃	전라도	〃	崔有渰 최유엄	지밀직	권 30, 世家, 忠烈王 19년 8월, 선박과 군량 준비
〃	경상도	〃	金 惲 김 운	첨의참리	권 30, 世家, 忠烈王 19년 8월, 선박과 군량 준비

1293년 10월 충렬왕 19년	〃	〃	〃	–	권 30, 世家, 忠烈王 19년 10월 신축, 다시 파견
1293년 12월 충렬왕 19년	탐라	〃	宋 玢 송 분	–	권 30, 世家, 忠烈王 19년 12월 戊子
〃	서북면	〃	李 混 이 혼	–	권 30, 世家, 忠烈王 19년 12월 壬寅
1294년 7월 충렬왕 20년	전라도	지휘사	吳仁永 오인영	대장군	권 31, 世家, 忠烈王 20년 7월 戊午
1294년 12월 충렬왕 20년	서북면	도지휘사	朴 義 박 의	좌복야	권 31, 世家, 忠烈王 20년 12월 庚寅
1298년 충렬왕 24년	〃	〃	金 賆 김 변	奉翊大夫 부밀직	권 103, 列傳, 金就礪傳 附金賆傳
1298년 10월 충렬왕 24년	〃	〃	尹 璇 윤 선	–	권 31, 世家, 忠烈王 24년 10월 甲戌
1299년 3월 충렬왕 25년	〃	〃	金富允 김부윤	–	권 31, 世家, 忠烈王 25년 3월 乙酉. 윤선은 파직됨.
1300년 12월 충렬왕 26년	〃	〃	宋 和 송 화	–	권 31, 世家, 忠烈王 26년 12월 丙申
1270년대 후반 충렬왕 초엽	경상도	〃	金 連 김 연	지도첨의	권 107, 列傳, 金連傳. 전함 수선을 감독
1290~1298년 충렬왕 16~24년	서북면	지휘사	嚴守安 엄수안	–	권 106, 列傳, 嚴守安傳

이 표와 같이 고종~원종 연간에도 지휘사나 도지휘사, 도지휘부사 등이 파견되었으나, 도지휘사가 본격적으로 자주 파견되기 시작한 것은 충렬왕이 즉위한 뒤의 일이다. 충렬왕 때에는 두 차례 일본 정벌에 실패한 뒤로도 원元으로부터 고려에 일본 정벌 준비를 하라는 압력이 가해지고 있었다. 이러한 사정 속에서 충렬왕 연간에는 1290년(충렬왕 16) 및 1298년(충렬왕 24) 무렵에 동북면과 서북면에 파견된 경우를 제외하면 도지휘사와 지휘사는 1301년(충렬왕 27) 이후 파견이 중단되기 전까지 거의 모두 군량과 전함戰艦 조달, 군인 징발을 사명으로 하여 파견되었다. 도지휘사와 지휘사는 이에 앞서 고종~원종연간에는 몇 차례 지방에서 군사를 지휘하여 국방 임무를 수행토록 파견된 바 있는데, 충렬왕 때에 이르러서는 직임이 군사 행정에 치중되어 군사 지휘관으로서의 성격은 약화되어 있었다. 그렇지만 충렬왕 연간을 거치면서 매우 빈번히 파견되어 차츰 도 단위로 지방의 군사 업무를 맡는 관직으로 정착해가고 있었다.[17] 이러한 이유로 도지휘사의 아래에는 판관判官과 녹사錄事로 또는 녹사만으로 하부기구가 조직되어 있었고,[18] 때로는 여러 사신을 보내 처리하고 있는 업무를 도지휘사로 일원화하자는 주장도 나오고 있었다.[19]

충렬왕은 여기에서 더 나아가 1301년 무렵 도지휘사를 원元의 경우처

---

17) 1291년(忠烈王 17) 哈丹軍이 침입했을 때 原州, 忠州, 谷州 등지의 지방군이 山城防護別監이나 別將의 지휘를 받아 또는 別抄軍이 독자적 군사행동을 통해 이들을 막은 것으로 보아(『高麗史』 권 30, 世家, 忠烈王 17년 1월 甲寅, 4월 癸酉, 4월 丙子) 都指揮使가 도 단위의 군사지휘권을 가지지 못했던 것으로 생각된다. 당시 忠淸道에는 분명히 都指揮使가 파견되어 있었다(같은 책 권 30, 世家, 忠烈王 16년 12월).

18) 令各道指揮使 罷判官 錄事 唯留都評議錄事(『高麗史』 권 29, 世家, 忠烈王 6년 10월 丁亥). 이 무렵 指揮使는 파견된 일이 드물고 대개 都指揮使가 파견되고 있었으므로 여기서의 指揮使는 都指揮使를 말하는 것으로 판단된다. 이 조치는 都評議使司가 설치된지 1년 7개월 뒤에 취해진 것이어서 都指揮使 밑에 都評議錄事만을 두게 하여 중앙에서 도지휘사를 통할하려 했던 것이 아닌가 추측된다.

19) …… 時 近幸多奉使民擾 都堂言 西北界 人性暴悍 不可以內旨擾之 自今宜下都評議司司牒都指揮使 亦可辦事(『高麗史』 권 108, 列傳, 李混傳).

럼 지방군사기구인 도지휘사사都指揮使司를 관장하는 직책으로 만들고자 하였으나 원의 제지를 받아 성공하지 못했던 것으로 나타난다.[20] 도지휘사사를 설치하려는 시도는 고려가 정치적으로 원에 예속되고 또 아직 도가 행정적으로나 군사적으로나 확고한 지역 단위로 정착하지 못한 상황에서 나온 것이라는 점에서 획기적인 내용의 것이었다. 그러나 당시의 국제 정치 현실이 이를 허용하지 않아 결국 원의 제지를 받음으로써 이 시도는 좌절되고 도지휘사도 파견하지 못하게 되고 말았던 것이다. 이 뒤로 왜구 침입이 본격화하기 전까지는 도지휘사 파견이 전혀 이루어지지 않고 본래 군사 행정을 목적으로 파견하던 도순문사만이 간혹 파견될 뿐이어서, 도를 단위로 하는 지방 군사제도의 발달도 정체될 수밖에 없었다.[21]

한편 대몽항쟁이 끝난 뒤 고려가 정치적으로 원의 영향권 안에 들게 됨으로써 이제 국방은 남방이 중심을 이루어 주로 왜구에 대비해 해안지역에 설치된 방호소防護所에서 방어를 담당하는 방호별감防護別監과 방호사防護使에 맡겨지게 되었다.[22] 방호별감과 방호사는 수령에 버금가는 지위에 있으면서 군사를 지휘하고 있었고, 이와 함께 해상에서 방어를 맡는 수로방호사水路防護使와 수로방호별감水路防護別監도 또한 두어져 있었다.[23] 이어서 1274년(충렬왕 즉위년)과 1279년(충렬왕 5) 두 차례에

20) 忠烈王 27년 3월 元이 耽羅軍民萬戶府를 설치하자 이해 5월 忠烈王은 耽羅萬戶府를 高麗에 소속시켜줄 것을 요청하면서 대신 앞서 高麗의 舊例에 高官이 '出鎭邊境'할 때 指揮使 職銜을 띠던 것에 따라 軍民都指揮使司의 설치를 허용해 달라고 했던 요청을 철회하였다(『高麗史』 권 32, 世家, 忠烈王 27년 5월 경술). 이를 耽羅에 軍民都指揮使司를 설치하려 했다가 철회한 것으로 보는 견해도 있는데(崔根成, 「高麗 萬戶府制에 관한 硏究」, 『關東史學』 3, 1988.), 이 뒤 都指揮使가 일체 파견되지 않는 것으로 보아 여러 도에 都指揮使司를 두려 했다가 좌절된 것으로 짐작된다. 이 시도는 道를 單位로 하여 軍事 行政만이 아니라 軍事 指揮까지도 총괄하는 상설 기구로 都指揮使司를 설치하려 했던 것으로 이해된다.

21) 이 뒤 都指揮使가 자주 파견되는 것은 恭愍王 때에 反元政策이 추진된 다음의 일이다(이 글 제2절 도별 지방군사제도의 형성 참조).

22) 車勇杰, 「高麗末 倭寇防戍策으로서의 鎭戍와 築城」, 『史學硏究』 38, 1984. 131~135쪽.

23) 倭寇金州. 防護別監盧旦 發兵捕賊船二艘 斬三十餘級 且獻所獲兵仗(『高麗史』 권 22,

걸쳐 감행된 일본 정벌이 모두 실패로 돌아가자 고려와 원은 일본의 공격을 염려하여 해안 요충지의 방어를 굳건히 하게 되었다. 1281년(충렬왕 7) 11월에는 뒤에 합포만호부合浦萬戶府로 이름이 바뀌는 김주등처진변만호부金州等處鎭邊萬戶府를 설치하였고, 나아가 1290년(충렬왕 16)에는 전라만호부全羅萬戶府, 1301년(충렬왕 27)에는 탐라만호부耽羅萬戶府를 설치하였다.[24] 이로써 남방 해안지역에 중요한 방어 거점 세 곳이 두어졌던 것이다.[25]

1301년의 도지휘사사 설치 시도가 좌절됨으로써 이 뒤로 고려의 지방군사력에 대한 지휘체계는 남해 지역의 중요한 방어 거점 세 곳에 두어진 만호부의 만호萬戶가 장악하게 되었다. 이 가운데 특히 합포와 전라 두 만호부는 정식 명칭이 진변만호부鎭邊萬戶府로서 남부 해안지대를 지킨다는 것을 분명히 하고 있었다. 따라서 만호부에서 근무하는 장교, 군인들은 물론 기존의 해안 지역에 설치된 방호소들도 자연히 만호부의 지휘를 받게 되었다. 즉 진변만호부의 만호들은 만호부 만호 – 천호소千戶所 천호千戶 – 백호소百戶所 백호百戶로 연결되는 지휘체계를 통하여 만호부 직속 군사들을 지휘하고[26] 아울러 소속 방호소의 지휘관들을 통하여 방호소

世家, 高宗 14년 4월 甲午).

以濟州副使判禮賓省事蘿得璜兼防護使 朝議 濟州海外巨鎭 宋商 島倭無時往來 宜特遣防護別監 以備非常 然舊制 但守倅而已 不可別置防護. 遂以得璜兼之(『高麗史』 권 25, 世家, 元宗 원년 2월 庚子).

以大將軍金伯鈞爲慶尙道水路防護使 判閤門事李信孫爲忠淸道防護使(『高麗史』 권 27, 世家, 元宗 14년 2월 癸酉).

24) 崔根成, 앞 논문, 53~59쪽.

25) 충렬왕 28년 무렵 이후로 全羅萬戶府가 合浦萬戶府에 통합 운영되다가 恭愍王 3년(1354)에 다시 만들어진 것으로 보는 견해(內藤雋輔, 「高麗兵制管見 －主として麗末蒙古の影響を受けたる兵制に就いて－ (下)」, 『靑丘學叢』 16, 1934, 214~216쪽)에 대해 全羅萬戶府가 계속 존속된 것으로 보는 견해도 있다(崔根成, 앞 논문). 그러나 全羅萬戶府의 위치나 구체적 내용은 알려져 있지 않다.

26) 崔根成, 앞 논문, 64쪽.

소속 군사들을 지휘함으로써 국방에 임하게 되었다.[27] 만호부에 소속된 방호소는 유사시에 대비하여 병선兵船을 갖추고 있는 한편 봉화烽火를 통해서 만호부와 통신을 하고 있었다.[28]

남부 지역을 지키는 만호부의 조직에서 또한 주목해야 할 점이 군령기구인 진무소鎭撫所와 행정 실무 기구를 갖추고 있었다는 사실이다. 행정 실무를 맡는 만호부 녹사는 고려 조정에서 그 자격에 제한을 두는 등 어느 정도 고려가 통제권을 행사하고 있었다.[29] 그러나 군령기구인 진무소를 구성하는 진무들은 대개 만호가 사적私的으로 임명하였을 것으로 판단된다.

도별 지방군사제도와 관련하여 무엇보다도 주목되는 것은 진변만호부의 만호가 어느 때인가부터 도순문사직을 겸하고 있었던 사실이다. 합포와 전라 두 진변만호부 만호는 이색李穡의 설명에 따르면 모두 순무사巡撫使를 겸하였고 반드시 원元의 임명을 받을 필요는 없었다.[30] 즉 이색은 순무사직은 고려 국왕이 임명했음을 말하고 있는데, 순무사는 순무진변사巡撫鎭邊使라고도 하였으며[31] 따라서 순무사가 곧 도순문사를 뜻하는 것으로 보는 견해가 유력하다.[32] 이로부터 본다면 진변만호부 만호는 세습

---

27) 又上(원: 필자)中書省書曰 至元二十年 欽奉世祖皇帝聖旨 委付當職行征東行省事 威鎭邊面管領 見設慶尙道合浦等處幷全羅道兩處鎭邊萬戶府 摘撥本國軍官 軍人 見於合浦 加德 洞萊 蔚州 竹林 巨濟 角山 內禮梁等所把隘口去處 及耽羅等處 分俵置立熢𤇢暗藏船兵 日夜看望巡綽 專一隄備日本國賊軍句當(『高麗史』 권 32, 世家, 忠烈王 28년 12월 壬午).

加德, 東萊 등의 지역이 防護所가 설치된 곳이었음은 車勇杰, 앞 논문, 131~135쪽 참조.

28) 註 27)과 같음.

29) 『高麗史』 권 35, 世家, 忠肅王 11년 5월 丙申.

30) 國家以慶尙全羅 旣爲邊防 而加財富所出 一國之府. 故出鎭于此 皆帶巡撫使 不必受朝命(『稼亭集』 권 9, 「送洪密直出鎭合浦序」). 洪密直이 '出鎭合浦'한 때는 忠肅王 復位 7년(1338)이나, 李穡의 설명이 어느 시기부터 적용되는지는 분명치 않다.

31) 下旨 合浦等處鎭戍軍人 大小郡縣 數目不均. 今後巡撫鎭邊使 改定數目. 凡侵擾營鎭 以濟私慾者 嚴加禁恤(『高麗史』 권 82, 兵志, 鎭戍, 忠肅王 12년 10월).

32) 高柄翊, 「麗代 征東行省의 硏究」, 『東亞交涉史의 硏究』, 1970, 224~225쪽. 都巡問使 역시 都巡問鎭邊使의 職銜을 쓰기도 했었음은 이 글 2절 도별 지방군사제도의 형성 참조.

적 장수직인 만호직은 원에서 임명받더라도 도순문사직은 별도로 고려 국왕이 임명하는 절차를 거치고 있었던 셈이다.

고려의 남방도 이제 후방지대의 성격을 유지할 수 없음이 분명해졌으므로 충숙왕대에는 이미 과거 농민 가운데서 뽑아 일본 정벌에 동원하였던 군인들의 계통을 잇는 진변별초鎭邊別抄와 해안지역 농민 중심으로 구성되는 진수군鎭戍軍이 조직되어 만호부나 방호소에서 근무하고 있었는데,[33] 이에 대한 선발 등 군사 행정에 대한 권한은 형식적으로는 도순문사에게 주어져 있었다.[34] 그러나 진변만호부 만호가 도순문사직을 겸하였기 때문에 군사행정의 권한도 실제로는 이들이 장악하고 있었다.[35] 즉 이들 만호는 남부 지역에 대해 막강한 권력을 행사하는 존재로 자리를 잡고 있었다.

그럼에도 지방군사제도의 측면에서 보면 고려는 해안지역에 방호소를 설치하는 정도에서 그치고[36] 아직은 도를 단위로 한 군사운용을 정착시키지는 못한 것으로 나타난다. 왜구 침입은 기록에는 1280년(충렬왕 6년)~1350년(충정왕 원년)까지의 70년 동안 4회만 나타나고 있으나 소규모의 산발적 침입은 계속되었는데,[37] 공민왕 때 이후에 도순문사를 중심으로 도별로 왜구에 대비한 것과 같은 양상은 아직 보이지 않는 것이다. 다만 진변별초와 진수군이 조직된 것에서 고려가 자체의 힘으로 새로운 방위태세를 갖추려 노력하였음을 확인할 수 있을 뿐이다.

진변만호부를 중심으로 형성된 국방체제가 도 단위 지방군사제도로

---

33) 閔賢九, 앞 논문, 332~333쪽.

34) 註 31)과 같음.

35) 이 글 제2절 도별 지방군사제도의 형성 참조.

36) 防護所에 대해서는 車勇杰, 「高麗末 倭寇防守策으로서의 鎭戍와 築城」, 『史學研究』 38, 1984. 131~135쪽 참조.

37) 孫弘烈, 「高麗末期의 倭寇」, 『史學志』 9, 1975, 36~37쪽. 고려말의 왜구에 대하여 최근에 정리된 글로 오종록, 「왜구의 침입」, 『한국해양사 III 고려시대』, 한국해양재단, 2013.이 있다.

정착할 수 없었던 것은 고려가 원의 부마국 상태에 있었던 점이 근본적 제약 조건으로 작용한 때문일 것이다. 현실적으로 아직은 큰 위협이 되지 않는 왜구를 막기 위해 도 정도의 지역 단위로 지방군사조직을 갖춘다는 것은 대단히 큰 정치적 모험이었으리라는 것을 짐작할 수 있다. 그리고 직접적으로는 이 시기의 만호부가 고려의 국왕이 완전히 통제할 수는 없는, 원의 영향력이 매우 강한 군사기구였다는 점이 작용하고 있었다.

1301년의 도지휘사사都指揮使司 설치 시도는 이와 같은 맥락에서 그 중요성을 다시 새겨볼 수 있으나, 그 기도가 좌절됨으로써 이 뒤로 고려 지방 군사력에 대한 지휘체계는 남해 지역의 중요한 방어 거점 세 곳에 두어진 만호부의 만호가 장악하게 된 바 있다. 그런데 충렬왕 때를 지나서는 원에서 직접 만호를 임명하는 일도 자주 있었고, 때로는 원에서 신임 만호를 임명했음에도 전임 만호가 교대를 하지 않으려는 일이 있을 정도로[38] 고려에서의 만호에 대한 통제력은 매우 취약하였다. 즉 진변만호부가 고려의 독자적 군사기구가 아니었던 까닭에 오히려 이로부터 도별 지방군사제도가 발전하는 데 커다란 방해를 받게 되었던 것이다.

38) 元以柳濯爲合浦萬戶 舊萬戶僉議商議楊之秀 不肯受代 久而乃出 遊于道內 莫有問者 (『高麗史』 권 36, 世家, 忠惠王 5년 1월).

제2장 도별 지방군사제도의 형성

1. 하삼도 도순문사의 상설

임시적 사행使行에 불과했던 도순문사都巡問使의 성격이 변화하게 되는 계기는 1350년(충정왕 2) 2월 왜구가 고성과 죽림, 거제에 대규모로 침입한 사건으로 파악된다. 『고려사』 편찬자들은 이를 '왜구의 침입이 이로부터 시작되었다' 라 설명하고 있는데,[39] 이때부터 왜구가 본격화되어 고려 사회는 조운漕運이 끊기고 지방민이 유리하는 등 큰 타격을 입게 되었다. 고려는 이에 이해 3월 유탁柳濯을 전라양광도 도순문사, 이권李權을 경상전라도 도지휘사로 파견하여 왜구를 막도록 했다.[40] 이 조치에서 직함이나 파견 지역으로 판단할 때 도지휘사 이권이 왜구를 막는 직접적인 책임자였으리라고 생각되나, 실제로 이 뒤 공민왕연간부터 왜구에 대한 국방 책임자로 활약하는 것은 도지휘사가 아닌 도순문사였다.[41] 이는 충정왕~공민왕연간에 도순문사 파견 기록을 정리한 <도표 3>과 도지휘사

39) 倭寇固城·竹林·巨濟 合浦千戶崔禪·都領梁瑨等 戰破之 斬獲三百餘級 倭寇之侵 始此(『高麗史』 권 37, 世家, 忠定王 2년 2월).

40) 『高麗史』 권 37, 世家, 忠定王 2년 3월 庚辰.

41) 이와 어떤 관련이 있을지 모르나, 李權은 忠定王 3년에 西京에서 倭寇를 막으라는 왕명을 자기는 본래 장수가 아니라는 이유로 거부한 일이 있다(『高麗史』 권 37, 世家, 忠定王 3년 2월 癸卯).

파견 기록을 정리한 <도표 4>를 비교하면 쉽게 알 수 있다. 도순문사와 순문사의 파견기록은 거의 해마다 나타나는 한편 점차 도가 파견 단위로 정착되고 있었으며, 1350년(충정왕 2)~1374년(공민왕 23)의 25년 동안 50여 회에 66명의 파견 기록이 있어 종전의 120여 년 동안 13회에 16명의 파견기록과 큰 대조를 이룬다. 반면에 도지휘사와 지휘사는 충렬왕연간에 비해서 파견 횟수도 적고 파견 지역도 양계를 제외하면 도를 단위로 파견하고 있지 않았다. 이는 도지휘사가 침입한 외적을 막기 위한 임시적 사행으로서 그 사명을 마치면 곧 중앙으로 귀환하였기 때문이었을 것이다. 이러한 차이는 한편으로는 이인임李仁任이나 전록생田祿生과 같은 문신도 도순문사로 임명되고 있었던데 비해 도지휘사로는 모두 무장만이 파견되는 차이와도 연결될 것이다.

<도표 3> 충정왕~공민왕연간의 도순문사, 순문사 파견[42]

연월	임명도	직함	성명	임명시 관직	전거(『高麗史』)와 비고
1350년 3월 충정왕 2년	전라양광도	도순문사	柳濯 유탁	참리평의	권 37, 世家, 忠定王 2년 3월 庚辰
1351년 1월 공민왕 즉위년	평양도	순문사	洪元哲 홍원철	前 밀직	권 38, 世家, 恭愍王 즉위년
1354년 7월 공민왕 3년	양광도	도순문사	柳之淀 유지정	삼사우사	권 38, 世家, 恭愍王 3년 7월 戊子

42) 이 표에서는 都巡問使나 巡問使의 성명을 알 수 없는 경우는 제외하였다. 그러므로 실제 파견 기록은 더 많다. 예를 들어, 恭愍王 원년과 2년에도 全羅道와 慶尙道에 각각 都巡問使가 파견되어 있었다(『高麗史』 권 38, 世家, 恭愍王 원년 7월 壬申 ; 같은 책 恭愍王 2년 10월 戊申).

1354년 11월 공민왕 3년	전라도	〃	申仲佺 신중전	–	권 38, 世家, 恭愍王 3년 11월 己亥
1356년 5월 공민왕 5년	평양도	순문사	申 青 신 청	–	권 39, 世家, 恭愍王 5년 5월 己亥
1356년 6월 공민왕 5년	전라도	〃	金敬直 김경직	–	권 39, 世家, 恭愍王 5년 6월 乙卯
1356년 6월 공민왕 5년	제주	도순문사	尹時遇 윤시우	–	권 39, 世家, 恭愍王 5년 6월 庚申. 10월 사망
1356년 8월 공민왕 5년	강릉삭방도	〃	黃 順 황 순	첨의평리	권 39, 世家, 恭愍王 5년 8월 壬子
1356년 9월 공민왕5년	평양	〃	李餘慶 이여경	–	권 39, 世家, 恭愍王 5년 9월 癸未
1356년 11월 공민왕 5년	전라도	〃	姜仲祥 강중상	–	권 39, 世家, 恭愍王 5년 11월 乙酉
1357년 11월 공민왕 6년	서북면	〃	金得培 김득배	추밀원직학사	권 39, 世家, 恭愍王 6년 11월 庚申. 西京尹兼上萬戶
1358년 8월 공민왕 7년	〃	〃	慶千興 경천홍	–	권 39, 世家, 恭愍王 7년 8월 庚寅
1359년 3월 공민왕 8년	전라도	〃	黃 順 황 순	–	권 39, 世家, 恭愍王 8년 3월 壬子
1360년 공민왕 9년	평양도	순문사	崔 瑩 최 영	–	권 113, 列傳, 崔瑩傳
1361년 5월 공민왕 10년	경상도	都巡問鎭邊使	姜仲祥 강중상	추밀원직학사	권 39, 世家, 恭愍王 10년 5월 甲寅
1361년 11월 공민왕 10년	〃	도순문사	柳 濯 유 탁	전 좌정승	권 39, 世家, 恭愍王 10년 11월 戊辰, 병마사를 겸함

〃	양광도	순문사	崔安沼 최안소	–	권 39, 世家, 恭愍王 10년 11월 戊辰
〃	전라도	도순문사	李春富 이춘부	–	권 39, 世家, 恭愍王 10년 11월 戊辰, 병마사를 겸함
〃	양광도	〃	李成瑞 이성서	상서우복야	권 39, 世家, 恭愍王 10년 11월 己巳, 병마사를 겸함
〃	교주강릉도	〃	姜 碩 강 석	지문하성사	권 39, 世家, 恭愍王 10년 11월 己巳, 병마사를 겸함
1362년 9월 공민왕 11년	양광도	〃	崔 瑩 최 영	–	권 40, 世家, 恭愍王 11년 9월 己酉, 순문진변사에서 승진
1362년 12월 공민왕 11년	동북면	〃	李壽山 이수산	壽春君	권 40, 世家, 恭愍王 11년 12월 癸未
1363년 2월 공민왕 12년	서북면	〃	李仁任 이인임	첨의평리	권 40, 世家, 恭愍王 12년 2월 甲申, 평양윤을 겸함
1363년 3월 공민왕 12년	양광도	〃	李 珣 이 순	판밀직사사	권 40, 世家, 恭愍王 12년 3월 壬午
1363년 5월 공민왕 12년	경상도	〃	全普門 전보문	–	권 40, 世家, 恭愍王 12년 5월 甲午
1364년 2월 공민왕 13년	양광도	〃	曺敏修 조민수	–	권 40, 世家, 恭愍王 13년 2월 辛酉
1364년 3월 공민왕 13년	경상도	〃	金續命 김속명	지밀직사사	권 40, 世家, 恭愍王 13년 3월 己卯
1364년 8월 공민왕 13년	서북면	〃	金 湑 김 서	–	권 40, 世家, 恭愍王 13년 8월 甲寅
1365년 1월 공민왕 14년	경상도	(도)순문사	鄭思道 정사도	밀직	권 41, 世家, 恭愍王 14년 1월 丙子

〃	전라도	도순문사	李金剛 이금강	첨의평리	권 41, 世家, 恭愍王 14년 1월 丙子
〃	서북면	〃	洪 淳 홍 순	지첨의	권 41, 世家, 恭愍王 14년 1월 丙子
〃	서해도	〃	李成林 이성림	좌상시	권 41, 世家, 恭愍王 14년 1월 丙子
〃	양광도	〃	申翼之 신익지	판전교시사	권 41, 世家, 恭愍王 14년 1월 丙子
1365년 4월 공민왕 14년	양광도	도순문사	金達祥 김달상	전 한양윤	권 41, 世家, 恭愍王 14년 4월 辛丑
〃	동북면	〃	金先致 김선치	전리판서	권 41, 世家, 恭愍王 14년 4월 壬寅, 2일 뒤 밀직부사가 됨
1366년 10월 공민왕 15년	전라도	〃	金 分 김 유	–	권 41, 世家, 恭愍王 15년 10월 癸丑, 제주 토벌 실패
1367년 7월 공민왕 16년	경상도	〃	田祿生 전록생	–	권 41, 世家, 恭愍王 16년 7월 壬辰
〃	전라도	〃	金漢貴 김한귀	–	권 41, 世家, 恭愍王 16년 7월 壬辰
1367년 7월 공민왕 16년	서북면	〃	池龍壽 지용수	–	권 41, 世家, 恭愍王 16년 7월 壬辰
〃	동북면	〃	李成林 이성림	–	권 41, 世家, 恭愍王 16년 7월 壬辰
1367년 12월 공민왕 16년	평양도	〃	金續命 김속명	–	권 41, 世家, 恭愍王 16년 12월 甲辰
1368년 9월 공민왕 17년	양광도	〃	李成林 이성림	–	권 41, 世家, 恭愍王 17년 9월 辛丑

〃	전라도	〃	李金剛 이금강	–	권 41, 世家, 恭愍王 17년 9월 辛丑
1370년 12월 공민왕 19년	〃	〃	〃	지문하성사	권 42, 世家, 恭愍王 19년 12월 戊寅
1371년 2월 공민왕 20년	경상도	〃	韓 蕆 한 천	–	권 43, 世家, 恭愍王 20년 2월 甲子
〃	전라도	〃	楊伯淵 양백연	–	권 43, 世家, 恭愍王 20년 2월 甲子
1372년 9월 공민왕 21년	양광도	순문사	趙天輔 조천보	–	권 43, 世家, 恭愍王 22년 2월 庚申
1373년 2월 공민왕 22년	경상도	도순문사	洪師禹 홍사우	–	권 44, 世家, 恭愍王 22년 2월 己亥
1373년 3월 공민왕 22년	전라도	〃	都 興 도 흥	밀직부사	권 44, 世家, 恭愍王 22년 3월 丙寅
1373년 8월 공민왕 22년	〃	〃	金 鋐 김 굉	–	권 44, 世家, 恭愍王 22년 8월 丙子
〃	경상도	〃	姜仲祥 강중상	–	권 44, 世家, 恭愍王 22년 8월 丙子
1373년 10월 공민왕 22년	양광도	〃	李成林 이성림	–	권 44, 世家, 恭愍王 22년 10월 乙酉, 파직
1373년 11월 공민왕 22년	〃	〃	成大庸 성대용	밀직부사	권 44, 世家, 恭愍王 22년 11월 丙午
〃	삭방도	〃	金先致 김선치	밀직	권 44, 世家, 恭愍王 22년 11월 丙午
〃	전라도	〃	都 興 도 홍	–	권 44, 世家, 恭愍王 22년 11월 戊午

1373년 12월 공민왕 22년	서북면	〃	田祿生 전록생	–	권 44, 世家, 恭愍王 22년 12월 癸卯 및 戊戌, 평양윤을 겸함
〃	서해도	〃	金 分 김 유	–	권 44, 世家, 恭愍王 22년 12월 癸卯
1374년 1월 공민왕 23년	경상도	〃	金 鋐 김 굉	–	권 44, 世家, 恭愍王 23년 1월 丙午
1374년 2월 공민왕 23년	서북면	〃	楊伯淵 양백연	–	권 44, 世家, 恭愍王 23년 2월 甲戌
〃	〃	〃	林堅味 임견미	–	권 44, 世家, 恭愍王 23년 2월 乙未
1374년 3월 공민왕 23년	경상전라 양광도	〃	崔 瑩 최 영	–	권 44, 世家, 恭愍王 23년 3월 乙未
1374년 4월 공민왕 23년	경상도	〃	田祿生 전록생	開城府事	권 44, 世家, 恭愍王 23년 4월 丁未, 전 도순문사 김굉 주살됨
1374년 7월 공민왕 23년	양광도	〃	柳 淵 유 연	–	권 44, 世家, 恭愍王 23년 7월 戊子
1374년 7월 공민왕 23년	전라도	〃	洪師禹 홍사우	–	권 44, 世家, 恭愍王 23년 7월 戊子
1370년대 전반 공민왕 말엽	동북면	〃	李達衷 이달충	–	권 112, 列傳, 李達衷傳 ; 『太祖實錄』總書
1370년대 전반 공민왕 말엽	전라도	〃	金先致 김선치	同知密直	권 114, 列傳, 金先致傳

<도표 4> 충정왕~창왕연간의 도지휘사, 지휘사 파견

연 월	임 명 지	직 함	성 명	임명시 관직	전거(史는 『高麗史』, 節要는 『高麗史節要』임)와 비고
1350년 3월 충정왕 2년	경상전라도	도지휘사	李 權 이 권	延成君	史 권 37, 世家, 忠定王 2년 3월 庚辰
1356년 5월 공민왕 5년	강릉교주도	〃	鄭 絪 정 인	–	史 권 39, 世家, 恭愍王 5년 5월 己亥, 왜구 대비
1357년 8월 공민왕 6년	서 북 면	紅頭軍 倭賊 防禦都指揮使	金得培 김득배	–	史 권 39, 世家, 恭愍王 6년 8월 丁巳, 쌍성등지 수복
1357년 11월 공민왕 6년	〃	〃	金元鳳 김원봉	전 호부상서	史 권 39, 世家, 恭愍王 6년 11월 庚申
1359년 1월 공민왕 8년	교 동 (喬 桐)	防禦指揮使	柳方癸 유방계	판사농 시사	史 권 39, 世家, 恭愍王 8년 1월
1359년 11월 공민왕 8년	서 북 면	도지휘사	金元鳳 김원봉	–	史 권 39, 世家, 恭愍王 8년 11월 戊午, 12월 홍건적에게 피살
1359년 12월 공민왕 8년	서 해 도	〃	金希祖 김희조	동지추 밀원사	史 권 39, 世家, 恭愍王 8년 12월 己卯
1359년 12월 공민왕 8년	서 북 면	〃	金得培 김득배	–	史 권 39, 世家, 恭愍王 8년 12월 庚午
1361년 10월 공민왕 10년	〃	〃	李芳實 이방실	추밀원 부사	史 권 40, 世家, 恭愍王 10년 10월 丁酉
1361년 10월 공민왕 10년	동 북 면	〃	鄭 暉 정 휘	동지추 밀원사	史 권 40, 世家, 恭愍王 10년 10월 癸卯
1361년 11월 공민왕 10년	서 북 면	지휘사	金景磾 김경제	–	史 권 40, 世家, 恭愍王 10년 12월 庚戌

1362년 4월 공민왕 11년	삭방도	도지휘사	?	–	史 권 40, 世家, 恭愍王 11년 4월 丙戌
1362년 8월 공민왕 11년	서북면	〃	李仁任 이인임	판개성 부사	史 권 40, 世家, 恭愍王 11년 8월 甲午
1363년 5월 공민왕 12년	〃	〃	安遇慶 안우경	–	史 권 40, 世家, 恭愍王 12년 5월 壬辰
1364년 1월 공민왕 13년	동북면	〃	韓方信 한방신	–	史 권 40, 世家, 恭愍王 13년 1월 丙寅朔
1364년 8월 공민왕 13년	〃	〃	柳 淵 유 연	전동지 밀직사사	史 권 40, 世家, 恭愍王 13년 8월 甲寅
1364년 8월 공민왕 13년	서북면	〃	梁伯益 양백익	지도첨의	史 권 40, 世家, 恭愍王 13년 8월 甲寅
1365년 3월 공민왕 14년	동서강 (東西江)	〃	崔 瑩 최 영	찬성사	史 권 41, 世家, 恭愍王 14년 3월 庚申
1365년 ?월 공민왕 14년	동서강 (東西江)	〃	金續命 김속명	–	史 권 113, 列傳, 崔瑩傳, 최영 대신 임명됨
1371년 7월 공민왕 20년	서 강 (西 江)	〃	李成桂 이성계	–	史 권 43, 世家, 恭愍王 20년 7월 癸丑
1371년 7월 공민왕 20년	동 강 (東 江)	〃	楊伯淵 양백연	–	史 권 43, 世家, 恭愍王 20년 7월 癸丑
1375년 9월 우왕 원년	서북면	〃	李希泌 이희필	삼사좌사	史 권 133, 列傳, 辛禑 원년 9월
1376년 9월 우왕 2년	양광전라도	〃	邊安烈 변안렬	–	史 권 133, 列傳, 辛禑 2년 9월, 조전원수를 겸함
1382년 7월 우왕 8년	동북면	〃	李成桂 이성계	문하찬 성사	史 권 134, 列傳, 辛禑 8년 7월

1383년 12월 우왕 9년	양광전라 경상강릉도	都指揮處置使	鄭 地 정 지	海道 都元帥	史 권 135, 列傳, 辛禑 9년 12월 甲戌
1385년 4월 우왕 11년	〃	도지휘사	趙仁璧 조인벽	–	史 권 135, 列傳, 辛禑 11년 4월
1386년 2월 우왕 12년	〃	都指揮處置使	鄭 地 정 지	海道 元帥	史 권 136, 列傳, 辛禑 12년 2월
1388년 8월 창왕 즉위년	〃	도지휘사	鄭 地 정 지	–	節要 권 33, 辛禑 14년 8월

공민왕연간에 들어와 도순문사는 각도의 국방책임자로 기능하고 있었다. 1352년(공민왕 원년) 전라도 도순문사가 왜구를 막아 헌첩獻捷한 일 및 이듬해 역시 헌첩한 경상도 도순문사에게 명령을 내려 '관할 군사로서 공이 있는 자는 이름을 보고하면 장차 기록해 두었다가 등용하겠다'고 한 것 등이 그 증거이다.[43] 그런데 <도표 3>에서 알 수 있듯이 도순문사와 순문사 파견 지역은 대개는 도道가 단위로 되어 있지만 아직은 제주처럼 도가 아닌 지역에 파견하거나 또는 3개 도를 단위로 도순문사가 임명되기도 하여 파견 지역 단위가 일정하지 않았고, 서해도와 강릉교주삭방도에는 도순문사를 파견한 예가 드물어 사행으로서의 성격을 완전히 벗어나지 못하고 있었다. 그러나 하삼도와 서북면에서는 도순문사가 거의 상설되었음을 볼 수 있다. 이는 우왕禑王 때에도 마찬가지로서, 적어도 하삼도와 서북면에서는 이제 과거와는 다른 차원의 즉 도를 단위로 하는 수준의 국방체제가 형성되기 시작하였음을 보여 준다.

이러한 지방 군사제도의 획기적 변화에서 중요한 부분을 이루는 것이

---

43) 『高麗史』 권 38, 世家, 恭愍王 원년 7월 壬申 ; 『高麗史』 권 38, 世家, 恭愍王 2년 7월 戊申.

남방의 수령에게도 방어의 임무가 부여되기 시작했다는 점이다. 해안지역 고을들의 수령에게 국한된 것이기는 하나 1354년(공민왕 3) 12월에 당시 이들에게는 이미 직무에서 방어를 겸하도록 규정되어 있었다.[44] 이것은 왜구 침입이 계속됨으로써 불가피하게 취해진 조치일 것인데, 1352년(공민왕 원년) 이색李穡이 도순문사는 수령을 욕보이고 비용을 허비할 뿐이라면서 도순문사 혁파를 요구한 일이 있어서[45] 수령이 방어를 직무의 일부로 하게 된 것은 이 직전의 일로 생각된다. 이로부터 도순문사는 이들 해안지역 수령들을 통하여 지방 행정조직의 일부를 군사조직으로 원용하면서 주현별초州縣別抄 등의 지방군을 지휘하여 국방 임무를 수행하게 되었다.

그런데 공민왕연간의 도순문사는 전반적으로 도별로 군사를 지휘하여 국방을 담당하고는 있었으나, 도의 제반 군사업무를 전담하고 있었던 것으로는 생각되지 않는다. 우왕연간의 도순문사가 안렴사와 대비되어 도의 군사업무를 담당하는 존재로서 나타나는 것에 비해 아직은 도순문사가 제도화되어 자리를 확고히 잡고 있지 않았던 것이다. 예컨대 1368년(공민왕 17) 5월 각 지역의 군관軍官이 철 아닌 때 사냥하는 것을 금지토록 여러 도의 존무사存撫使와 안렴사按廉使에게 명령한 일이나, 불공정한 수졸戍卒 차출 역시 존무사와 안렴사에게 규찰토록 하고 도순문사에게는 전혀 관련된 명령이 내려가지 않았음에서 이를 볼 수 있다.[46] 도순문사가 도를 단위로 직무 수행을 명령받는 것은 1371년(공민왕 20)에 가서 처음 나타나는데, 이는 양계의 도순문사에게만 해당하는 것이었다.[47]

---

44) 教曰 沿海守令 職兼防禦 誠難其人 自奉翊以下 代言以上 各擧淸白有武才者二人(『高麗史』 권 75, 選擧志, 銓注, 選用守令, 恭愍王 3년 12월).

45) 『高麗史』 권 115, 列傳, 李穡傳.

46) 『高麗史』 권 84, 刑法志, 職制, 恭愍王 12년 5월; 같은 책 권 81, 兵志, 兵制, 五軍, 恭愍王 12년 5월.

47) 『高麗史』 권 79, 食貨志, 農桑, 恭愍王 20년 12월. 자세한 내용은 주 75) 참조.

여기서 도순문사의 임무를 파악하기 위해 새삼 '도순문사都巡問使'라는 직함을 되새겨볼 필요가 있겠다. '순문巡問'이라는 말의 뜻으로 본다면 도순문사란 도내를 순행하면서 일정한 업무를 조사, 감독하는 사신使臣이라 해야 할 것이다. 도순문사가 경관京官이 겸임하는 관직이었음을 고려하면 더욱 그러하다.[48] 그런데 도순문사의 정식 직함은 적어도 하삼도下三道의 경우에서는 앞서 언급한 바와 같이 도순문진변사都巡問鎭邊使였을 것으로 생각된다.

도순문진변사로 파견된 기록은 <도표 3>에도 나타나듯이 1361년(공민왕 10) 5월 경상도에 파견된 강중상姜仲祥이 유일하다. 이 밖에는 1362년(공민왕 11) 9월 양광도 도순문사로 파견된 최영崔瑩의 경우로부터 추정이 가능할 뿐이다. 일찍이 1360년(공민왕 9) 서북면 순문사를 지낸 바 있는 최영은 기록상으로만 보면 1362년 4월 양광도 '진변사鎭邊使'가 되었다가 이해 9월에 양광도 '순문진변사巡問鎭邊使'에서 양광도 도순문사로 승진하였다.[49] 따라서 '순문사' 또는 '진변사'의 정식 직함은 '순문진변사'이고, 도순문사의 공식 직함은 '도순문진변사'이리라고 추정할 수 있다. 이 추정에 의거하여 해안지역의 병란을 진압하기 위해 도내를 순행하면서 국방을 담당하는 직책으로서 도순문사를 설명할 수 있으며, 일단 이는 충렬왕연간 이후의 진변만호부 만호가 도순문사를 겸하면서 담당하던 국방 임무가 진변만호부 및 그 만호직이 폐지된 이후 도순문사에게 넘겨지면서 도순문사의 직함에 '진변鎭邊'이 추가된 것으로 추정된다. 즉 반원정책이 시행된 1356년(공민왕 5) 이후의 하삼도 도순문사는 정식

48) 주 50) 참조.

49) 以密直副使李龜壽爲全羅道鎭邊使 典理判書崔瑩爲楊廣道鎭邊使(『高麗史』 권 40, 世家, 恭愍王 11년 4월 丙申).
以楊廣道巡問鎭邊使崔瑩爲都巡問使(『高麗史』 권 38, 世家, 恭愍王 11년 9월 己酉). 『高麗史』의 이 부분은 어느 날부터 9월인지 표시되어 있지 않으나, 10월 초하루의 干支가 壬申이므로 己酉日은 9월임이 분명하다.

직함이 도순문진변사였던 것이다.

또한 앞의 내용으로부터 도순문사와 순문사의 차이도 해명될 수 있겠다. 이 둘의 성격이 유사할 것임은 명칭으로 보아도 자명한데, 실제로 도순문사가 순문사로 호칭되기도 하였다.[50] 그러나 도순문사가 되기 위해서는 일정한 자격이 필요했다고 생각된다. <도표 1>이나 <도표 3>을 살펴보면 2품 이상의 지위에 올라야 도순문사로 파견되고 있는데, 바로 2품 이상의 지위에 있는가 아닌가에 따라 도순문사 또는 순문사로 파견되었던 것이다.

2. 양계의 수복과 익군 설치

양계兩界 특히 서북면西北面에는 하삼도下三道에서와 같이 도순문사都巡問使가 지속적으로 파견되고 있었지만 서북면 도순문사는 하삼도의 도순문사와는 달리 국경에서 멀리 떨어진 서경西京에 자리를 잡고서 도내 일반 행정과 군사 행정을 총괄하고 있었던 것으로 나타난다. 더구나 동북면東北面의 경우는 필요한 경우에만 도순문사가 파견되고 있었다. 이는 양계의 지방 군사제도가 도순문사가 아닌 다른 계통 즉 만호부萬戶府를 중심으로 하여 익군체제翼軍體制를 갖추어 간 때문이었다.

1356년 반원정책을 추진하면서 이해 5월 고려는 기존의 만호萬戶, 진무鎭撫, 천호千戶 등에게서 군사 지휘권을 박탈함과 동시에 양계 지역 회복에 착수하였다. 이때 출전한 부대는 서북면에는 병마사兵馬使 2명, 병마부사兵馬副使 4명을 지휘부로, 동북면에는 병마사 1명, 병마부사 2명에 강릉

50) 都巡問使가 巡問使 또는 巡問으로 호칭되는 예는 많으나, 대표적인 것으로 다음의 것을 들 수 있다.
改都巡問使爲都節制使 元帥爲節制使 或帶州府之任. 先是 巡問 元帥 皆以京官口傳 至是始用除授 以專其任 置經歷 都事(『高麗史』 권 78, 百官志, 外職, 節制使, 恭讓王 원년).

도江陵道 존무사存撫使를 추가하여 지휘부로 편성 파견하였다.[51] 이 지휘부 편성은 과거의 병마사기구와 유사하기는 하나, 이것은 어디까지나 중앙군으로 편성된 출정군을 지휘하기 위한 것이었고, 양계 주진군을 지휘하던 병마사기구와는 무관한 것이었다. 이때의 군대 파견으로 서북면과 동북면에 대한 고려의 통치권을 회복한데 이어 중국과의 교통로인 서북면을 중심으로 국방이 강화되어 갔으며, 이때부터 익군체제의 원초적 모습이 갖추어지기 시작하였다.

서북면의 국방체제는 잃었던 영토를 회복한 직후인 1356년 겨울에 서북면 도원수都元帥로 파견된 염제신廉悌臣에 의해 대략 갖추어졌다. 당시 염제신이 가장 힘을 기울인 것은 원元의 침입에 대비하여 유사시에 동원될 서북면의 군사력과 중앙에서 내려갈 군사력이 쓸 군량 비축이었으며, 성곽 등 방어 시설 축조가 그 다음이었다.[52] 염제신은 국경 요충지에 군사력을 배치하는 한편 안주安州를 주요 방어거점으로 하여 여기에 많은 군사력이 주둔토록 하고, 서북면의 군사는 고려 전기의 주진군처럼 유사시에는 전투에 임하고 평시에는 둔전屯田을 경작하는 병농일치兵農一致적 존재로 정하였으며, 요충지에 수소戍所를 설치하고 수졸戍卒을 배치하였다.[53]

익군체제와 관련하여 주목되는 것은 위의 조치 안에 서북면의 토착 지배질서를 바탕으로 만호, 천호 등을 두어서 유사시에 군사력을 징발하고 나아가 하부 군사조직으로도 활용할 수 있도록 틀을 갖추었던 것으로 보이는 점이다. 1360년 1차 침입하여 서경을 점령한 홍건적紅巾賊을 격퇴한

---

51) 『高麗史』 권 39, 世家, 恭愍王 5년 5월 丁酉, 己亥; 같은 책 권 111, 列傳, 趙暾傳.
西北面에는 印璫과 姜仲卿이 兵馬使로, 4명이 兵馬副使로 임명되었다가 姜仲卿이 酒邪를 부리다 印璫에 의해 軍法으로 斬殺되고 다시 鄭絪이 兵馬使로 임명되면서 兵馬副使도 새로 2명이 임명되었는데, 이는 姜仲卿 휘하의 兵馬副使 2명을 교체한 것으로 이해된다.

52) 『高麗史』 권 111, 列傳, 廉悌臣傳.

53) 『高麗史』 권 81, 兵志, 兵制, 恭愍王 5년 11월.

뒤 의주義州로 도망해 온 적군을 의주 천호를 통해 용주龍州의 군사를 징발해 물리친 것이나,[54] 1363년 원이 덕흥군德興君을 고려 국왕으로 옹립하기 위해 보낸 군대를 막을 때 도병마사都兵馬使 박춘朴椿이 '어느 지역 만호 관할 천호'라고 사칭한 것들이 그 증거들이다.[55] 또한 반원정책 추진 이전부터 있었음이 확인되는 서경에 소속된 수군水軍 조직[56] 역시 계속 유지되었을 것으로 짐작된다. 따라서 서북면에서는 익군翼軍이 군익도軍翼道별로 체계적으로 조직되기에 앞서 안주와 서경, 의주 등지를 중심으로 기존에 존재하던 서북면의 육군 및 수군 군사력이 조직되고 이를 관할하는 만호, 천호 등도 체계적이지는 못하여도 임명되었던 것으로 추정되는데, 그 계기는 역시 염제신에 의한 국방체제 정비로 판단된다.

1369년 서북면에 5개 군익도의 만호부를 중심으로 짜여진 익군 조직은 이 바탕 위에서 이루어진 것이었다. 병농일치의 군사력인 익군은 이해 8월 서북면의 중심지와 국방 거점 및 국경지역 요충지들인 서경과 안주, 의주, 니성泥城, 강계江界에 설치된 만호부를 중심으로 4익翼~10익으로 (서경만호부 10익, 안주만호부 8익, 의주와 니성 및 강계만호부 각 4익) 조직되었다. 만호부에는 만호, 각 익翼에는 상천호上千戶와 부천호副千戶가 두어져 서북면의 군사력이 조직적으로 관할되고 동원될 수 있는 체제를 갖춘 것이다.[57] 안주 만호부에는 1377년에 2익이 추가되어 서경만호부와 같이 10익이 소속되었다.[58] 서북면에는 이같이 상비군적 군사조직

---

54) (紅巾)賊四百餘人屯肅州山谷間 聞其黨敗於西京 還趣義州 中郎將柳塘 郎將金景 在義州 修城門聞之 召州千戶張倫 發龍州等處兵擊之(『高麗史』 권 113, 列傳, 安祐 金得培 李芳實傳).

55) 崔濡在元讒于帝 廢王立德興君 發遼陽城兵納之 遣李家奴來收王印章 王以(慶)復興爲西北面都元帥 屯安州 朴椿爲都兵馬使 分屯江界 禿魯江等處 椿聞(李)家奴將至 收兵得卒數千 甲士二百餘人 生獲二獐 詣家奴所舍曰:椿某處萬戶管下千戶也 王令椿防倭 故到此 今廢立之言然乎 椿將爲我王死也(『高麗史』 권 111, 列傳, 慶復興傳; 밑줄은 필자).

56) 『高麗史』 권 38, 世家, 恭愍王 3년 6월 癸卯.

57) 李基白, 「高麗 末期의 翼軍」, 『李弘稙博士回甲紀念 韓國史學論叢』, 1969.

58) 李基白, 윗 논문, 203쪽.

이 짜여진 위에 구자口子가 설치되고 꽤 직급이 높은 지휘관이 파견되어 국경지대의 방어망도 강화되기에 이르렀다.[59)]

익군을 관할하는 각익의 천호는 토착 유력자로 임명되었고, 만호에는 중앙의 주요 관직자로 임명되는 만호와 토착 유력자로 임명되는 만호의 두 부류가 있었다.[60)] 만호부를 관할하여 지휘권을 행사하는 것은 앞의 부류로서 홍건적 등의 침입을 막기 위해 중앙에서 고위 장수들을 파견할 때 안주, 서경 등의 지역에 설치했던 만호부 만호의 계통을 잇고 있다.[61)] 이 중앙의 고위 장수로 임명되는 만호부 만호는 구자에 파견된 지휘관을 지휘하여 국방을 맡는 한편 군사를 동원하여 출정을 하기도 하고, 큰 적침이 있으면 도통사都統使나 원수元帥의 지휘 아래 만호부 관할 군사력을 지휘하여 전투에 임하였다.[62)] 한 예로 1369년 12월 도통사 이인임李仁任의 총지휘 아래 서북면 상원수上元帥 지용수池龍壽가 서북면 부원수副元帥 양백연楊伯淵, 안주 상만호上萬戶 임견미林堅味, 동북면 원수 이성계李成桂를 지휘하여 동녕부東寧府를 공격할 때 의주 만호 정원비鄭元庇, 최혁성崔奕成, 김

---

59) 이 글 제3장 도별 지방군사제도와 국방 참조.

60) 吳宗祿, 앞 논문, 102쪽.

61) 以參知政事慶千興爲西京軍民萬戶府萬戶 樞密院直學士金得培副之 參知政事安祐爲安州軍民萬戶府萬戶 樞密院副使金元鳳副之 樞密院副使鄭暉爲朔方道軍民萬戶府萬戶上護軍韓方信副之(『高麗史』 권 39, 世家, 恭愍王 7년 6월 癸未).
以安祐爲安州軍民萬戶府都萬戶 李芳實爲上萬戶 金於珍爲副萬戶(『高麗史』 권 39, 世家, 恭愍王 9년 1월 乙卯).
李載龒 교수는 위의 恭愍王 7년 萬戶府 설치를 곧 翼軍 설치로 이해하고 있으나,(「朝鮮初期의 翼軍」, 『崇田大學校 論文集』 12, 人文科學篇, 1982. 156쪽), 그보다는 紅巾賊을 막는 동안 中央軍과 함께 이 지역 군인들도 동원하여 적을 막도록 임시 기구로 설치되었을 것으로 판단된다.

62) 1369년 西北面에 翼軍을 설치한 것은 北元과 외교를 단절하고서 그 침입을 우려해서였는데 이때에는 李仁任이 西北面 都統使로 파견되어 서북면 지역의 군사 전체를 지휘하였으며(『高麗史』 권 41, 世家, 恭愍王 18년 12월 乙丑), 2년 뒤 五老山城을 정벌할 때에는 西京都萬戶 安遇慶과 安州上萬戶 李珣이 군사를 이끌고 출정하고 廉悌臣이 西北面都統使로서 총지휘하였다(『高麗史』 권 43, 世家, 恭愍王 21년 9월 辛亥, 乙亥).

용진金用珍 등이 놓은 부교浮橋로 군마軍馬가 건넜는데,63) 임견미는 전자, 정원비와 최혁성, 김용진 등은 후자 부류의 만호였던 것이다.

동북면의 경우는 1356년 길주吉州에 이르는 지역까지 수복하였으나, 서북면에서만큼 신속히 국방 강화를 위한 노력이 추진되지는 못한 것으로 보인다. 1383년에 올린 이성계의 안변책安邊策에 의하면 1356년에 100호戶를 단위로 통統을 설치하여 통주統主가 원수영元帥營에 예속되도록 했다고 하나64) '수복된지 오래지 않아서 함주咸州와 안북(安北: 뒷날의 북청)에 설치된 함주만호부咸州萬戶府와 안북천호소安北千戶防禦所 가운데 주축을 이루는 함주만호부를 강릉, 경상도, 전라도 등의 군마를 모아서 지켰다'는 것은65) 이 지역의 군사력을 파악하고 징발하기 위한 조직이 아직은 엉성하였음을 보여준다.

동북면에서도 앞의 함주, 안북 등을 중심으로 하는 일부 지역은 1378년(우왕 4) 12월 전국에 익군을 설치하기에 앞서 익군이 조직되어 있었던 것으로 판단되는데,66) 그 변화가 일어난 시기는 서북면에서와 같이 1369년으로 짐작된다. 구체적 입증 자료는 없지만 1369년 가을부터 겨울까지 서북면만이 아니라 동북면의 요충지에 만호와 천호를 많이 설치했다는 기록이나,67) 이해에 화주和州를 화령부和寧府로 승격하면서 토관土官을 설

---

63) 『高麗史』 권 114, 列傳, 池龍壽傳; 『高麗史節要』 권 28, 恭愍王 18년 12월; 『太祖實錄』 권 1, 總書.

64) 『高麗史』 권 135, 列傳, 辛禑 9년 8월.

65) 恭愍王五年收復舊疆 爲知咸州事 尋改萬戶府 置營 聚江陵 慶尙 全羅等道軍馬防戍(『高麗史』 권 58, 地理志, 東界, 咸州).

66) 李載龒, 앞의 「朝鮮初期의 翼軍」, 157~158쪽.
이 글에서는 東北面에 翼軍이 처음 설치된 시기를 정확히 말하고 있지 않으나, 西北面에서 恭愍王 7년의 萬戶府 설치를 곧 翼軍 설치로 보고 있는 점으로 보아 역시 咸州萬戶府와 安北千戶防護所 설치를 翼軍 설치로 보고 있는 것으로 판단된다.

67) 自秋以來 東西北面要害處 多置萬戶千戶 又遣元帥 將擊東寧府 以絶北元(『高麗史』 권 41, 世家, 恭愍王 18년 11월(12월) 辛未).

치했던 사실들이 이와 관련이 있을 것이다.[68] 이어서 1372년에 안북을 북청주北青州로 개칭하고 만호부를 설치함으로써 동북면에서도 함주와 북청주 두 만호부와 뒤에 도순문사영都巡問使營이 위치하게 되는 화령부和寧府를 중심으로 익군체제가 어느 정도 갖추어진 것으로 판단된다.

그런데 동북면의 두 만호부 가운데 북청주에는 이 뒤 우왕 때까지 만호의 임명 사실이 확인되는 반면에 함주에는 만호를 임명한 기록을 찾아볼 수 없다.[69] 1372년 안변安邊과 함주가 왜구 침입으로 큰 피해를 당했을 때 북청주만호 조인벽趙仁璧이 이 지역까지 내려와서 방어를 했는데, 그 한편 안변부사安邊府使와 동북면 존무사가 국방 임무를 다하지 못한 죄로 처벌되고 함주 만호에 대한 기록은 보이지 않는다.[70] 따라서 함주만호부는 오래 유지되지 못한 것으로 보이며, 우왕 때 단주端州에 만호가 임명된 사실로 보아[71] 국경지대에 위치한 북청주와 단주에만 만호부가 두어진 것으로 추정된다. 즉 동북면에도 공민왕대 말엽에 만호부 만호를 중심으로 하는 지방군사제도로서 익군체제가 세워지기는 했으나, 서북면만큼 폭넓게 설치되지 못한 형편에 있었다.

이같이 양계의 지방군사제도가 만호부 중심의 익군체제로 편성됨으로써 양계에 파견되는 도순문사의 직무도 남방과는 다른 내용을 갖게 되었다. 이 시기 양계에는 앞의 <도표 3>에서 볼 수 있는 바와 같이 주로 서북면에 도순문사가 파견되었고, 공민왕연간 초엽에는 뒤에 서북면 군익도의 하나로 된 평양도를 단위로 도순문사가 파견되는 일도 있었다. 그런데 서북면에 파견된 도순문사는 대체로 대규모의 외적의 침입한 경우에

68) 和州 이남 登州 이북 지역은 고려가 雙城을 정벌하기에 앞서 이미 高麗의 millitary zone화 하였다고 보는 견해도 있다(方東仁, 「麗 · 元關係의 再檢討 – 雙城摠管府와 東寧府를 중심으로 –」, 『國史館論叢』 17, 1990).

69) 崔根成, 앞 논문; 이 책 <부표 1> 참조.

70) 『高麗史』 권 43, 世家, 恭愍王 21년 6월 乙酉, 辛丑, 壬寅.

71) 『高麗史』 권 135, 列傳, 辛禑 9년 7월.

파견된 장수들이 겸직하는 일이 많았는데, 1357년(공민왕 6) 11월에 임명된 김득배金得培, 1358년 8월에 임명된 경천흥慶千興, 1360년에 평양도 순문사가 된 최영崔瑩 등은 모두 홍건적을 물리치기 위해 다른 장수직을 띠고 파견되었다가 도순문사나 순문사가 되었었다.[72] 이에 비해 1363년(공민왕 12) 이인임이 서북면 도순문사가 된 이래로는 현지에 장수직을 띠고 파견되어 도순문사를 겸직하지 않고 바로 도순문사로서 임명되어 도순문사 고유의 직무를 수행하기 시작한 것으로 판단된다. 이인임은 당시 원이 왕으로 임명한 덕홍군을 고려 국왕으로 만들려고 최유崔濡 등이 군대를 끌고 침입하자 이를 막기 위해 경천흥慶千興을 도원수로 임명하여 서북면에 파견한 출정군의 여러 장수들과 함께 파견되었는데, 그 지휘체계를 보면 다음의 그림과 같다.[73]

<그림 1> 1363년 5월 서북면 출정군의 지휘체계

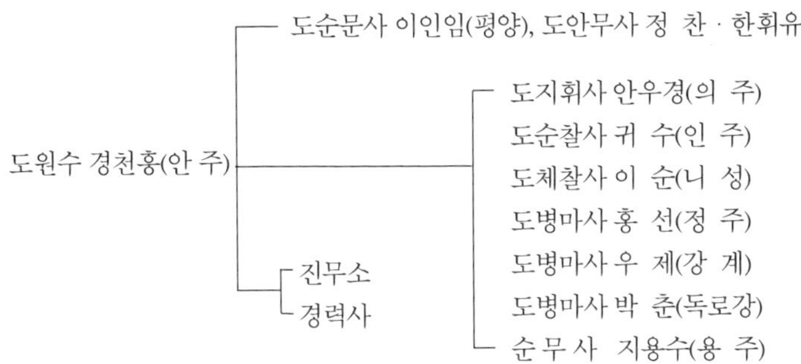

*( )는 주둔 지역임.

72) 『高麗史』 권 39, 世家, 恭愍王 6년 11월 庚申 ; 같은 책 恭愍王 7년 8월 庚寅 ; 『高麗史』 권 113, 列傳, 崔瑩傳.

73) 『高麗史』 권 40, 世家, 恭愍王 12년 5월 壬辰 ; 같은 책 권 126, 列傳, 姦臣, 李仁任傳.

도지휘사, 도순찰사都巡察使, 도체찰사都體察使, 도병마사, 순무사는 주요 요충지에 군대를 거느리고 주둔하여 방어를 맡은 장수들의 직임이며, 도순문사에게는 군사 및 군량의 조달이, 도안무사都按撫使에게는 유병遊兵을 거느리고 각 군영을 왕래하면서 군사 정보를 살피는 직임이 맡겨졌다.[74] 즉 도순문사에게는 전방의 방어선이 아니라 배후 지역인 평양에 주둔하면서 군사 행정을 통해 전쟁 수행을 뒷받침하는 직무가 주어져 있었다. 이는 남방과는 달리 도순문사가 도내의 군사 행정을 총괄하는 직책이었음을 보여주는데, 8년 뒤인 1371년(공민왕 20)에 이르러서는 양계의 도순문사가 도내의 일반 행정까지도 총괄하고 있음을 보게 된다.[75] 즉 양계에서는 군익도의 만호부 단위로 편성된 익군체제가 존재함에 따라, 도 전체 군사를 지휘해야 하는 경우에는 원수 또는 도원수와 그 지휘를 받는 고위 무장들을 파견하여 익군을 지휘토록 하였고, 그 한편 도순문사는 군사 지휘와는 직접적 관련 없이 주로 도내의 군사 행정과 일반 행정을 총괄하는 직책으로 변해갔던 것이다.

74) 『高麗史』 권 40, 世家, 恭愍王 12년 5월 壬辰.

75) 教曰 農桑衣食之本 諸道巡問 按廉 考其守令種桑墾田多少 具名申聞 以憑黜陟(『高麗史』 권 79, 食貨志, 農桑, 恭愍王 20년 12월). 邊太燮 교수는 兩界의 都巡問使가 恭愍王 20년에 軍事뿐아니라 存撫使의 民事까지 관장하게 되어 행정적 장관으로 전화했다고 주장하고 그 근거의 하나로 이 기록을 들고 있다(邊太燮, 「高麗兩界의 支配組織」, 『高麗政治諸道史研究』, 1971, 233쪽).

제3장 도별 지방군사제도의 변화

1. 원수제의 등장과 발전

우왕禑王연간에 들어와 도별 지방군사제도는 상당한 변화 발전을 이루게 된다. 그 과정에서 중앙군사제도의 변화가 크게 작용하였는데, 변화의 핵심은 원수제元帥制의 등장에 있다. 즉 원수가 상설 관직으로 설치되어 지방에서 번상番上 시위侍衛하는 군사력을 항상 파악하게 된 것이다.

공민왕연간까지도 원수는 고려 전기의 원수와 흡사하게 전쟁을 위해 주력군이 동원될 때 이를 거느리고 출전하는 임시 장수의 직책이었다.[76] 이로부터 원수가 상설직으로 바뀌게 된 계기는 1374년(공민왕 23)의 탐라 정벌군에서 찾아진다.[77] 이때의 출정군 지휘체계는 양광전라경상도 도통사 최영崔瑩을 최고사령관으로 하고 그 밑에 각도 상원수上元帥와 부원수副元帥가 나뉘어 소속되어 군사를 지휘하도록 짜여졌는데, 이를 그림으로 표시하면 다음과 같다.[78]

---

76) 吳宗祿, 『高麗後期의 軍事 指揮體系』, 『國史館論叢』 24, 1991.

77) 閔賢九, 『朝鮮初期의 軍事制度와 政治』, 1983, 179쪽.

78) 『高麗史』 권 44, 世家, 恭愍王 23년 7월 戊子.

<그림 2> 1374년 탐라 정벌군의 지휘체계

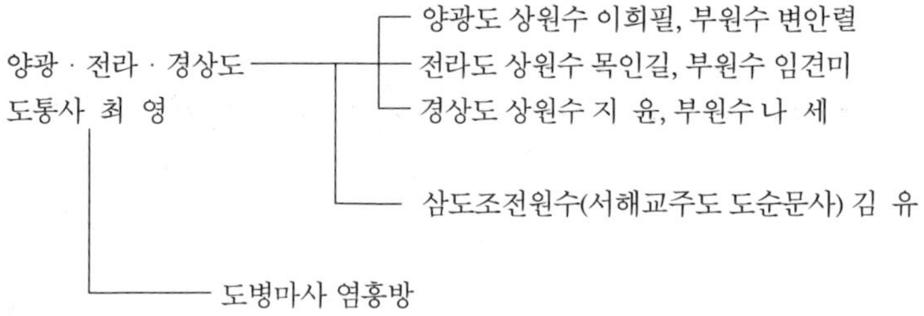

이 지휘체계는 외형상 1360년(공민왕 9) 이후 등장한 도통사 휘하에 원수가 소속되던 것과 다를 바가 없으나, 이들 상원수와 부원수는 각자 그들이 관할하는 도의 군사력을 이끌고 출전하였다는 점에서 내용이 달라져 있었다. 다만 3도 조전원수는 하삼도의 군사력을 관할하는 직임이 아니어서 서해 · 교주도 도순문사로서 그 군사력을 이끌고 정벌에 참여하고 있었다. 이로부터 우왕연간 전기간에 걸쳐서 각도의 원수가 관할 도의 군사력을 장악하였는데, 이 변화의 바탕은 국가로부터의 토지분급과 무관하게 군역의 의무를 지고 번상 시위하는 군사력이 다수 확보되어 2군軍 6위衛 군사력의 주축을 이루게 된 데 있다.

번상하는 시위군侍衛軍을 관할하는 직책은 본래 군목도軍目道 병마사였다. 1364년(공민왕 13) 1차로 남부 5도에서 27,000명을 선발할 때 이를 위해 대개 계수관界首官을 단위로 1362년과 1363년에 12개 또는 13개의 군목도에 병마사를 파견하였는데,79) 이로부터 새로 편성된 시위군의 징발 역시 시위군 군적軍籍 편성의 세부 단위가 된 군목도의 병마사를 통해 이루어지고 있었다. 시위군은 2군 6위에 분속되었지만 오군五軍 또는 2군 6위의 조직체계에 의해 지휘되지는 못하여80) 개경開京이 위태로와지면 군

79) 『高麗史』 권 40, 世家, 恭愍王 11년(9월) 庚戌; 같은 책 권 40, 世家, 恭愍王 12년 5월 甲午.
80) 恭讓王 때의 일이기는 하나 趙浚의 上書에 의하면 8衛 42都府의 五員 · 十將 · 尉 · 正

목도의 병마사가 번상한 군사들을 지휘하여 방어를 맡기도 했으며, 병마사의 수가 33명이나 된 일도 있었다.[81] 이 뒤로 잦은 전란을 거치면서 무장 세력이 성장하고 고위 관료의 수도 많아지자 지위가 높아진 무장들이 원수의 직함을 띠고 도별로 시위군을 관장하는 체제로 변해가게 된 것이다.

각도 원수가 해당 도 시위군의 지휘권을 가짐으로써 자연히 군사 징발 책임자와 지휘권자 사이에 선이 그어져, 군목도 병마사가 군사를 징발하면 이를 각도 원수가 지휘하게 되었다. 이에 따라 중앙 관직자가 겸직하던 군목도 병마사도 1376년(우왕 2) 7월 각 군목도의 단위가 되는 계수관 등의 수령이 겸하는 형태로 바뀌었다.[82] 이이 앞서 1373년 최영이 6도 도순찰사都巡察使가 되어 편성한 군호軍戶를 바탕으로 1376년 8월 앞의 5도와 삭방도(동북면), 평양도, 서해도를 합한 8도에서 93,500명의 군인이 추가로 파악되어 시위군의 수가 증가되었다.[83] 이로써 짧은 기간이지만 고려의 중앙군제는 '원수제'라고 부를만한 체제로 자리를 잡게 되었다. 원수는 재추의 지위에 오른 관직자로 임명되어 출정군을 지휘하는 직책이므로 자연히 오군에 소속되어, 오군의 주력 군사력이 된 각도 시위군 등을 지휘하는 직책으로 상설된 것이다.

의 祿을 먹는 것이 幼弱子弟가 아니면 工商賤隷라 '食其祿而曠其職'한다고 비판되고 있었다(『高麗史』 권 118, 列傳, 趙浚傳).

81) 1366년 5월 왜구가 喬桐을 도륙하자 池龍壽와 李珣에게 33兵馬使를 지휘하여 막도록 했는데,(『高麗史』 권 41, 世家, 恭愍王 15년 5월 乙巳) 軍目道가 증가되어 兵馬使의 수가 크게 늘어났을 수도 있으나 侍衛軍 등을 지휘하기 위한 별도의 兵馬使를 임명했을 가능성도 크다. 이 兵馬使에 대한 해석은 李基白, 앞의 『高麗史』 兵志 譯註 一, 127~128쪽 참조.

82) 禑曰 方盜賊未息 軍政當時所急. 今後 每當興師之際 令各道都巡問使兼元帥 軍目道官員兼兵馬使 知兵馬使(事) 同帥各道曾屬品官 軍人上京(『高麗史』 권 81, 兵志, 兵制, 辛禑 2년 7월).

83) 閔賢九, 앞의 「高麗 後期의 軍制」, 335~336쪽. 당시 西北面에서는 平壤道에서만 侍衛軍을 편성하였는데, 조선 건국 직후 국경 지역인 義州 泥城 江界 등 3개 軍翼道의 시위군 번상을 중지시킨 것으로 보아(『太祖實錄』 권 2, 太祖 2년 11월 癸丑) 이 뒤 西北面 전역에 걸쳐 시위군이 편성되었던 것으로 보인다.

원수제가 등장할 당시 국내외의 정세는 매우 불안정하였다. 1374년 공민왕이 탐라 정벌군이 돌아오기 전에 불의에 죽고 우왕이 어린 나이로 즉위한 데다가 이 뒤로 왜구의 침입이 한층 격화되고 국내 정치세력의 변동과 관련되어 명明 및 북원北元과의 관계도 일정치 못하였다. 한편 이를 기화로 권문세족權門勢族의 정치권력 장악은 한층 심화되고 농장 등 그들의 경제 기반도 확대일로에 있었음은 잘 알려진 사실이다. 더구나 당시 재추宰樞의 지위에 오른 사람들은 대부분 군직軍職의 경력이 있었으며, 왜구 침입에 대비해 자기 집을 지킬 수 있을 정도의 반당伴倘 곧 휘하사麾下士들을 거느리고 있었다.84) 이와 같은 배경에서 원수제는 점차 도마다 원수가 3명씩 분정分定되어 1376년의 육도도순찰사군목六道都巡察使軍目에 의거하여 시위군을 관할하는 체제로 정착되어 갔다.85)

각도의 원수 3명은 단순히 원수로 통칭되기도 하지만, 구체적으로 그 지위에 따라 도원수都元帥, 상원수上元帥, 부원수副元帥로 구분되었다. 각도 원수로서 겸한 군직인 도순문사를 포함하여 조전원수 및 그밖에 원수로서 겸한 군직에 임명되거나 또는 재직한 것을 정리한 것이 부록의 <부표>이다. 이 표에서 보는 바와 같이 원수는 시위군 편성 단위가 된 8도에 모두 임명되고 있었고, 서북면에는 군익도 단위로 원수가 파견되었음을 알 수 있다. 또한 불과 15년 동안에 각도 또는 군익도 원수로 재직한 인물의 수는 90명을 넘는다. 여기에 해도海道 원수 등 그 밖의 원수 및 도통사를 지낸 인물들까지 포함하면 그 수는 약 120명에 이른다. 따라서 재추의

84) 伴倘에 대해서는 韓嬉淑, '朝鮮初期의 伴倘', 「朝鮮初期의 雜類層에 대한 硏究」, 高麗大 博士學位論文, 1990. 참조.

85) 禑王代에는 일반적으로 도마다 3元帥를 두는 것을 원칙으로 인식하고 있었는데, 한 예를 들면 다음과 같다.

與同僚上疎曰: 國家已於各道置三元帥 一道之任 宜專委三元帥 乞自今 本道之任 專委三元帥 隨其成敗而明賞罰 仍乞各道元帥 宜六道都巡察使軍目 統率本道軍官 毋得奪占以致紛擾(『高麗史』 권 115, 列傳, 李崇仁傳).

수가 우왕 초엽에는 5, 60명, 창왕 때에는 7, 80명에 이르렀다고는 하나[86] 그 대부분이 원수직을 역임했다는 판단이 가능해진다.

한편 각도 원수의 임명 기록은 사실은 관할 도에 파견되는 것을 뜻하는데, <부표 1>에서 보듯이 그 파견되는 장수는 대부분 부원수이고 일부가 상원수이며 도원수는 드물었다. '원수'라고만 되어 있는 경우도 자세히 살펴보면 그가 상원수거나 부원수였음을 알 수 있다. 그 한편 몇몇 고위 장수는 특정한 도의 원수를 계속 맡고 있었던 것도 나타난다. <부표 2>에서 보듯이 자주 원수로 파견된 인물들은 대개 특정 도의 원수를 계속 맡고 있었다. 왕안덕王安德은 양광도, 지용기池勇奇는 전라도, 우인렬禹仁烈은 경상도, 조인벽趙仁壁은 강릉교주도, 이성계는 동북면,[87] 한방언韓邦彦과 김용휘金用輝, 최원지崔元沚는 서북면의 원수직을, 정지鄭地는 해도海道원수를 계속 맡았으며, 심덕부沈德符는 나세羅世와 함께 서해도 원수와 해도 원수를 번갈아 맡다 뒤에 동북면 원수에 연속 임명되었음을 볼 수 있다. 서북면의 경우는 한방언의 경우에서 보듯이 군익도 단위로 지속적으로 임명되는 경향도 있었다. 이는 주요 원수의 경우 특정 도의 군사를 계속 지휘하였음을 반영한다. 이들이 중앙에 머물러 있을 때에는 관할 도의 번상한 시위군을 맡아서 유사시에는 동강東江 · 서강西江 원수로서 개경을 위협하는 왜구를 막거나 조전원수나 도순찰사, 도체찰사 등의 직함을 띠고 출전하여 적을 막는 임무를 수행했던 것이다.[88] 반면에 최공철崔公哲은 3개 도의 원수직에 일관성 없이 임명되어서 고위 장수라도 특정 도를 계속 관할하지 못하는 일도 있었음을 알 수 있다.

한편 권력의 핵심에 있으면서 원수직을 맡고 있는 인물들은 각도 원수

---

86) 邊太燮, 「高麗都堂考」, 『歷史教育』 11 · 12, 1969 ; 앞의 책, 1971.

87) 이성계는 공민왕 때부터 동북면의 여러 군사 직함을 맡다가 공민왕 18년 12월에 처음 東北面 元帥로 임명된 바 있다(『高麗史節要』 권 33, 恭愍王 18년 12월).

88) 이 글 3장 2)절 참조.

로 파견되는 일이 드물었다. 1374년에 각도의 원수 또는 도병마사, 도통사로 임명되었던 최영, 염흥방, 지윤, 임견미 등이 원수로서 지방에 파견된 일이 거의 없는 것이다. 이는 도원수가 관할 도에 파견된 예가 드문 것과 맥을 같이 하는 현상이다. 변안렬만 해도 양광도와 동북면에 원수로 파견된 일이 있지만 대개는 중앙에 머물러 있으면서 서강 원수나 여러 도의 조전원수로 출전하였는데, 권력의 핵심에 가까이 있을수록 지방에 파견되는 일이 더 드물었다.

이를 최영의 경우를 통해 간단히 살펴보면, 최영은 1360~1363년 동안 양광도의 순문사와 도순문사를 지낸 일은 있으나 우왕 때에는 양광도 원수로 임명된 기록이 없다. 그럼에도 그는 계속 양광도의 군사력을 관할하고 있었다. 1376년 9월 전주全州가 왜구에게 함락되자 도평의사사에서 원수 파견을 의논하다 당시 권력을 휘두르고 있던 지윤의 아들 지익겸池益謙을 보내기로 결정되자 지윤이 이에 불평을 품어 다투다가 최영에게 가라고 함에 최영이 "나는 이미 양광도를 분관分管하고 있는데 어찌 다른 도에 갈 수 있는가?" 라고 한 것은 이를 잘 보여준다.[89] 최영은 이해 7월 왜구와의 전투에서 양광도 원수 박인계朴仁桂가 전사하자 자원하여 양광도에 출전하였으며,[90] 왜구도 최영이 양광도를 분관한다는 사실을 알고 있어서 양광도에 침입하여 최영과 그 휘하의 군사력을 유인한 뒤 개경을 곧바로 공격하려 한 일이 있었다.[91] 최영은 이 뒤로도 도통사직을 계속 유

---

89) 先是 倭寇全州 都堂議擇元帥而難其人 擬遣(池)奫子益謙 奫內不平 (李)仁任 奫 崔瑩等會(慶)復興第 議久不決 奫여聲曰 判三司公可 瑩怒曰 吾旣分管楊廣道 豈可之他乎(『高麗史節要』 권 30, 辛禑 2년 11월).

倭寇가 全州를 함락한 것은 이해 9월로, 전주에서의 敗戰으로 元帥兼都巡問使 柳濚이 파직되어서 池益謙이 그 후임으로 결정되었던 것이다. 그러나 결국 지익겸은 빠져나가고 趙思敏이 새로 副元帥兼都巡問使가 되었다.(『高麗史』 권 133, 列傳, 辛禑 2년 9월). 한편 柳濚은 최영의 처조카였다(앞의 책 권 113, 列傳, 崔瑩傳).

90) 『高麗史』 권 113, 列傳 26, 崔瑩傳 ; 高麗史節要 권 30, 辛禑 2년 7월.

91) 『高麗史』 권 126, 列傳, 姦臣, 王安德傳 ;같은 책 권 30, 辛禑 3년 5월.

지하는 한편 그 관할 지역을 넓혀갔으므로[92] 양광도 군사에 대한 관할권도 계속 유지했을 것이다.[93]

한편 우왕 때에 도원수에 오른 인물로는 지윤(우왕 1년 4월; 서북면), 유연(柳淵, 1년 4월; 동북면), 왕안덕(3년 2월; 양광도), 이희필(李希泌, 3년 3월; 동강), 황상(黃裳, 3년 3월; 서강), 최공철(4년 5월; 양광도), 나세(7년 3월; 해도), 지용기(9년 8월; 전라도), 정지(9년 12월; 해도), 이성계(10년 2월; 동북면), 심덕부(14년 4월; 서경) 등이 있고,[94] 도원수였으리라고 추정되는 인물로는 1374년 탐라 정벌 때 도병마사를 맡았던 염흥방, 우왕이 사냥을 떠날 때 수문하시중守門下侍中으로서 도성 방위를 책임 맡은 일이 있고 요동 정벌 때에 도통사가 된 조민수曹敏修 등이 있다.[95] 이들 역시 도원수가 된 뒤로는 관할 도에 나가 외적을 막는 일은 드물었다.[96] 즉 각 도에 분정된 3원수 가운데 중앙에서 시위군을 관할하는 것은 주로 도통사, 도원수였고, 관할 도에 내려가 외적을 막는 것은 대개 부원수였다. 관할 도의 도순문사직을 겸하여서 국방을 맡았던 것도 대개 각도의 부원수

---

92) 崔瑩은 1377년 2월 6道 都統使가 되고 1380 4월 海道 都統使를 겸하였으며, 1388년 4월에 8道 都統使가 되었다(『高麗史』 권 133, 辛禑 3년 2월; 같은 책 권 234, 辛禑 6년 4월; 같은 책 권 137, 辛禑 14년 4월).

93) 慶復興과 우왕 때 권력의 핵심에 있었던 李仁任도 최영과 함께 도통사직을 맡았었는데, 이들도 최영과 같이 특정 도의 군사력을 관장하였을 가능성이 많다.

94) 『高麗史』 권 133, 列傳, 辛禑 1년 4월; 『高麗史節要』 권 30, 辛禑 3년 2월; 『高麗史』 권 133, 列傳, 辛禑 3년 3월, 4년 5월; 『高麗史節要』 권 31, 辛禑 7년 3월; 『高麗史』 권 135, 列傳, 辛禑 9년 8월, 9년 12월, 10년 2월, 같은 책 권 137, 列傳, 辛禑 14년 4월.

95) 2, 3개 도를 관할하는 都體察使는 몇 개 도의 上·副元帥 이하 장수들을 지휘하는 직책이어서 대개 都元帥로 임명되었으므로 楊廣全羅慶尙道 都體察使 邊安烈(禑王 6년 8월), 楊廣全羅慶尙江陵道 都體察使 趙仁璧(11년 4월) 등도 都元帥였을 가능성이 높지만, 上元帥로서 下三道 都體察使로 임명된 禹仁烈의 경우도 있다(『高麗史』 권 133, 列傳, 辛禑 4년 6월, 5년 3월). 또 太后의 친척으로 상당한 권력을 행사하다 禑王 2년 3월에 유배된 金續命도 都元帥였을 가능성이 많다.

96) 楊廣道의 王安德, 崔公哲이 都元帥로서 전투를 수행한 것은 崔瑩이 都統使로서 중앙에서 楊廣道 侍衛軍을 관할하고 있었던 때문으로 판단되며, 全羅道 都元帥였던 池勇奇 역시 비슷한 경우로 추측된다.

였고 상원수가 도순문사를 맡는 일도 흔치 않았으므로,97) 상원수는 평시에는 도원수와 함께 중앙에서 관할 도의 시위군을 지휘하고 유사시에는 관할 도에 내려가 국방을 맡고 있었던 셈이다.

각도 원수는 시위군을 지휘하기 위한 기구로서 도진무都鎭撫와 진무鎭撫들로 구성되는 진무소鎭撫所를 설치하고 있었다. 진무소의 구체적 구성 내용은 알 수 없으나, 최고위 장수의 경우 진무의 수가 6명 정도였으며, 인척 등 신임할만한 사람들로 임명하고 있었다.98) 진무는 군관軍官 으로도 호칭되었으나, 실상 고위 장수의 진무는 하급 장수들이 맡고 있었으며,99) 군사를 직접 지휘하는 원수의 휘하사들을 통할하고 있었다. 또한 원수들이 출전할 때에는 흔히 비장裨將이라 부르는 하급 장수들을 거느렸으며, 이들은 대개 종래의 5군 조직 안의 직함인 병마사, 지병마사 등을 띠고 있었다.100) 비장들도 휘하사를 거느렸음은 물론이다.

---

97) <도표 3> 참조. 기록에서 都元帥로서 都巡問使가 된 것은 王安德과 池勇奇만이 확인될 뿐이다(<부표 1> 참조).

98) 뒷 시기의 일이지만, 1388년 西京 都元帥를 지낸 沈德符의 경우 1390년 11월 당시 京畿 平壤道 兵馬都統制使로서 前密直副使 曺彦, 郭璇, 前判書 金兆府, 前判事 魏种, 張翼, 判繕工事 趙裕 등을 鎭撫로 거느리고 있었으며, 특히 趙裕는 그의 族姪이었다(『高麗史』 권 116, 列傳, 沈德符傳; 『高麗史節要』 권 34, 恭讓王 2년 11월).

99) 註 98) 참조.
1388년 趙云仡이 크고 작은 섬을 食邑으로 주자고 한 '五軍將帥 八道軍官'은 五軍 소속 군사력을 지휘하는 각도 元帥와 그들의 軍官 즉 鎭撫 등을 말한 것으로 보이는데(『高麗史』 권 112, 列傳, 趙云仡傳), 이는 元帥의 鎭撫들도 하급 장수로서 상당한 세력이 있었음을 뜻한다.

100) 그 事例로 다음의 것들을 들 수 있다.
尋出爲西北面上元帥兼平壤尹 使裨將洪仁桂 崔公哲等 領輕騎三千進擊(『高麗史』 권 114, 列傳, 池龍壽傳).
都統使崔瑩 擧(趙)浚爲體覆使 浚至 召都巡問使李居仁 數其逗遛之罪 斬兵馬使兪益桓(『高麗史』 권 118, 列傳, 趙浚傳).
三善三介寇東北面 (全)以道爲知兵馬事 從都指揮使韓方信禦之 以道將兵六十守忽面(『高麗史』 권 114, 列傳, 全以道傳).
慶尙道助戰元帥知兵馬事沈于老 斬倭三級(『高麗史』 권 134, 列傳, 辛禑 8년 10월).

각도 원수가 시위군을 장기간 지휘하게 되자 자연히 패기牌記라 부르는 시위군의 명단도 국가 기관을 거치지 않고 원수가 직접 관장하게 되었다. 각도 원수들은 패기를 통해 본래 정해진 군액의 시위군을 장악한 데서 나아가 임의로 군사를 뽑아 휘하에 두기도 하였다.[101] 병력의 선발과 징발은 물론 지방 행정조직을 통해서 이루어졌는데, 전시 상황이 지속되고 있는 실정에서 원수가 직접 군목도 관원인 고을의 수령에 공문을 보내 군사력을 충원하게 되었다.[102] 즉 원수는 군사 지휘권을 바탕으로 점차 징발권까지 장악해 갔고, 그 결과 시위군을 중심으로 각도의 군사력이 그 원수에 사적으로 예속되는 양상이 강화되었던 것이다.

<그림 3> 1388년 요동 정벌군의 지휘체계

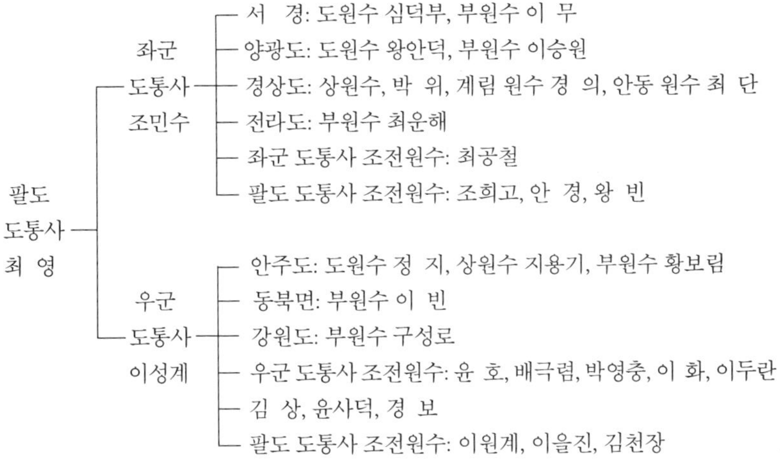

---

101) 高麗末 官不籍兵 諸將各占爲兵 號曰牌記(『太祖實錄』 권 1, 總書); 閔賢九, 앞의 「高麗後期의 軍制」, 339쪽 참조.

102) 1386년(禑王 12년) 5월 4道 都指揮使의 牒文에 따라 富平府使가 鄕吏를 통해 또는 자신이 직접 군인을 징발하러 다닌 것은 그 한 단면을 보여준다(『高麗史節要』 권 32, 辛禑 12년 5월).

시위군을 비롯한 중앙 군사력에 대한 최고 지휘권은 도통사에게 있었다. 우왕연간에 장기간 도통사를 맡은 인물이 최영이다. 그는 1377년 3월에 6도 도통사가 된 이래로 1380년 4월부터 해도海道 도통사도 겸하여 맡았고, 1388년 임견미, 염흥방 등을 제거한 뒤 요동 정벌군을 편성하면서 8도 도통사가 됨으로써 절정에 이르렀다.[103] 요동 정벌군은 조민수가 좌군 도통사, 이성계가 우군 도통사가 되고 8도 도통사 최영은 중군으로 편성할 군사력을 그의 조전원수들을 통해 좌·우군 도통사에게 소속시켜 출전시켰다.[104] 이것을 그림으로 나타내면 앞의 <그림 3>과 같다.

좌군 도통사와 그 휘하 12원수, 우군 도통사와 그 휘하 15원수가 지휘하는 군사력은 3만 8천 여명이어서 장수 1명당 약 1,300명의 군사가 소속되어 있었다.[105] 이 지휘체계는 중군中軍을 지휘할 8도 도통사 최영이 출전하지 않아 중군으로 편성될 군사력이 좌 · 우 도통사 둘에게 나뉘어 소속된 변형된 3군 편제이나, 이것이 뒤에 설치된 삼군도총제부三軍都摠制府의 본보기가 된 것으로 판단된다.

잘 알려진대로 이 뒤 위화도 회군으로 권력을 장악한 조민수와 이성계 두 도통사가 군사력을 지역별로 나누어 관할하는 체제로 되었다가[106] 조

---

103) 이 8도는 侍衛軍 편성 단위가 된 楊廣道, 全羅道, 慶尙道, 交州道, 江陵道, 西海道, 東北面, 西北面으로 추정된다.

104) 『高麗史』 권 137, 列傳, 辛禑 14년 4월 丁未.
한편 崔瑩 휘하 군사력의 일부는 그의 鎭撫 또는 裨將으로 추정되는 鄭承可, 安沼, 宋光美, 印原寶 등의 지휘 아래 개경에 머물러 있었으며(『高麗史』 권 113, 列傳, 崔瑩傳), 요동 출병을 틈타 양광도에 침입한 왜구를 막기 위해 都興, 金湊, 趙浚, 郭璇, 金宗衍 등의 5元帥가 군사를 이끌고 내려가 개경에 다른 군사력은 없었던 것으로 보인다(같은 책 권 137, 列傳, 辛禑 14년 5월 丙戌).

105) 이 군사력은 西北面의 西京과 安州에 비중있는 장수들인 鄭地, 池勇奇, 沈德符 등을 새로 元帥로 임명한 것으로 보아 西北面 군사력이 주축을 이룬 것으로 생각된다. 西海道 元帥는 이 출정군에 들어 있지 않은데, 서해도 군사력도 서경 원수 등에 소속되어 출전했을 가능성이 많다.

106) 『高麗史』 권 137, 列傳, 辛禑 14년 6월 辛亥. 다만 京畿와 西北面은 두 都統使의 관할 지역에 들어 있지 않았다.

민수 등을 축출하고서 1390년(공양왕 2) 1월 이성계가 8도 시위군을 총지휘하게 되었다.[107] 이어서 이해 11월 각도 원수의 인장印章을 거두어 그 군사를 풀도록 한 뒤[108] 이해 1월 삼군도총제부가 설치되었다.[109] 장수들의 지휘권 행사가 삼군도총제부라는 공식 기구에 의해 관할되게 함으로써 원수제를 혁파한 것으로 표현되기에 이른 것이다.[110] 그러나 삼군도총제부 아래에 중앙의 고위 관직자가 각도 군사력을 관할하는 체제를 다시 갖춤으로써[111] 원수제의 명맥은 끊어지지 않았으며 삼군도총제부의 지휘권에는 아직 한계가 있었다. 따라서 원수제의 완전한 혁파는 새 왕조 건국 이후의 과제로 넘겨지게 되었다.

2. 도순문사의 원수 겸임

도순문사都巡問使는 1350년(충정왕 2) 왜구가 본격화된 이후 상설되어

---

107) 以我太祖 領八道軍馬 置軍營 分番更宿(『高麗史』 권 45, 世家, 恭讓王 2년 1월 丙子). 李成桂가 통할한 군사력은 처음에는 都統使로서 曺敏修와 李成桂가 관할한 군사력에 국한되어 있었다. 두 都統使의 관할 지역에 들어 있지 않던 西北面과 京畿의 군사력은 沈德符가 관할하다 그의 鎭撫들의 李成桂 축출 기도 사건이 일어난 뒤(『高麗史』 권 45, 世家, 恭讓王 2년 1월 壬辰; 11월 壬辰, 戊午) 비로소 이성계가 통할하게 되었다.

108) 『高麗史』 권 45, 世家, 恭讓王 2년 11월 辛丑.

109) 以我太祖爲三軍都摠制使 裵克廉爲中軍摠制使 趙浚爲左軍摠制使 鄭道傳爲右軍摠制使(『高麗史』 권 46, 世家, 恭讓王 3년 1월 乙未).

110) 省五軍爲三軍都摠制府 以(鄭)道傳爲右軍摠制使 道傳辭曰 然罷元帥爲三軍 以臣爲摠制使 則諸帥失職者 必怏怏曰 道傳革元帥 自爲摠制(『高麗史』 권 119, 列傳, 鄭道傳傳). 三軍都摠制府를 五軍에서 前·後의 2軍을 없앤 것으로 설명하는 기록은 이 밖에도 또 있으나(『高麗史』 권 77, 百官志, 諸司都監各色, 三軍都摠制府, 恭讓王 3년), 실상 五軍의 기능이 정지된 상태에서 대개 3군으로 출정군을 편성하던 관행이 원수의 상급 지휘체계로 형성된 都統使에까지 적용되었던 요동 정벌군의 체계를 따른 것이라 할 수 있다.

111) 以趙浚爲京畿左右道節制使 南誾爲慶尙道節制使 各道皆如之 使掌其道戎馬(『高麗史』 권 46, 世家, 恭讓王 4년 6월 丙寅).

도별 국방책임자로 등장하였다. 특히 1356년(공민왕 5) 반원정책 추진을 계기로 하삼도의 도순문사는 합포 · 전라진변만호부를 대신하여 해안지역의 요충지에 설치된 수소戍所의 수졸戍卒과 그 얼마 전부터 방어 직임을 수행하게 된 해안지역 고을들의 수령을 지휘하여 국방에 임하게 되었다. 이로써 도를 단위로 하는 지방 군사제도가 태동하였으나, 도순문사가 도별로 군사 업무를 총괄하여 책임지는 자리로 정해지는 것은 우왕연간에 몇 가지 변화를 겪은 뒤의 일이다.

홍건적과 거란 여진족의 침입 등 북쪽으로부터 심각한 군사적 위협이 가해졌던 공민왕연간에 비한다면 우왕 때에는 북방으로부터의 위협이 감소한 반면에 왜구의 침입이 더욱 심각한 국면으로 전개되고 있었다. 왜구의 창궐은 우왕 중엽에 극에 달하여서 대규모로 침입하여 내륙 고을들을 횡행하는 일마저 일어나 왕조의 지방 통치가 곤궁에 빠지게 되었다. 고려 조정은 이에 여러 직임의 장수를 파견하여 대처하였고, 그런 가운데 도순문사의 제도적 양상도 변모하여 갔다.

<도표 5> 우왕~창왕연간의 도순문사, 순문사 파견

연 월	파견지	직 함	성명	파견시 직함	전거 및 비고(『高麗史』는 史, 『高麗史節要』는 節要로 표기)
1375년 2월 우왕 원년	양광도	도순문사	韓邦彦 한방언	동지밀직	史 권 133. 列傳, 辛禑 1년 2월 副元帥로 겸함
1375년 4월 우왕 원년	서북면	〃	李子松 이자송	판밀직사사	史 권 133. 列傳, 辛禑 1년 4월 平壤尹을 겸함
1375년 8월 우왕 원년	서 경	〃	慶 補 경 보	밀직부사상의	史 권 133. 列傳, 辛禑 1년 8월 平壤尹을 겸함
1375년 10월 우왕 원년	서해도	〃	羅 世 나 세	밀직부사	史 권 133. 列傳, 辛禑 1년 10월 上元帥로 겸함

1375년 11월 우왕 원년	경상도	〃	曺敏修 조민수	문하평리	節要 권 30, 辛禑 1년 11월
1376년 3월 우왕 2년	양광도	〃	崔公哲 최공철	–	節要 권 30, 辛禑 2년 3월
1376년 3월 우왕 2년	서북면	〃	朴普老 박보로	–	史 권 133. 列傳, 辛禑 2년 3월 元帥로 겸함
1376년 6월 우왕 2년	전라도	〃	柳 濚 유 영	–	史 권 133. 列傳, 辛禑 2년 6월 元帥로 겸함
1376년 9월 우왕 2년	〃	〃	趙思敏 조사민	–	史 권 133. 列傳, 辛禑 2년 9월 柳濚 파직, 副元帥
1376년 10월 우왕 2년	양광도	〃	洪仁桂 홍인계	–	史 권 133. 列傳, 辛禑 2년 10월, 양광도 元帥
1376년 12월 우왕 2년	경상도	〃	禹仁烈 우인렬	지문하사	史 권 133. 列傳, 辛禑 2년 12월 경상도 元帥
1377년 4월 우왕 3년	서 경	〃	慶 儀 경 의	밀직부사	史 권 133. 列傳, 辛禑 3년 4월 서북면 元帥 겸함.
1377년 5월 우왕 3년	경상도	〃	裵克廉 배극렴	–	史 권 133. 列傳, 辛禑 3년 5월, 경상도 원수, 우인렬은 사직
1377년 8월 우왕 3년	서해도	〃	沈德符 심덕부	–	史 권 133. 列傳, 辛禑 3년 8월
1377년 9월 우왕 3년	서 경	〃	林成味 이성미	밀직부사	史 권 133. 列傳, 辛禑 3년 9월
1378년 8월 우왕 4년	전라도	〃	池勇奇 지용기	–	節要 권 30, 辛禑 4년 8월 ; 在職中
1378년 11월 우왕 4년	동북면	〃	黃淑卿 황숙경	전 밀직부사	史 권 133. 列傳, 辛禑 4년 11월 화령부윤을 겸함.
1378년 12월 우왕 4년	전라도	순문사	鄭 地 정 지	–	節要 권 30, 辛禑 4년 12월
1379년 3월 우왕 5년	〃	도순문사	睦子安 목자안	–	史 권 134. 列傳, 辛禑 5년 3월 副元帥로 겸함.

1379년 3월 우왕 5년	경상도	〃	禹仁烈 우인렬	–	史 권 134. 列傳, 辛禑 5년 3월 上元帥로 겸함
1379년 4월 우왕 5년	양광도	〃	安 翊 안 익	밀직부사	史 권 134. 列傳, 辛禑 5년 4월
1379년 8월 우왕 5년	합 포	〃	金光富 김광부	전 계림윤	史 권 134. 列傳, 辛禑 5년 8월
1379년 11월 우왕 5년	합 포	〃	禹仁烈 우인렬	–	史 권 134. 列傳, 辛禑 5년 11월 金光富 戰死.
1380년 1월 우왕 6년	경상도	〃	朴修敬 박수경	안동원수	史 권 134. 列傳, 辛禑 6년 1월
1380년 5월 우왕 6년	양광도	〃	金斯革 김사혁	전리판서	史 권 134. 列傳, 辛禑 6년 5월 安翊은 杖流.
1380년 9월 우왕 6년	경상도	〃	裵克廉 배극렴	밀직부사	史 권 134. 列傳, 辛禑 6년 9월, 경상도 元帥
1381년 2월 우왕 7년	〃	〃	南 秩 남 질	–	史 권 134. 列傳, 辛禑 7년 2월
1381년 2월 우왕 7년	서 경	〃	朴林宗 박임종	–	史 권 134. 列傳, 辛禑 7년 2월
1381년 4월 우왕 7년	전라도	〃	李乙珍 이을진	–	史 권 134. 列傳, 辛禑 7년 4월
1381년 5월 우왕 7년	양광도	〃	吳 彦 오 언	–	史 권 134. 列傳, 辛禑 7년 5월
1382년 4월 우왕 8년	경상도	〃	李居仁 이거인	밀직부사	史 권 134. 列傳, 辛禑 8년 4월 南秩 流配.
1382년 4월 우왕 8년	전라도	〃	尹有麟 윤유린	밀직부사	史 권 134. 列傳, 辛禑 8년 4월
1383년 2월 우왕 9년	합 포	〃	柳曼殊 유만수	–	史 권 135. 列傳, 辛禑 9년 2월 慶尙道 元帥로 겸함.
1383년 11월 우왕 9년	전라도	〃	池勇奇 지용기	전라도 元帥	史 권 135. 列傳, 辛禑 9년 11월

1383년 12월 우왕 9년	경상도	〃	尹可觀 윤가관	경상도 副元帥	史 권 135. 列傳, 辛禑 9년 12월
1383년 12월 우왕 9년	전라도	〃	都 興 도 흥	지밀직사사	史 권 135. 列傳, 辛禑 9년 12월
1384년 8월 우왕 10년	서북면	〃	金用輝 김용휘	–	史 권 135. 列傳, 辛禑 10년 8월
1384년 9월 우왕 10년	전라도	〃	尹有麟 윤유린	동지밀직	史 권 135. 列傳, 辛禑 10년 9월
1385년 11월 우왕 11년	서북면	〃	禹仁烈 우인렬	문하찬성사	史 권 135. 列傳, 辛禑 11년 11월
1385년 11월 우왕 11년	동북면	〃	安 沼 안 소	–	史 권 135. 列傳, 辛禑 11년 11월
1385년 11월 우왕 11년	양광도	〃	池勇奇 지용기	동지밀직	史 권 135. 列傳, 辛禑 11년 11월
1385년 11월 우왕 11년	경상도	〃	朴 葳 박 위	–	史 권 135. 列傳, 辛禑 11년 11월 在職中.
1386년 2월 우왕 12년	서해도	〃	王安德 왕안덕	–	節要 권 32, 辛禑 12년 2월
1387년 9월 우왕 13년	양광도	〃	王承寶 왕승보	–	史 권 136. 列傳, 辛禑 13년 9월
1387년 11월 우왕 13년	서북면	〃	鄭熙啓 정희계	–	史 권 136. 列傳, 辛禑 13년 11월
1388년 3월 우왕 14년	전라도	〃	崔雲海 최운해	–	史 권 113. 列傳, 鄭地傳 元帥로 겸함, 在職中.
1388년 8월 창왕 즉위년	경상도	〃	朴 葳 박 위	–	節要 권 33, 辛禑 14년 8월 威化島에서 回軍, 復職.
〃	동북면	〃	鄭 曜 정 요	–	史 권 137. 列傳, 辛禑 14년 8월

우왕과 창왕 때의 도순문사 파견 양상부터 파악하고자 그 파견 기록을 위와 같이 <도표 5>로 정리하였다. 먼저 도순문사가 파견된 지역이 공민왕 때에 비해 더욱 분명하게 도道를 단위로 하고 있다는 점을 발견할 수 있다. 하삼도와 서북면은 공민왕 때에 이어서 도순문사가 가장 자주 파견된 지역이었고, 이에 비해 동북면과 서해도에는 드물게 도순문사가 파견되었으며 교주강릉도에는 도순문사 파견 기록을 찾을 수 없다. 따라서 도순문사가 제도로서 정착한 지역은 하삼도와 서북면일 것임을 추정할 수 있다.

또한 위의 표에서 우왕 때에는 도순문사가 원수元帥를 겸하는 변화가 일어났음을 쉽게 볼 수 있다. 이 현상은 1375년(우왕 원년)부터 시작되었는데, 대개는 이미 해당 도의 원수로 있는 사람을 도순문사로 임명하고 원수가 아닌 사람이 도순문사로 임명되면 그 도의 원수를 겸하게 했던 것으로 추측된다. 따라서 우왕 때에는 도순문사도 흔히 원수로 부르고 있었다. 도순문사의 원수 겸직 현상이 일어난 뒤인 1376년(우왕 2) 7월 '군대를 일으킬 때마다'라는 조건 아래 도순문사의 원수 겸직이 공식적으로 규정됨으로써[112] 도순문사가 각도 원수, 각 군목도軍目道 병마사兵馬使와 함께 유사시에 군사를 거느리고 상경하도록 하였는데, 이후 왜구 침입이 연속되는 상황에서 도순문사는 항상 원수를 겸하게 된 것이다.

원수는 앞서 살핀 바와 같이 1374년(공민왕 23) 제주도를 정벌할 때 도별로 상원수上元帥와 부원수副元帥를 임명한 데서부터 도별로 시위군侍衛軍을 나누어 담당하기 시작하였고, 이 뒤 공민왕이 피살되고 우왕이 즉위하는 동안의 긴박한 상황이 전개되고 왜구 또한 심각해짐에 따라 각도에 3원수를 두는 체제로 변하게 되었다. 그리고 왜구 침입이 계속되는 가운데 각도의 원수가 관할 농민 시위군을 장기간 관장하게 됨으로써 패기牌

112) 禑曰 方盜賊未息 軍政當時所急. 今後 每當興師之際 令各道都巡問使兼元帥 軍目道官員兼兵馬使 知兵馬使(事) 同帥各道曾屬品官 軍人上京(『高麗史』 권 81, 兵志, 兵制, 五軍, 辛禑 2년 7월).

記라고 일컬어지는 시위군의 군적까지 장악하였던 것이다. 이를 고려하면서 우왕 때의 도순문사와 원수 사이의 관계를 경상도의 예를 가지고 살펴보기로 한다.

<도표 6> 고려말 경상도에 파견된 원수 (○○○로 표시한 경우가 원수 겸 도순문사)

연 월	직 함	성 명	비 고
1374년 7월 공민왕 23년	경상도 상원수	池 奫 지 윤	당시 判崇敬府事, 耽羅征伐
1374년 7월 공민왕 23년	〃 부원수	羅 世 나 세	당시 동지밀직사사
1375년 7월 우왕 1년	〃 부원수	尹承順 윤승순	
1376년 8월 우왕 2년	경상도 원수	金 縝 김 진	겸도체찰사로 出鎭合浦
1376년 12월 우왕 2년	진주도 원수	裵克廉 배극렴	
1376년 ?월 우왕 2년	계 림 원수	河乙沚 하을지	
1377년 3월 우왕 3년	경상도 원수	禹仁烈 우인렬	
1377년 4월 우왕 3년	〃 부원수	裵克廉 배극렴	이해 5월 도순문사로 임명됨
1377년 4월 우왕 3년	〃 조전원수	李 琳 이 림	당시 지밀직
1377년 4월 우왕 3년	안동도 부원수	王 賓 왕 빈	
1377년 5월 우왕 3년	안 동 조전원수	王 賓 왕 빈	
1378년 8월 우왕 4년	경상도 원수	裵克廉 배극렴	

1379년 3월 우왕 5년	〃	상원수	禹仁烈 우인렬	도순문사를 겸함, 당시 지문하사
1379년 6월 우왕 5년	안동도	원수	朴修敬 박수경	
1380년 9월 우왕 6년	경상도	원수	裵克廉 배극렴	도순문사로 임명됨
1381년 5월 우왕 7년	계 림	원수	尹 虎 윤 호	
1381년 6월 우왕 7년	경상도	원수	南 秩 남 질	
1382년 10월 우왕 8년	〃	조전원수	沈于老 심우로	지병마사
1383년 2월 우왕 9년	〃	원수	柳曼殊 유만수	
1383년 6월 우왕9년	〃	조전원수	羅 世 나 세	
1383년 7월 우왕 9년	〃	조전원수	尹可觀 윤가관	
1383년 12월 우왕 9년	〃	부원수	尹可觀 윤가관	
1385년 1월 우왕 11년	안 동	원수	皇甫琳 황보림	
1388년 4월 우왕 14년	경상도	상원수	朴 葳 박 위	
1388년 4월 우왕 14년	계 림	원수	慶 儀 경 의	
1388년 4월 우왕 14년	〃	원수	崔 鄲 최 단	
1388년 7월 창왕 즉위년	경상도	부원수	具成老 구성로	
1389년 2월 창왕 1 년	〃	원수	朴 葳 박 위	

<도표 7> 1364년(공민왕 23) 이후의 경상도 도순문사
(○○○로 표시한 경우가 원수 겸 도순문사)

연 월	성 명	비 고
1374년 4월 공민왕 23년	田祿生 전록생	전 도순문사 金 鋐(김 굉) 誅殺됨.
1375년 11월 우왕 1년	曺敏修 조민수	
1376년 12월 우왕 2년	禹仁烈 우인렬	『高麗史』 禹仁烈傳에는 合浦都巡問使로 호칭.
1377년 5월 우왕 3년	裵克廉 배극렴	禹仁烈 辭職으로 대신 임명됨.
1379년 3월 우왕 5년	禹仁烈 우인렬	
1379년 8월 우왕 5년	金光富 김광부	合浦 都巡問使로 호칭됨.
1379년 11월 우왕 5년	禹仁烈 우인렬	合浦 都巡問使로 호칭됨, 金光富 戰死.
1380년 1월 우왕 6년	朴修敬 박수경	8월 戰死.
1380년 9월 우왕 6년	裵克廉 배극렴	
1381년 2월 우왕 7년	南 秩 남 질	
1382년 4월 우왕 8년	李居仁 이거인	南秩은 彈劾받고 宜寧에 安置됨.
1383년 12월 우왕 9년	尹可觀 윤가관	
1385년 11월 우왕 11년	朴 葳 박 위	재직 중. 우왕 10년 말경에 부임한 것으로 추측됨.
1388년 8월 창왕 즉위년	朴 葳 박 위	이해(우왕 14년) 3~5월 遼東征伐軍에 참여한 뒤 경상도 도순문사로 복직.

<도표 6>은 고려말 경상도에 대한 원수 파견 기록을 정리한 것이고, <도표 7>은 같은 시기의 경상도 도순문사 파견 기록을 정리한 것이다. <도표 6>에서 우왕 때의 원수가 첫째 도를 단위로 임명된 원수, 둘째 임시로 파견된 조전원수, 세째 계림鷄林, 안동安東, 진주晋州 등 도내의 계수관界首官에 임명된 원수로 분류됨을 볼 수 있다. 첫째 부류인 경상도 원수의 경우 1377년(우왕 3) 3월 우인렬禹仁烈이 원수 겸 도순문사元帥兼都巡問使로 임명된 이후 거의 예외 없이 도순문사를 겸하였다. 이는 <도표 7>에서도 확인되며, 1388년(창왕 즉위년) 7월에 경상도 부원수로 파견된 구성로具成老를 제외하면 경상도의 3원수 가운데 현지에 파견된 자는 거의 1인으로 국한되어 늘 도순문사를 겸했다는 말로 설명된다. 이 경상도 원수 겸 도순문사를 제외하면 조전원수나 계수관을 임명 단위로 하는 원수가 파견될 뿐이어서 당시 장수가 잡다하게 파견되는 와중에서도 군사업무가 도순문사에게로 귀일되어 갔음이 드러나는 것이다. 이런 형태로 원수가 도순문사를 겸함으로써 유사시에는 수졸 외에 시위군 동원도 가능하게 되었다는 점이 중요하다고 하겠다.

그러나 <도표 6>을 보면 경상도 원수가 겸한 직함이 도순문사만은 아니었음이 나타난다. 우왕 2년 8월 김진金縝이 경상도 원수 겸 도체찰사元帥兼都體察使로 임명되어 '출진합포出鎭合浦'했던 것인데,[113] '출진합포'란 용어는 합포만호부가 폐지된 뒤로는 일반적으로 경상도 도순문사로 임명되었음을 뜻하는 말로 사용되고 있었다.[114] 더욱 기이한 것은 1376년(우왕 2) 12월 김진이 왜구에 대패하여 그 후임으로 임명된 것이 경상도 도순문사 우인렬로서 그 역시 '출진합포'했다는 점이다.[115] 그런데 1376년 무

113) 『高麗史』 권 133. 列傳, 辛禑 2년 8월

114) 『高麗史』 권 111. 列傳, 洪彦博傳 附洪師禹傳; 같은 책 권 123, 列傳, 金鋐傳; 같은 책 권 113, 列傳 尹可觀傳 등.

115) 『高麗史節要』 권 30, 辛禑 2년 12월, 3년 1월; 『高麗史』 권 133. 列傳, 辛禑 2년 12월, 같은 책 권 114, 列傳, 禹仁烈傳.

렵에는 이와 비슷한 일이 전라도에서도 있었다. 전라도에는 1376년 6월 원수 겸 도안무사元帥兼都安撫使 하을지河乙沚의 후임으로 원수 겸 도순문사 유영柳濴이 임명되었던 것이다.[116] 그러나 우왕 3년 이후로는 해당 도의 원수가 도순문사 외의 다른 직함을 가지고 그 도에 파견되는 일은 보이지 않게 된다. 이렇게 해서 잠깐 흔들렸던 도순문사의 위상은 우왕 3년 이후 각도의 군사책임자로서 더 굳어져 갔다.

도순문사가 도별로 국방을 담당하고 군사업무를 책임지는 직책으로 된 까닭에 왜구가 창궐하는 상황에서 한시도 자리를 비울 수 없게 되어 전임자와 후임자가 임무를 교대하게 되었다.[117] 이와 함께 일부 장수는 어느 한 도에서 도순문사로 지속적으로 활약하는 것도 찾아볼 수 있다.[118] 이것은 도순문사의 원수 겸임이 바탕이 되어 일어난 변화로서, 그 결과 도순문사가 중요한 직책으로 인식되고 그 권위도 커져갔다. 따라서 이제 도순문사가 안렴사按廉使와 대비되는 존재로 나타나는 것도 당연한 변화이며, 결국 창왕昌王이 즉위한 직후에 도평의사사都評議使司가 군사軍事는 도순문사에게, 민사民事는 안렴사에게 내리도록 규정되기에 이르렀다.[119] 한편 우왕 때에 이르러 대규모화하는 왜구를 저지하기 위해서는 도별로 엄밀한 지휘체계를 세우는 일이 큰 중요성을 갖게 되었다. 각도의 도순문사나 원수가 도내 군사를 동원하여 지휘하는데 있어 항상적이고 공식적인 체제가 갖추어져야 했다. 1369년(공민왕 18) 이후 서북면에 병농일치兵農一致의 군사조직으로 설치되었던 익군翼軍을 1378년(우왕 4) 전

---

116) 河乙沚 辛禑初爲全羅道元帥兼都安撫使(『高麗史』 권 114, 列傳, 河乙沚傳).
以柳濴爲全羅道元帥兼都巡問使(『高麗史』 권 133. 列傳, 辛禑 2년 6월).
倭寇全羅道元帥營 時元帥河乙沚 聞柳濴來代己 輒歸晋州農莊 倭乘隙而至 無敢拒者 是以大敗(『高麗史節要』 권 30, 辛禑 2년 7월.

117) 註 116) 및 <도표 7> 참조.

118) 대표적인 예로서 禹仁烈, 裵克廉이 계속 慶尙道 都巡問使 또는 元帥로 활약하는 것을 들 수 있다(<도표 6>, <도표 7> 참조).

119) 註 131)

국적으로 확대 실시했던 것은 중요한 의미를 담은 시도였다. 지역별로 왜구에 대처하기 위해서는 많은 병력이 필요한 때문이기도 하겠지만, 전국의 모든 상하신분의 장정을 군인으로 파악 확보하는 데다가 이들 1,000명을 천호千戶, 100명을 백호百戶가 통할하도록 지휘체계가 정해져 있었다는 점에서도[120] 익군체제 확대실시의 목적을 잘 파악할 수 있다고 생각된다. 그러나 익군의 전국적 확대 실시는 결과적으로 농민 실업으로 말미암은 혼란만을 야기하여 반 년 만에 혁파되고 말았다.

하삼도의 계수관인 지역에 파견된 원수는 양계 지역의 경우와 달리 익군과 무관하였다. 이들은 실은 수령으로서 장수직을 겸하고 있었다. 1379년(우왕 5) 6월 박수경朴修敬이 안동도安東道 원수로서 부윤府尹을 겸하고 1387년(우왕 13) 11월 권화權和가 전주全州의 수령직을 맡으면서 원수를 겸직한 것이 그 예이다.[121] 이것은 1375년(우왕 원년)에 목사牧使와 도호부사都護府使 등에게 '병마지직兵馬之職'을 띠게 한 조치의 결과로 판단된다. 박위朴葳가 김해부金海府, 진주목晋州牧, 안동부安東府의 수령을 지내면서 모두 병마사를 겸했던 것은[122] 이 조치에 의한 것으로, 원수 직함을 수령이 겸대하는 것은 재추의 지위에 있으면서 목사나 도호부사로 임명되는 일도 많았던 당시 실정 때문일 것이다. 그러므로 이 경우의 원수는 수령이 겸하는 최고 병마직함이었던 것이다.

이들 수령이 겸하는 병마사는 그 연원이 양계 병마사가 아니라 앞서 언급한 군목도 병마사로 보아야 할 것으로, 이는 군목도 관원이 병마사나 지병마사를 겸한다고 1376년(우왕 2)에 다시 확인된 바 있다. 또한 이로부터 군목도는 대체로 계수관과 그에 소속된 군현으로 편성되고, 계수관

120) 閔賢九, 앞의 「高麗後期의 軍制」, 338쪽.

121) 『高麗史』 권 114, 列傳, 辛禑 5년 6월; 같은 책 권 107, 列傳, 權呾傳 附權和傳.

122) 余(朴葳:필자)自罷金海 尋牧晋州 尹鷄林 皆兼兵馬使(『新增東國輿地勝覽』 권 22, 蔚山郡, 古跡, 古邑城記).

에 파견되는 수령이 그가 겸대하는 병마직함兵馬職銜을 통해서 지휘하고 있었던 것으로 판단된다. 이로써 한 도의 군사 책임을 맡는 도순문사는 그 밑에 목사, 도호부사 등이 원수, 병마사, 지병마사 등을 겸직하여서 관할 지역의 군사 업무를 담당하는 형태로 짜여지게 되었다.

그러나 왜구의 규모가 커짐에 따라 도순문사나 도내의 원수, 병마사 등의 역량만으로는 대처하기 벅찬 상황이 일어나는 경우가 있었다. 1377년(우왕 3) 5월 경상도 도순문사 우인렬이 왜구의 대규모 침입을 맞아 "이미 군사를 파견하여 요해처要害處를 나누어 지키도록 하였으나, 왜적의 형세는 성한데도 방수防戍할 곳이 많아 한 도의 군사를 나누어 지키니 형세가 매우 외롭고 약하다."고 하면서 조전원수의 파견을 요청한 것에서 그 사정을 알 수 있다.[123] 이에 따라 대규모로 내륙을 횡행하는 왜구를 격퇴하기 위해 도를 초월하는 대규모 군사작전이 남방에서도 진행되어 별도의 고위 장수가 파견되어 작전을 총지휘하게 되었다. 1374년(공민왕 23) 이후 양광전라경상도 도통사를 맡고 있던 최영이 1376년 9월의 홍산대첩鴻山大捷에서 양광도 도순문사 최공철 외에 조전원수, 병마사 등을 지휘했던 것이나 1377년 9월 왜구가 전라도에 상륙하여 양광도로 북상하자 11원수를 거느리고 막은 것,[124] 1380년 8월 진포鎭浦로부터 상륙한 왜구가 하삼도를 휩쓸고 지리산으로 들어갔을 때 이성계가 양광전라경상도 3도 도순찰사로서 3도 도체찰사 변안렬 이하 경상도 도순문사 배극렴 등 9원수를 지휘하여 황산대첩荒山大捷을 거둔 일[125] 등이 그 대표적인 예이다. 이

123) 出爲合浦都巡問使. 倭入寇 仁烈飛報:偵卒言 賊自對馬島蔽海而來 帆檣相望. 已遣兵分守要害. 然賊勢方張 防戍處多 以一道兵 分軍而戍 勢甚孤弱 請遣助戰元帥 (『高麗史』 권 114 列傳, 禹仁烈傳). 이때가 禑王 3년 5월이고 당시 우인렬이 慶尙道 都巡問使였음은 『高麗史』 권 133, 列傳, 辛禑 3년 5월; 『高麗史節要』 권 30, 辛禑 3년 5월; 『太祖實錄』 권 1, 總書 등에서 확인된다.

124) 『高麗史』 권 113, 列傳, 崔瑩傳; 같은 책 권 133, 列傳 辛禑 3년 9월.

125) 『太祖實錄』 권 1, 總書.

경우 군령軍令은 모두 최영 또는 이성계로부터 나왔고, 도순문사도 당연히 그 지휘를 받았던 것이다.

그렇지만 이와 같은 것은 고려의 군사력 대부분을 집결시켜 대처할 수밖에 없는 상황에서만 적용될 따름이다. 소규모로 자주 침입해 오던 통상적인 왜구에 대해서는 원칙적으로 도순문사의 책임 아래 해안에서 저지해야 하는 것이다. 1377년 5월 우인렬이 도내의 요해처에 먼저 군사를 나누어 파견하고서 조전원수 파견을 요청했던 것에서 이를 잘 알 수 있다. 또한 1384년(우왕 10) 역시 경상도 도순문사였던 윤가관尹可觀이 그동안 영해부寧海府의 축산도丑山島가 왜구의 침입에 근거지로 되어 왔음을 파악하고 여기에 수소戍所를 설치한 뒤 전함을 정박시키고 수졸을 두었던 것에서[126] 도내 군령체계의 정점에 위치한 도순문사의 권한과 임무를 파악할 수 있는 것이다.

이렇게 도순문사가 우왕연간에 이르러 원수를 겸하게 된 뒤로 도의 국방만이 아니라 군령과 군정軍政까지 담당하게 되었으므로 그 직무 수행을 위한 기구도 구비되었으리라고 추측된다. 도내 목과 도호부 등에 임명되는 원수, 병마사, 지병마사 등의 군사지휘관이나 도순문사 휘하의 군사들에 대한 도순문사로부터의 군령 전달은 도순문사 도진무都鎭撫가 맡았을 것으로 생각된다.[127] 도진무는 그가 소속된 장수의 막료로서 군기軍機에 참여하고 군령을 전달하고 제반 군사업무를 총괄하여 장수를 보필하는 것

126) 初 倭寇皆由丑山島入寇 可觀聞于朝 爲置船卒 自後倭患稍息(『高麗史』 권 113, 列傳, 尹可觀傳) ; 明年甲子(1384:禑王 10년) 尹公可觀 出鎭合浦 遵海而北 又於丑山島 留船置戍 然後寇不得棲泊于此(權近, 「寧海府西門樓記」, 『陽村集』 권 11). 都巡問使와 水軍 사이의 관계는 별도로 연구해야할 과제로 생각되는데, 海道元帥 또는 水軍都指揮處置使 휘하에 都萬戶 萬戶－千戶－領船頭人의 지휘체계가 갖추어져 있던 海道水軍과 戍所에 배치돼 都巡問使의 지휘를 받은 수군으로 대별되지 않을까 추측된다.

127) 高麗末 將帥들의 밑에는 대개 都鎭撫가 설치되어 있었고, 都巡問使의 후신인 都節制使의 밑에도 역시 都鎭撫가 두어져 있었다. 都節制使의 都鎭撫에 대해서는 이 책 제2장 참조.

이 그 임무이기 때문이다. 도순문사 밑에 도진무가 두어진 시기는 공민왕대보다 전일 가능성이 있다. 또한 도순문사에게 딸린 군사행정의 실무를 장악하는 직책인 장무 녹사도 두어져 있었다.[128] 이때에도 도순문사가 거느리고 가는 군관軍官과 영리營吏 등이 있었을 가능성을 배제할 수 없다.

1380년 8월 500척의 선단을 형성하여 가장 큰 규모로 침입했던 왜구가 이해 9월 이성계 등에 의해 거의 전멸당한 뒤로 고려가 여러 방법으로 방비 토벌을 진행하고 또 일본의 내란도 점차 수습되어감에 따라 왜구도 차츰 줄어들고 있었다. 특히 1389년(창왕 원년) 2월 경상도 도순문사 박위朴葳의 지휘 아래 대마도對馬島 정벌을 단행한 이후로 왜구는 크게 줄어들게 되었다.[129] 이에 따라 그 동안 잡다하게 장수를 파견하던 것도 정리해야 할 필요성이 높아져 우왕연간에 이미 도순문사를 중심으로 도별 군령, 군정을 통일토록 했던 듯하다.[130]

창왕 즉위 후 각도의 군사업무는 도순문사가 총괄한다는 원칙이 다시 확인되었다. 그의 즉위교서에 "사명使命이 번잡하고 많아 해가 민民에 미치므로 오늘 뒤로는 도평의사사에서 군사는 도순문사, 민사는 안렴사에게 내려 보내고 잡다한 사명은 파견을 허락하지 아니한다."고 천명했던 것이다.[131] 그러나 당시의 혼란스런 상황 자체가 이 원칙이 지켜지지 않게 하는 요인이었지만, 도순문사가 여전히 경관京官이 겸대兼帶하는 관직

---

128) 恭讓王元年 改都巡問使爲都節制使 至是始用除授 以專其任 置經歷 都事. 四年 罷經歷 都事 復置掌務錄事(『高麗史』 권 78, 百官志, 外職, 節制使).

129) 李鉉淙, 「왜구」, 『한국사』 권 8, 국사편찬위원회, 1978, 224~225쪽.

130) 註 132) 참조.

131) 教曰 使名繁多 害及於民. 今後 都評議使 軍事下都巡問使 民事下按廉使. 雜泛使命 不許差遣(『高麗史』 권 84, 刑法志, 職制, 辛禑 14년 6월). 이를 昌王 즉위 후의 교서로 보는 근거는 禑王이 李成桂의 威化島 回軍 소식을 듣고 이해 5월 28일 西京에서 급히 開京으로 돌아와 방어태세를 갖추었으나 결국 이성계군에 패하여 6월 9일 창왕이 즉위하였으므로 우왕이 이와 같은 교서를 내릴 여유가 없었다고 판단되는 데다가, 같은 교서의 다른 부분으로 보이는 것이 『高麗史』 권 79, 食貨志, 田制 祿科田條에 실려 있는데 여기에 '辛禑 14년 6월 昌教曰'이라 한 데서 찾을 수 있다.

이어서 전임傳任 관직이 아니었다는 점도 중요한 장애 요인으로 작용했을 것이다. 조준趙浚이 1388년(창왕 즉위년) 7월에 상서하여 "바라건대 이제부터는 주군州郡의 모든 일을 도순문사와 안렴사에게 맡겨 그 완성을 책임지우고 잡다한 사명은 파견을 허락하지 마십시오."라 하였으니,132) 여전히 도순문사, 안렴사 외에 다른 사명이 파견되었음을 알 수 있다. 결국 이러한 상황을 타개하기 위해서는 안렴사를 도관찰출척사로 개혁했듯이 도순문사도 도절제사로 개혁하여야 했다.

3. 도별 국방체제와 국방

1) 하삼도

공민왕연간에는 하삼도 도순문사가 해안지역에 침입하는 왜구의 방어에 이용하는 주된 방어 시설과 군사력은 수소戍所와 그에 배치된 수졸戍卒이었다. 수소는 이에 앞서 고종~원종연간부터 남방 제도 해안지대의 요충지에 설치되어 있던 방호소防護所나 방어소防禦所와 그에 배치되어 있던 군사력의 이름이 바뀐 것에 지나지 않는다. 공민왕 초엽까지도 남아 있던 방호소가133) 공민왕 중엽에는 합포 · 전라 두 진변만호부鎭邊萬戶府와 함께 기록에서 자취를 감추고 그 대신 수소가 나타나는 것이다. 이는 왜구 침입이 격화됨으로써 사실상 해안 전체가 국방선화한 데 따른 결과이자 한편으로는 정치적 변화와 연관되어 지방 군사제도에도 중요한 변화가 일어난 까닭이었다.

---

132) 大司憲趙浚等上書曰: 先王 於巡問 按廉之外 不許差遣. 願自今 州郡庶務 一委巡問 按廉 以責其成 雜冗使命 不許差遣(『高麗史』 권 82, 兵志, 驛站, 辛禑 14년 7월).

133) 『高麗史』 권 38, 世家, 恭愍王 원년 3월 丙辰; 같은 책 권 38, 世家, 恭愍王 2년 9월 癸酉; 같은 책 권 38, 世家, 恭愍王 3년 6월 辛亥.

수소와 수졸에 대한 기록이 나타나는 것은 공민왕 중엽부터이지만 방호소가 기록에서 보이지 않게 되는 것은 1356년(공민왕 5)부터이다. 이와 관련하여 1356년 반원정책을 실시한지 5개월 뒤인 10월에 원에 대하여 순군巡軍·합포·전라·탐라·서경 등 5개 만호부 혁파를 요구했던 것이 주목되는데,[134] 실상 공민왕은 이미 만호부 개혁을 끝냈던 것으로 생각된다. 이해 5월 정동행성을 혁파하고 여러 군대 만호·진무·천호·백호의 패牌를 거두어들인데 이어[135] 1357년에는 바닷가 고을들 민民의 요역을 면해주고 방수에 충당시키되 동계와 교주도의 군사는 쌍성雙城을, 북계와 서해도의 군사는 압록강을 지키고 양광도, 전라도, 경상도의 군사는 왜구를 막도록 조치를 취한 바 있기 때문이다.[136] 따라서 이것이 수소 및 수졸이 국방체제의 일부로서 제도적으로 확립되는 구체적 계기로 판단된다. 이제 두 진변만호부가 폐지됨으로써 하삼도에서는 도순문사 즉 도순문진변사가 국방을 전담하는 체제로 바뀜과 아울러 만호부 – 방호소로 연결되던 국방체제는 도순문사 – 수소로 연결되는 체제로 바뀌어 갔다.

왜구 방어를 강화하기 위해 이 뒤로 수소는 증설되어서 1361년(공민왕 10)에는 전라도에만도 수소가 18개소에 이르게 되었다.[137] 그러나 수소는 격화된 왜구의 침입을 막는 데에는 실상 큰 효과를 보지 못하고 있었다. 실제로 『고려사』나 『고려사절요』에서 수소가 왜구를 막아 승리했다는 기록을 발견하기 힘든데, 그 원인에는 전록생田祿生의 지적과 같이 군

---

134) 『高麗史』 권 39, 世家, 恭愍王 5년 10월 戊午.

135) 『高麗史』 권 39, 世家, 恭愍王 5년 6월 丁酉, 壬寅.

136) 敎 各定加定別抄 不論老弱單丁 勒令遠戍 往來疲頓 轉相避逃. 其令沿海郡民 悉充防戍 仍蠲徭役 遠地之民 代供其役 勿令赴防 兩得其便. 且人之懷土 習俗固然 宜令東界交州之軍 以戍雙城 北界 西海 以戍鴨綠 楊廣 全羅 慶尙 委以禦倭. 其材勇者 選用無方(『高麗史』 권 82, 兵志, 兵制, 鎭戍, 恭愍王 5년 6월).

137) 全羅道按廉使田祿生啓曰 自庚寅以來 道內之戍 歲益增置 至十八所(『高麗史節要』 권 27, 恭愍王 10년 5월.

관軍官의 탐학도 작용했겠지만[138] 설장수偰長壽의 상서上書에서 보는 바와 같이 수졸이 군사력으로 기능할 수 없는 상태에 있고 방어 시설을 갖추지 못한 데다가 수소를 통한 방어 전술도 제대로 짜여져 있지 못한 때문이었다. 설장수의 상서에서 확인할 수 있는 내용을 좀 더 구체적으로 정리하면 다음과 같다.[139]

첫째, 수소의 수졸이 평소에 훈련을 받지 못한 오합지졸이라는 점이다. 수졸은 수소가 속해 있는 군현이나 이웃 군현에서 충당되어 근무하는 군졸로서, 2개월씩 교대로 근무하여 아마 1년에 2개월씩 3회, 총 6개월을 근무했던 것으로 보인다.[140] 수졸은 제대로 훈련받지 못했을 뿐 아니라 수소에 배정된 둔전屯田을 경작하는 의무까지 부담했고,[141] 이로 말미암아 수소를 지휘하는 군관의 침탈 대상이 되었다. 더구나 수졸은 대개 가난한 농민 출신이어서 기근을 견디지 못하고 도망하는 일이 많아[142] 유효한 군사력이 되기는 힘들었다.

둘째, 수소에 국방을 위한 시설로서 성곽이 제대로 갖추어져 있지 못하

---

138) 『高麗史節要』 권 27, 恭愍王 10년 5월.

139) 偰長壽 上書의 주요 내용을 인용하면 다음과 같다.
竊計 賊船出沒 無有定時 民無安危 朝夕靡測 而沿海防戍 雖有其名 無益於事. 蓋鎭兵卒 悉皆烏合之衆 素無教鍊之嚴 器械甲冑未爲堅利. 又無營壘 以爲保障 不過草屋薪籬僅庇風雨而已. 故一有寇至 則望豐奔潰 雖使頗牧爲將 亦不能號令之也. 其防戍之處遠者相去五六十里 近者不下二三十里 賊可由此入寇(『高麗史』 권 112, 列傳, 偰遜傳, 附偰長壽傳).

140) 予於庚午(1390:恭讓王 2년)春 將適蔚州 其戍卒 兩月一更代(『新增東國輿地勝覽』 권 21, 慶尙道 慶州府, 驛院, 惠利院, 河崙序).
恭愍王 5년 11월 西北面 都元帥 廉悌臣이 서북면 防戍軍을 반년마다 교체토록 청한 바 있는데(『高麗史』 권 81, 兵志, 兵制, 恭愍王 5년 11월), 이에 비추어 南方의 戍卒도 1년에 2개월씩 세 차례, 합하여 6개월 동안 근무했을 것으로 생각된다.

141) 敎曰 沿海之地 築堤捍水 可作良田者 往往而有. 宜令有司相地 用防倭之卒 爲之農夫(『高麗史』 권 82, 兵志, 屯田, 恭愍王 5년 6월).

142) 禑王 때의 기록에 戍卒은 고향을 이탈하여 떠도는 사람들 가운데 대표적 존재로 꼽히고 있다(『高麗史』 권 134, 列傳, 辛禑 7년 3월).

고, 수졸의 갑주甲冑와 무기의 질도 좋지 않았다는 점이다. 수소가 요새화되어 있지 못하여 방어시설이라야 목책을 두른 정도에 불과하여서 방어기지로서의 기능을 기대하기 어려웠던 것이다. 무기도 수졸이 갖추어야 했을 것이므로 튼튼하고 날카롭지 못했을 것임은 자명하다.

셋째, 왜구의 침입 전술에 대한 방어 전술이 마련되어 있지 않고, 수소 사이의 간격도 서로 협력하기에는 너무 멀었던 점이 지적되고 있다. 수소 가운데 오래된 것들은 전함戰艦을 갖추고 있어서 먼저 적을 발견하면 전함을 타고 바다에서 막을 수도 있었으나,[143] 수소의 수졸들이 알지 못하는 사이에 왜구가 노략질을 하고 돌아가거나 습격을 당하면 속수무책일 수밖에 없었음을 설장수는 지적하고 있다.[144]

이러한 수소와 수졸의 문제점들은 당시 상황에서 쉽게 해결될 수 있는 것들이 아니었지만, 그나마 이루어진 개선 노력도 우왕연간 이후에야 나타나게 된다. 공민왕연간에는 그 말엽에 수군水軍을 강화하여 이러한 국방의 약점을 보완하려 한 데서 그치고 있었다. 따라서 수소를 방어망으로 삼는 도순문사는 여전히 제 기능을 하지 못하는 존재로 비쳐질 수밖에 없었다.[145]

우왕연간에는 왜구 방어를 목적으로 국방체제가 도별로 도순문사를 중심으로 체계화되는 한편 방어시설로서의 성城의 중요성이 새삼 새롭게 인식되기에 이르렀다. 이에 따라 차차 왜구 피해가 가장 심각했던 하삼도에서는 해안지역에는 물론 내륙에도 성을 쌓게 되었다. 즉 국방 요충지에 수소보다 한 걸음 진전된 요새화된 방어시설로서 성을 갖추어 방어 거점으로서 기능하게 된 것이다.

---

143) 註 126) 참조.

144) 당시 都巡問使營을 중심으로 각 戍所는 烽火로 통신하고 있었다. 그런데 수졸은 때로는 배를 타고 바다에 나가 싸우기도 하지만 기본적으로는 步兵이었던 것으로 판단되며, 따라서 이웃 수소가 침입당한 것을 알아도 신속히 이동하여 지원할 수 없었다. 또한 邑城과 같이 촌락민을 유사시에 집단적으로 수용하여 보호할 수 있는 시설물이 없었던 점도 거론되어 있다.

145) 『高麗史』 권 115, 列傳, 鄭地傳.

우왕 때 이전에도 물론 해안지역에 성이 축조된 일이 있다. 일찌기 1269년(원종 10) 해안지역에 성을 쌓고 곡식을 저장토록 명령한 바 있는데,146) 이 조치는 왜구가 침입하면 해안지역의 주민들을 입보入保하기 위해 산성山城을 쌓도록 한 것이었다. 우왕 때에는 내륙까지 산성 입보가 확대되어서 많은 산성이 수축되었으며, 처음에는 산성 수축을 중앙 정부가 주도하다가 1478년(우왕 4) 무렵부터 이를 수령에게 책임지우는 등 국가적으로 큰 관심을 기울이고 있었다.147) 그런데 이보다도 더 주목되는 것이 이 시기에 이르러 해안지역에 읍성邑城을 쌓기 시작했다는 점이다. 특히 하삼도의 여러 해안지역 군현에 읍성을 신축 또는 수 · 개축하여 흩어져 도망하는 백성을 보호하고 왜구에 대비하였다고 지적되고 있는 것이다.

우왕연간에 이르러 왜구의 침입이 격화됨으로써 홍건적의 침입을 겪은 공민왕 때보다도 더욱 심각한 인구 이동이 일어났음은 익히 알려진 사실이다. 유이민의 급증이 왕조 통치에 큰 위협을 가하고 있었던 까닭에 1377년(우왕 3) 2월에는 각도의 교통 요충지마다 방호防護를 설치하여 민의 유망을 막도록 하는 한편 여러 고을에 산성을 수축하여 주민을 입보할 수 있도록 대책을 강구하였다.148) 그러나 인구 이동을 강제로 막거나 주민을 농업 생산지로부터 이탈시켜 산성에 입보토록 하는 것이 효과적인 대책일 수는 없었다. 인구 이동 자체도 큰 문제이지만 농장과 사원전寺院田이 크게 확대되고 조운漕運도 막혀 국가 재정이 치명적인 타격을 입고 있는 형편에서 해안 및 섬 지역의 비옥한 땅을 그대로 황무지로 만들 수는 없었던 것이다. 당시 상황의 예를 보자면 울주蔚州는 1379년(우왕 5) 왜구의 침입이 극심해져 주민이 남지 않게 되어서 수령은 인신印信을 갖고 향리 몇 명을 거느리고 계림성鷄林城으로 가서 붙어 있게 되

146) 『高麗史』 권 26, 世家, 元宗 10년 5월 병오.

147) 車勇杰, 앞 논문, 138~145쪽.

148) 各道要衝 皆置防護 以閼流民. 修築沿海州郡山城(『高麗史』 권 133, 列傳, 辛禑 3년 2월).

고,[149] 섬인 남해현南海縣은 이미 1357년(공민왕 6) 진주晉州로 치소治所를 옮겨 '땅을 지켜 부세를 납부할 수 없었고, 장부에 기록되어 있는 재물이 생산되는 곳이 모두 사슴이 노는 풀밭으로 버려졌다'고 이르게 되었다.[150] 하삼도 해안 지역의 어느 곳도 이러한 형편에서 벗어날 수 없었다. 고려말 해안지역 군현에 많은 읍성을 쌓은 것은 이러한 국면을 타개하기 위한 적극적 노력에 해당하였다.[151]

해안지역 군현으로서 군사적 요충지에 해당되는 곳에는 읍성을 쌓음과 함께 군사적 조치도 뒤따르고 있었다. 김주金州 곧 김해의 읍성은 비교적 이른 시기인 1376년(우왕 2)에 당시 지군사知郡事이던 박위朴葳에 의해 옛 산성이 수축된 것으로서, 한편으로는 군사 요새로서 기능하고 평시에는 주민이 하산하여 생활하도록 하고 있었다.[152] 이 뒤로 고려가 멸망하기 전에 쌓은 여러 하삼도의 읍성 가운데 군사 조치가 수반된 곳으로서 영해寧海, 울주蔚州, 동래東萊, 영일迎日, 남포藍浦, 홍해興海 등이 있다. 이를 정리하면 다음과 같다.

영해: 1384년(우왕 10) 경상도 도순문사 윤가관의 건의에 의해 읍성 축조가 시작되어 만호 김을보(金乙寶)가 계림(鷄林)과 안동에서 2,000명을 동원해서 감독하여 완성. 1389년(창왕 원년)에는 만호 대신 병마사가 임명됨. 윤가관이 축산도에 수소를 설치한 것도 이때의 일임.[153]

울주: 이미 수소가 두어져 전함도 갖추고 있는 상태에서 1384년 경상도 안렴사 이문화(李文和)가 읍성 축조를 발의하여 경상도 도순문

---

149) 『新增東國輿地勝覽』 권 32, 慶尙道 蔚山郡 古跡 古邑城記.

150) 『新增東國輿地勝覽』 권 31, 慶尙道 南海縣 城郭 邑城記.

151) 高麗末 下三道에 쌓은 城으로서 邑城으로 확인되는 것만으로도 약 30여개에 이른다(車勇杰, 앞 논문, 145~153쪽).

152) 『新增東國輿地勝覽』 권 31, 慶尙道, 金海都護府 城郭 邑城記.

153) 權近, 「寧海府西門樓記」, 『陽村集』 권 11.

사 박위가 막료(幕僚)를 보내 공사를 감독하여서 1386년에 완성하였고 동시에 둔전 설치.[154]

동래: 경상도 도순문사 박위의 명령에 의해 1387년(우왕 13)에 읍성 축조, 전함과 수졸 배치.[155]

영일: 1390년(공양왕 2) 읍성 축조, 만호를 두어 감무를 겸임케 함.[156]

남포: 1390년 순제(蓴堤)로 개칭, 읍성을 쌓음과 함께 만호를 두어 감무를 겸임케 함.[157]

홍해: 1388년(창왕 즉위년)에 읍성 축조, 지흥해군사(知興海郡事) 외에 별도로 통양포(通洋浦) 만호를 둠.[158]

이 밖에 1391년(공양왕 3) 조전성漕轉城이 축조된 신창현新昌縣의 경우에도 만호를 두어 감무監務를 겸하도록 했음을 볼 수 있다.[159] 요컨대 우왕연간 이후 요충지에 해당하는 해안지역 군현에는 읍성을 쌓아 방어시설로 이용하고 평시에는 주민들이 성 밖에서 생업에 종사하도록 하는 한편 수소와 수졸, 전함 등을 설치하고 만호나 병마사 등의 군사지휘관을 파견함으로써 지방민을 효율적으로 왜구로부터 보호하려 하고 있었다. 전문 군사지휘관의 파견은 1390년(공양왕 2) 하삼도에 해도 만호와 함께 연해처만호沿海處萬戶를 두도록 함으로써 크게 증가되었는데,[160] 그 가운

---

154) 『新增東國輿地勝覽』 권 2, 慶尙道 蔚山郡 古跡 古邑城記.
155) 『新增東國輿地勝覽』 권 22, 慶尙道 東萊縣 邑城記.
156) 『東文選』 권 76, 記, 迎日縣新城記.
157) 『東文選』 권 81, 記, 泰安郡 新創記.
158) 權近, 「興海郡新城門樓記」, 『陽村集』 권 11.
159) 『新增東國輿地勝覽』 권 20, 忠淸道 新創縣 建置沿革.
160) 『高麗史』 권 45, 世家, 恭讓王 2년 1월 정해. 海道萬戶는 禑王代에도 있었던 것이나, 沿海處萬戶는 이때 처음 본격적으로 설치되어 대개 監務를 겸했던 것으로 보인다.

데 일부는 위의 예에서 보듯이 읍성 등 군사시설을 갖춤과 아울러 설치되었던 것이다.

이와 같이 해안지역 요충지에 있는 군현에는 읍성이 축조되고 군사조치가 수반됨으로써 요새와 같이 중요한 방어 거점으로 기능할 수 있게 되었다. 우왕연간에는 이와 함께 하삼도의 도순문사영都巡問使營 또한 요새화되고 있었다. 경상도 도순문사영은 오래 전부터 왜구 방어에 주요 거점이었던 합포에 있었으나, 수소戍所가 그러했던 것처럼 역시 방어시설로서의 성을 갖추고 있지 못하였었다.[161] 1374년(공민왕 23) 왜구의 공격을 받아 합포의 도순문사영이 불타고 사졸 5,000여 명이 죽은 것으로 기록되어 있어서[162] 도순문사 휘하의 병력 규모가 상당히 컸던 것을 짐작케 하는데, 이와 같이 큰 피해를 입은 원인의 하나로 군영에 성곽을 갖추고 있지 않았던 점을 지적할 수 있겠다. 경상도 도순문사는 원래 정동행성征東行省을 두었던 합포만호부合浦萬戶府 자리를 군영으로 사용해 왔는데[163] 이때 불에 탄 뒤 1375년(우왕 원년)에 도순문사로 부임한 조민수가 새 군영 자리를 정하고 1376년 12월에 도순문사로 부임한 우인렬이 공사를 시작하여 1377년 5월 새로 배극렴이 도순문사가 되어 완성한 뒤 다시 이를 보호할 성을 쌓아 1378년 11월에 준공했던 것이다.[164] 이 뒤 합포의 도순

沿海處萬戶를 水軍萬戶로 본 견해도 있으나(최근성, 앞 논문, 89~90쪽), 이는 잘못이다. 항상 船上 勤務를 하는 水軍萬戶가 監務를 겸할 수는 없으며, 藍浦, 興海 등이 모두 兵馬使나 兵馬僉節制使鎭이 되는 사실 등에서 이를 알 수 있다.

161) 元 干涉期 동안 合浦營에 城이 축조되지 않은 이유는 명확히 알 수 없으나 元의 지배에 따른 政治的 문제, 즉 城이 군사적으로 이용되어 元에 저항하는데 이용되는 것을 꺼려했든지, 아니면 元의 軍事 戰略이 守城戰 중심이 아니었던 때문인 것으로 추측된다.

162) 倭船三百五十餘艘 寇合浦 燒軍營 兵船 士卒死者五千餘人. 命誅都巡問使金鋐 支解以徇諸道(『高麗史節要』 권 29, 恭愍王 23년 4월); 『高麗史』 권 44, 世家, 恭愍王 23년 4월 壬子.

163) 節度使舊營城基 在月影臺北. 世傳元世祖征日本時 權置征東行省于此 遣흔都 領蒙古兵四千五百人留鎭(『新增東國輿地勝覽』 권 32, 慶尙道 昌原都護府 古跡).

164) 初營火于兵 軍事野處 門下評理曺公(敏修:필자) 相地得吉卜. 丁巳(禑王 3년)春 知門下

문사영성都巡問使營城은 한편으로는 읍성과 마찬가지로 왜구가 침입하면 주변 주민을 거두어 보호하는 기능도 하고 있었다.

양광도와 전라도의 경우도 사정은 비슷하게 전개되었으리라고 추측된다. 양광도 도순문사영에 대한 기록은 1377년 9월 왜구가 이산영伊山營을 태웠다는 것이 처음인데, 이산영이 도순문사영이었음은 1378년 4월 덕풍현德豊縣과 합덕현合德縣 등에 침입한 왜구가 도순문사영을 불태웠다는 것에서 확인된다.[165] 이산영에도 역시 성이 축조되어 있었으며, 최영의 건의에 의해 이산에 군영이 설치되었다고 하는데 이때 성이 같이 축조된 것으로 보인다.[166] 양광도 도순문사영은 또한 양광도 내상內廂이라고도 호칭되었다.[167] 전라도에는 도순문사영으로는 기록되어 있지 않으나, 전라도 내상 또는 전라도 원수영元帥營으로 기록에 나다난다.[168] 이것이 곧 전라도 도순문사영으로, 그 위치는 지금의 광주光州였으며, 역시 성이 축조되어 있었다.[169]

이상 언급한 바와 같이 우왕연간에 들어와 도순문사영은 적어도 하삼

事禹公(仁烈) 營於其地 未幾被召還. 慶山裵公(克廉) 以副元帥 代領其衆 至則修葺軍營功訖 因謂衆曰: 旣營矣 城可役歟 公移牒拔民 理器械 議遠邇 指授方略 爰始役焉 戊午(禑王 4년) 秋九月甲申 同十一月戊寅 役之終始也(『東文選』 권 77, 記, 合浦營城記).

165) 『高麗史節要』 권 30, 辛禑 3년 9월; 高麗史 권 133, 列傳, 辛禑 4년 4월.
伊山縣과 德豊縣은 朝鮮 太宗 5년에 합쳐져 德山縣이 되며(『世宗實錄』「地理志」 忠淸道 德山縣), 合德縣은 원래 豊德縣의 屬縣이다(같은 책, 洪州牧條).

166) 伊山鎭 高麗崔瑩建議 置都節制使營于伊山(『新增東國輿地勝覽』 권 19, 忠淸道, 德山縣, 古跡).
邑城 石築 周二千六百五十五尺 高九尺 內有二井 卽伊山營(윗 책 권 19, 忠淸道, 德山縣, 城郭).
崔瑩이 元帥로서 楊廣道를 관할하고 있던 시기는 都巡問使가 都節制使로 개칭되기 전이므로 都節制使營은 都巡問使營의 誤記이다.

167) 『高麗史』 권 134, 列傳, 辛禑 5년 12월.

168) 『高麗史』 권 133, 列傳, 辛禑 2년 7월(주 73 참조); 권 135, 列傳, 辛禑 9년 9월; 권 111, 列傳, 李子松傳.

169) 古內廂石城在郡西 周回六百二十五步(『世宗實錄』「地理志」 全羅道, 武珍郡; 『新增東國輿地勝覽』 권 35, 全羅道, 光山縣, 古跡, 古內廂城).

도에서는 일정한 지역에 고정 설치되어 있었다. 뿐만 아니라 군영을 보호하기 위한 성곽 시설도 갖추고 있었으며, 합포영성에는 주위에 해자를 파고 조교釣橋를 설치하여 방어에 완벽을 기하고 창고를 두어 수시로 군량을 운반해 오던 폐단을 덜고 있었다.[170] 이렇게 도순문사영이 명실상부한 도의 국방 거점으로 자리잡게 된 데다가 해안지역 고을들에 여러 읍성이 축조되고 또 그 가운데 요충이 되는 지역에는 수소의 설치, 전함戰艦의 배치, 군사지휘관의 파견 등의 조치를 취함으로써 종전에 비해서 왜구 방어에 큰 실효를 거두게 되었다. 이를 뒷받침하는 군사력 파악이 어떻게 이루어졌는지는 알려져 있지 않으나, 또한 유이하던 지방민을 보호하여 정착된 생활을 하도록 함으로써 그들을 쉽게 군사력으로 파악할 수 있게 되었다고 생각된다.

2) 서해도, 강릉 · 교주도

공민왕~우왕연간에 걸쳐 거의 도순문사가 파견된 일이 없는 서해도西海道와 교주 · 강릉도交州江陵道에는[171] 우왕 즉위 이후 왜구의 침입이 이곳까지 미치자 대개는 한 두 명의 원수가 파견되어 국방을 맡았다. 교주 · 강릉도에는 일반적으로 교주도, 강릉도 각각을 단위로 원수가 파견되었고, 특히 동해안 지역이어서 자주 왜구가 침입한 강릉도에 원수 파견이 잦았음을 볼 수 있다. 안찰사제의 운영에서 1356년 동북면 회복을 계기로 각각 안렴사가 파견되어 운영되고 있던 교주 · 강릉도가[172] 시위군侍衛軍 편성에서나 원수의 임명과 파견에서도 별개의 군사 지역 단위로 되어 있었던 것이다. 한편 교주도 원수가 현지가 아니라 개경에 있었던 듯한 기

---

170) 『東文選』 권 77, 記, 合浦營城記.

171) 특히 交州 · 江陵道에는 禑王 재위 기간 동안 都巡問使가 두어진 기록이 없다(앞의 <도표 3>,<도표 5> 참조).

172) 邊太燮, 「高麗時代 地方制度의 構造」, 『國史館論叢』 1, 1989, 73~76쪽.

록이 있어서[173] 교주도와 강릉도도 그 번상한 시위군을 3원수 가운데 1~2인이 중앙에서 지휘하고 있었고, 도순문사직을 겸한 것은 아니나 가장 하급의 원수가 거의 항상적으로 현지에 내려가 국방에 종사하였던 것으로 판단된다.

서해도의 원수 파견은 우왕 재위 초반에 집중되어 있다. 이는 우왕 초년에 이르러 왜구의 침입이 서해도에 집중된 때문으로, 특히 1377년 8월에는 3원수가 모두 현지에 파견되고 도순문사가 별도로 임명된 바 있다.[174] 그 반면 우왕 중엽 이후로는 원수 파견이나 도순문사 임명 기록이 드물다. <부표 2>에서 보듯이 심덕부沈德符는 1377년~1380년 동안 서해도 원수 – 서해도 도순문사 – 해도海道 원수 – 서해도 원수 – 해도 원수로 직책이 바뀌었는데, 그가 해도 원수로 나간 동안 새로 도순문사가 임명되지 않았던 것을 보면 지리상 개경과 가까워 상황에 따라 원수와 도순문사가 파견되었던 듯하다.

한편 앞의 서해도의 예와 같이 교주 · 강릉도와 서해도에는 적침이 일어나면 원수 가운데 1, 2명, 때로는 3명 모두를 파견하고 있었다. 이들이 지휘하는 병력은 시위군 외에는 주군州軍과 연호군煙戶軍 정도의 군인들이 상정될 뿐 도순문사가 제도화되어 있지 않았고 성곽을 갖춘 요새는 물론 수소조차 설치되어 있지 않았다. 그 이유는 본래 진변별초鎭邊別抄 계통의 군인이나 수졸 등이 없었던 까닭인 듯하다.[175] 따라서 적침을 당하

---

173) 『高麗史』 권 126, 列傳, 姦臣, 林堅味傳

174) 倭寇信州 文化 · 安岳 · 鳳州 元帥梁伯益 · 羅世 · 朴普老 都巡問使沈德符等 擊之 敗績(『高麗史』 권 133, 列傳, 辛禑 3년 8월 戊午).

175) 이 3도에서는 都巡問使營의 존재나 戍所와 戍卒 등에 대한 기록을 찾을 수 없다. 忠烈王 18년 鎭邊萬戶 宋玢이 邊卒을 시켜 쌀을 운반하여 女眞과 교역하다가 東界安集使에게 탄핵되어 면직된 사건(『高麗史節要』 권 21, 忠烈王 18년 윤6월)을 근거로 東界에도 鎭邊萬戶와 鎭守軍이 설치되었다고 보는 견해가 있으나(方東仁, 앞 논문, 60쪽), 송분은 전년 10월 慶尙道都指揮使로 파견되어 合浦鎭邊萬戶를 겸한 것으로 보인다(『高麗史』 권 30, 世家, 忠烈王 17년 10월 壬申;같은 책 권 125, 列傳, 姦臣, 宋

면 원수 휘하의 시위군을 모두 동원하기 위해 2~3명의 원수가 함께 파견되었던 것이다. 한편 교주 · 강릉도는 같은 이유에서 두 도의 시위군과 연호군을 함께 동원하고 아울러 두 도에 비해 시위군이 많이 편성된 삭방도朔方道 즉 동북면東北面의 군사력도 동원하고 있었다.[176] 유사시의 군사 운용에서는 교주 · 강릉도 또는 교주 · 강릉 · 삭방도가 하나의 단위로 되기도 했으며, 이 2~3도를 단위로 도체찰사나 조전원수助戰元帥가 파견되기도 하였다.[177]

3) 양계

양계兩界의 국방은 익군翼軍 조직과 국경 지역에 설치된 구자口子, 그리고 이에 배치된 군사력에 의해 이루어졌다. 서북면西北面의 5개 군익도軍翼道 만호부萬戶府는 변함이 없었고, 동북면東北面에는 북청주北青州와 그보다도 북쪽인 단주(端州: 단천)에 만호가 설치되었다. 양계는 이미 공민왕 때에도 중앙에서 파견된 군사력과 현지의 군사를 모아 적을 막기 위해 원수는 물론 도통사까지도 파견되었던 지역이다. 여기에서 더 나아가 우왕 즉위 후 서북면에는 군익도 단위로, 동북면은 그 전체를 단위로 원수를 파견하고 있었다. 당시에는 공민왕 때만큼 대규모의 외적이 침입하거나 출정군을 파견한 일이 없었음에도 매우 빈번하게 원수를 파견했던 것은 양계에서는 도순문사가 아니라 원수가 점차 국방의 책임을 맡는 직책으로 바뀌어갔음을 반영하고 있다.

玢傳). 따라서 송분은 合浦 鎭邊萬戶로서 水軍인 그 戍卒을 시켜 海路로 쌀을 운반해 女眞과 교역했던 것으로 보아야 옳을 것이다.

176) 江陵道助戰元帥報 交州道簽兵皆羸弱 不可用 其步兵今已放遣 請除烟戶軍 先簽閑散官 且令朔方道騎兵二百來助 從之(『高麗史』 권 47, 列傳, 辛禑 7년 3월). 여기서의 騎兵은 곧 侍衛軍으로 생각된다.

177) 『高麗史』 권 135, 列傳, 辛禑 11년 5월.

우왕 즉위를 전후하여 중국 대륙에서 원元과 명明 사이의 왕조 교체가 일어난 것과 관련하여 고려에도 위협이 가해져 왔다. 이로써 양계 특히 서북면의 국방이 매우 중시되었다. 따라서 동북면과 서북면에서는 조세 수입까지 군수軍需로 돌리고 공부貢賦를 면제하는 대신 모든 장정을 군인으로 파악하여 과거의 주진군체제를 잇는 익군을 편성하였던 것이다. 그리고 김의金義가 명의 사신을 살해하여 고려와 명 사이의 관계가 악화된 직후인 1375년(우왕 원년) 4월 최공철을 니성泥城 상원수로 임명한 이후 니성과 함께 익군 편성의 중심지인 서경, 안주, 의주, 강계 등지에 원수를 파견하여 국방을 강화하게 되었다. 이를 살필 수 있도록 우왕 때의 서경 · 안주 · 의주 · 강계 · 니성 등 5개 군익도에 대한 원수 파견만을 추려서 정리하면 다음과 같다.

<도표 8> 우왕연간 서북면의 군익도 단위 원수 파견

연 월	지 역	직 함	성 명	파견 시 직함	전거
1375년 4월 우왕 원년	니 성	상원수	崔公哲 최공철	밀직부사	『高麗史』 권 133. 列傳, 辛禑 원년 4월
1375년 8월 우왕 원년	서 경	상원수	林堅味 임견미	지문하부사	『高麗史』 권 133. 列傳, 辛禑 원년 8월
〃	안 주	상원수	楊伯淵 양백연	문하평리상의	〃
〃	안 주	원수	李元桂 이원계	동지밀직	〃
1376년 8월 우왕 2년	니 성	원수	金用輝 김용휘	–	『高麗史』 권 133. 列傳, 辛禑 2 년 8월
1376년 9월 우왕 2년	안 주	부원수	韓邦彦 한방언	–	『高麗史』 권 133. 列傳, 辛禑 2 년 9월

〃	의 주	원수	金得濟 김득제	–	〃
1377년 6월 우왕 3년	서 경	부원수	李仁立 이인립	밀직부사	『高麗史』 권 133. 列傳, 辛禑 3 년 6월
〃	안 주	원수	韓邦彦 한방언	판밀직	〃
1377년 8월 우왕 3년	의 주	원수	崔公哲 최공철	삼사우사	『高麗史』 권 133. 列傳, 辛禑 3 년 8월
1377년 10월 우왕 3년	안 주	상원수	楊伯淵 양백연	찬성사	『高麗史』 권 133. 列傳, 辛禑 2 년 10월
1378년 11월 우왕 4년	안 주	상원수	朴普老 박보로	문하평리	『高麗史』 권 133. 列傳, 辛禑 4 년 11월
1379년 윤5월 우왕 5년	안 주	원수	崔元沚 최원지	–	『高麗史』 권 134. 列傳, 辛禑 5 년 윤5월
1379년 12월 우왕 5년	서 경	원수	慶 儀 경 의	동지밀직	『高麗史』 권 134. 列傳, 辛禑 5 년 12월
1380년 2월 우왕 6년	강 계	원수	洪仁桂 홍인계	–	『高麗史』 권 134. 列傳, 辛禑 6 년 2월
1380년 3월 우왕 6년	안주도	원수	韓邦彦 항방언	–	『高麗史』 권 134. 列傳, 辛禑 6 년 3월
1380년 10월 우왕 6년	서경도	부원수	閔伯萱 민백훤	–	『高麗史』 권 134. 列傳, 辛禑 6 년 10월
1382년 2월 우왕 8년	안주도	상원수	韓邦彦 한방언	문하평리	『高麗史』 권 134. 列傳, 辛禑 8 년 2월
〃	안주도	부원수	金用輝 김용휘	전 지문하상의	〃
1388년 4월 우왕 14년	서 경	도원수	沈德符 심덕부	–	『高麗史』 권 137. 列傳, 辛禑 14 년 4월
〃	서 경	부원수	李 茂 이 무	–	〃

〃	안주도	도원수	鄭 地 정 지	–	〃
〃	안주도	상원수	池勇奇 지용기		〃
〃	안주도	부원수	皇甫琳 황보림	–	〃
1388년 5월 우왕 14년	니 성	원수	洪仁桂 홍인계	–	『高麗史』 권 137. 列傳, 辛禑 14 년 5월
〃	강 계	원수	李 嶷 이 억	–	〃

당시 서북면 전체를 단위로 원수元帥가 임명된 사례도 없지 않으나 그 경우는 대부분 도순문사 등의 직책을 겸하여 파견된 것이며,[178] 이 경우를 제외하면 거의 전체가 위의 표에 정리된 서경 · 안주 · 의주 · 강계 · 니성 등 만호부가 설치된 군익도를 단위로 임명 파견되는 원수였다. 즉 공민왕대에 중앙에서 고위 관직자를 만호로 임명하여 각 만호부 소속 익군을 지휘하도록 했던 데서 나아가 그 직함을 원수로 고침으로써 토착 유력자로 임명되는 만호부 만호와 구별되도록 한 것이다. 따라서 이들 만호부에 파견되는 원수가 지휘하는 군사력은 각 군익도 소속 익군이었고, 아울러 만호부에 소속된 각 구자口子 등에 임명되는 하급 군관들을 통하여 익군으로 편성되었을 수졸戍卒들을 지휘하여 국방에 임하였던 것이다. 이는 서북면의 익군체제가 크게 무너지지 않고 유지되었음을 보여주는 것이기도 하다. 1388년 5월 요동 정벌군이 출정하기에 앞서 니성 원수와 강계 원수가 군대를 이끌고 요동 경계를 공격하고 돌아왔는데[179] 이들 병력은 역시 두 군익도 만호부 소속 익군이었을 것이다.

178) <부표 1> 참조.

179) 『高麗史』 권 137, 列傳, 辛禑 14년 5월. 이들은 遼東 征伐軍에는 소속되어 있지 않았다.

이에 비해 동북면에서는 익군이 군익도 조직이 없이 만호부 또는 천호소에 예속되어 있던 상황에서 적침에 일부 지역이 점령당한 일도 있어서 그 조직이 상당 부분 훼손되어 있었다. 1383년 이성계가 동북면에 출진出鎭하여 올린 안변책安邊策에 공민왕이 1356년 '군민軍民이 100호戶를 단위로 통統을 이루어 원수영元帥營에 소속되도록 한 체제'가 무너져 매번 흩어져 거주하는 민을 징발한다고 한 것은 이를 보여준다.[180] 특히 1485년 교주도를 거쳐 동북면에 침입한 왜구를 현지에 파견되어 있던 상원수 심덕부, 부원수 홍징洪徵 등이 막아내지 못하자 도원수 이성계가 자원하여 내려가서 이들 상·부원수와 안주安柱, 황희석黃希碩, 정승가鄭承可 등의 조전원수助戰元帥들을 지휘하여 왜구를 격퇴한 바 있다.[181] 양계 가운데 조전원수를 파견한 사례가 이와 같이 유독 동북면에서만 보이는 것은 동북면 익군체제가 서북면보다 부실했던 때문일 것이다.

이러한 사정 속에서 양계의 도순문사 역시 원수가 겸하는 직책으로 자리를 잡아가고 있었지만, 하삼도와는 달리 군사 지휘보다는 주로 군사 행정을 담당하면서 도내의 행정을 총괄하는 직책으로 정착되어 갔다.[182] 강력한 외적의 침입으로 큰 규모의 군사력이 동원될 때 서북면에서는 공민왕 때부터 도순문사는 서경에 자리를 잡고, 도내 군사를 총지휘하는 장수는 안주에 위치하는 경향이 있었는데, 이는 이 시기에도 같았다.[183] 동

---

180) 是以 先王丙申(恭愍王 5년;1356년)之敎 以三家爲一戶 統以百戶 統主隸於帥營 近來法廢 無所維繫 每至徵發 散居之民 逃竄山谷 難以招集(『高麗史』 권 135, 列傳, 辛禑 9년 8월).

181) 『高麗史』 권 135, 列傳, 辛禑 11년 4월 ; 『高麗史節要』 권 32, 辛禑 3년 7월, 9월 ; 太祖實錄 권 1, 總書.
安柱, 黃希碩, 鄭承可의 직임은 각각 交州 朔方 江陵道 助戰 元帥(高麗史 권 135, 列傳, 辛禑 11년 5월), 北青州 上萬戶(太祖實錄 권 1, 總書), 5도 體覆使였다(『高麗史』 권 135, 列傳, 辛禑 9년 9월, 10월).

182) 邊太燮, 앞의 「高麗兩界의 支配組織」, 233쪽.

183) 1378년 對明 外交의 정상화를 추진하면서 西京에 都巡問使를 임명한데 이어 安州에 西北面 都體察使를 파견하고(『高麗史』 권 133, 列傳, 辛禑 4년 9월, 11월), 1382년에는 定

북면에서는 행정 책임자의 직함이 존무사存撫使로부터 안렴사에 이어 도순문사로 바뀐 뒤에도 화령부和寧府를 그 영營으로 하여서[184] 지역 내 행정을 총괄하면서 북쪽의 단주만호부와 북청주만호부를 통한 국방을 지원하였다. 이에 따라 남방 5도의 안렴사가 격상되어 도관찰출척사로 바뀔 때 양계의 도순문사는 하삼도 도순문사와는 달리 잠시나마 도관찰출척사겸병마도절제사都觀察黜陟使兼兵馬都節制使로 직함이 바뀌었다가 도순문사로 복원되는 과정을 밟게 되었다.[185]

이제까지 살핀 바와 같이 남부, 중부, 북부 지역의 군사력 편성 실태 및 도순문사의 제도로서의 정착 정도의 차이로 말미암아 도별 지방군사제도가 각각 달랐으나, 모두 원수제를 바탕으로 하여 도 단위의 국방체제와 군사제도 운용이 발전해 가고 있었다. 그러한 가운데 왜구의 침입 양상이 기습적으로 약탈하고 빠져나가는 형태에서 대규모 선단을 구성하여 말을 함께 싣고 와서 여러 지역을 돌면서 노략질하는 형태로 바뀜에 따라 이들을 막기 위해서 많은 기병을 동원해야 하게 되었다. 이로부터 기병인 시위군을 관장하고 있는 중앙의 여러 원수의 파견이 요청되었고, 몇 개 도의 군사력이 동원되는 군사 작전을 수행하게 되었다. 이를 당시의 대표적인 두 장수 최영과 이성계의 활약을 통해서 살피기로 한다.

하삼도 도통사 최영은 1376년(우왕 2) 7월 왜구가 연산連山의 개태사開泰寺를 노략하고 원수로 도안무사都安撫使를 겸하고 있던 박인계朴仁桂가 전사하자 자원하여 출정하였다. 그 휘하의 장수는 양광도 도순문사 최공철, 조전원수 강영康永, 병마사 박수년朴壽年 등이었으며, 홍산鴻山에서 대승을 거둔 뒤 판사判事 박승길朴承吉을 보내 승리를 보고하였다.[186] 최영

遼衛 군사력의 침입에 대비하면서 서경에 都巡問使가 부임한 상태에서 安州에 西北面 都體察使와 都安撫使를 파견한 것(같은 책 권 134, 列傳, 辛禑 8년 2월) 등이 그 예이다.

184) 『高麗史』 권 133, 列傳, 辛禑 4년 11월; 같은 책 권 137, 列傳, 辛禑 14년 8월.

185) 이 책 제3장 제1절 참조.

186) 『高麗史』 권 113, 列傳, 崔瑩傳 ; 『高麗史節要』 권 30, 辛禑 2년 7월.

이 출정하면서 다른 직함을 띠지는 않은 것으로 보아 하삼도 도통사 자격으로 총사령관을 맡은 것으로 판단되며, 병마사 박수년이나 판사 박승길은 도통사 기구의 구성원으로 생각된다.

그 이듬해 7월 왜구가 개경 부근인 서해도의 해주, 평주(平州: 평산) 지역에 침입하자 최영은 이희필李希泌, 김득제金得濟, 양백연楊伯淵, 변안렬邊安烈, 우인렬禹仁烈, 박수년, 조사민趙思敏, 강영, 유영柳濚, 유실柳實, 박수경朴壽敬 등 11원수를 거느리고 출전하여 왜구를 격퇴하였다.[187] 이 지역은 서해도 소속이긴 하나, 양광도의 강화江華, 교동喬桐, 통진通津, 양천陽川 등지와 함께 개경의 외곽지대를 이루어 수도 방위에 중요한 지역이어서 수도 방위의 차원에서 도통사 최영이 중앙의 여러 원수를 이끌고 나갔던 것으로 보인다.[188]

홍건적으로부터 개경을 탈환할 때 공을 세운 이후 양계에서 주로 활약하던 이성계는 1377년 5월 김득제, 이림李琳, 유만수柳曼殊 등과 함께 경상도 조전원수로 파견되어 지리산에서 전공을 세우고[189] 이해 8월 다시 서해도西海道에 조전원수로 파견되었다. 이해 5월에 서해도 북부 지역에 침입한 왜구와의 전투가 계속되어 8월에 이르러 양백익梁伯益, 나세, 박보로朴普老 등 서해도의 3원수와 도순문사 심덕부가 패전하자 임견미林堅味, 변안렬, 유만수, 홍징과 함께 조전원수로 서해도에 파견된 것이다. 이들 조전원수 가운데 이성계를 비롯하여 임견미, 변안렬은 이미 동북면, 양광도, 전라도의 원수로 임명된 바 있어서 자기 관할이 아닌 도에 파견되는 까닭에, 유만수와 홍징은 말 그대로 전투를 돕는 장수여서 조전원수의 직함을 띤 것으로 추정된다. 또한 서해도의 3원수 가운데 나세가 상원수, 박

187)『高麗史』권 133, 列傳 辛禑 3년 9월.

188) 이는 恭愍王 때부터 江華, 通津 등에 倭寇가 침입하면 中央의 將帥가 6衛의 군사나 成衆愛馬, 開京 坊里軍 등을 이끌고 출전하던 것과 같은 맥락의 일이었다(오종록, 앞의「高麗後期의 軍事 指揮體系」참조).

189)『高麗史節要』권 30, 辛禑 3년 5월.

보로가 부원수였던 것으로 보아 문하찬성사로서 서해도 원수에 임명된 양백익이 도원수였을 것으로 생각되며, 서해도 상·부원수와 조전원수 등이 모두 양백익의 지휘를 받았을 것이다.[190] 한편 양백익은 8월에야 서해도 원수가 된 것으로 기록되어 있으나, 실상은 서해도 도원수를 맡아 개경에 머물러 있다가 8월에 출전명령을 받은 것으로 보인다. 그러나 이 9명의 원수로도 왜구를 격퇴하지 못하여 결국 다음 달에 왜구가 해주, 평주에 이르자 도통사 최영이 11원수를 이끌고 출전한 것이 앞에서 본 내용이다.

1380년 8월 500척의 대선단을 이루어 진포鎭浦로부터 상륙한 왜구가 하삼도를 휩쓸자 이성계는 양광·전라·경상도 3도 도순찰사都巡察使로서 3도 도체찰사都體察使 변안렬 이하 왕복명王福命, 우인렬, 도길부都吉敷, 박림종朴林宗, 홍인계洪仁桂, 임성미林成味, 이원계李元桂 등의 조전원수들을 거느리고 출전하였다.[191] 나세, 심덕부, 최무선崔茂宣이 이끄는 해도수군이 화포로 왜구가 타고 온 배들을 불태운 뒤 이해 2월부터 전라도와 양광도를 노략질하고 있던 왜구와 이때 새로 상륙한 왜구가 합세하여서 옥주沃州, 영동永同, 황간黃澗을 지나 상주尙州, 선주(善州: 선산)를 약탈하고 지리산 쪽으로 이동하고 있을 때 이들이 파견된 것이다. 이때 경상도 원수 배극렴裵克廉, 경상도 도순문사 박수경, 안동 원수 하을지河乙沚, 전라도 원수 지용기池勇奇, 이에 앞서 전라도에 파견된 조전원수들인 김용휘金用輝, 정지, 도흥都興과 양광도 조전원수 오언吳彦, 구체적 직함을 알 수 없는 배언裵彦 등 9원수가 함양咸陽의 사근내역(沙斤乃驛, 沙斤驛이라고도 함)에서 막다가 박수경과 배언 및 군졸 500명이 전사하는 등[192] 왜구의 기세가 대단하였다. 이어서 왜구가 남원산성南原山城을 공격하다 실패하

---

190) 『高麗史』 권 133, 列傳, 辛禑 3년 8월.

191) 『高麗史節要』 권 31, 辛禑 6년 8월.

192) 『高麗史節要』 권 31, 辛禑 6년 8월 ; 『新增東國輿地勝覽』 권 31, 慶尙道, 咸陽郡, 驛院, 沙斤驛.

여 함양 쪽으로 물러나 운봉雲峯에 머물러 있을 때 이성계 등이 도착하여 배극렴 등의 부대와 합류, 부대를 재편하여서 이성계의 지휘로 황산대첩荒山大捷을 거두었다.[193] 따라서 이때의 총 16명의 원수가 지휘하는 부대의 지휘 체계는 하삼도 도순찰사를 총사령관, 도체찰사를 부사령관으로 하고 그 밑에 원수겸도순문사,[194] 안동 원수, 전라도 원수와 11명의 조전원수 등 14명의 원수가 소속되는 형태였다.

이제까지 본 사례들에서 알 수 있듯이 적침이 수도 부근에 이르면 도통사가 원수들을 통해 개경 5부 방리군坊里軍과 각도의 시위군侍衛軍을 거느리고 출전하였으며, 이 경우 조전원수의 직함은 필요하지 않았다. 이에 비해 지방에서 대규모 적침을 당하면 원수 몇 명을 조전원수로 파견하거나 별도의 고위 장수를 도순찰사, 도체찰사 등의 직함으로 임명하여 도순문사와 도내의 원수, 조전원수 등 파견된 장수들을 총지휘하여 도를 초월하는 대규모 군사 작전을 수행하였다. 이때 조전원수의 수가 10여 명에 이르기도 하였는데, 상당수는 해당 도의 시위군을 나누어 관할하고 있어서 바로 그 군사력 동원의 필요에서 각도의 원수를 조전원수로 임명하고 있었다. 이는 한편으로는 지방 현지에서의 도 단위 군사제도로는 막아낼 수 없는 적침을 당시의 실정에서 효과적으로 대처할 수 있도록 원수제가 운영되었음을 보여준다.

이렇게 각 원수를 통하여 시위군까지 동원하여 국방을 유지해야 하는 현실을 타개하려는 노력이 없었던 것은 아니다. 1369년(공민왕 18) 이후 서북면을 중심으로 양계에 병농일치의 군사조직으로 설치되어 있던 익군을 1378년(우왕 4)에 전국적으로 확대 실시하여 전국의 모든 상하신분의

---

193) 『高麗史節要』 권 31, 辛禑 6년 9월 ; 『太祖實錄』 권 1, 總書.
이때 패전한 倭寇를 도망하게 내버려 두었음에도 노획한 말의 수가 1,600여 필이었다는 것에서 精銳 騎兵인 侍衛軍 동원의 필요성이 확인된다.

194) 이때 전사한 朴修敬 대신 裵克廉이 慶尙道 都巡問使로 임명되어 있었다(『高麗史節要』 권 31, 辛禑 6년 9월).

장정을 군인으로 파악 확보하고 이들 1,000명을 천호, 100명을 백호가 통할하도록 징발체계를 정했던 것이다.[195] 이것은 각도의 군사력을 익군으로 조직하여 이를 해당 도의 도순문사나 도내 계수관 등에 파견된 원수와 병마사가 동원 지휘토록 함으로써 중앙 시위군 등을 동원하지 않고서도 국방 임무를 수행할 수 있도록 하려는 시도여서 정치적으로도 중요한 의미를 내포하고 있었다.

그러나 익군의 확대 실시는 국가의 수취 체제 및 농장 등 사전私田에 대한 개혁의 바탕이 없이 추진된 결과 농민 실업으로 말미암은 혼란만을 야기하여 반 년만에 중단되고 말았다. 이로부터 오히려 각도 원수가 광범위하게 군사력을 징발하고 이를 빌미로 농민을 수탈할 수 있게 되어 최영이 6도 도순찰사로서 파악한 농민 시위군만을 징발할 수 있도록 하자는 건의가 나오기도 하는 실정이었다.[196] 그럼에도 더욱 많은 인정人丁을 더욱 넓은 신분층으로부터 수괄하여 군역을 담당토록 한다는 대세가 지속되어 1388년 2월 요동 정벌을 앞두고 각도의 양반兩班, 백성百姓, 향리鄕吏와 역리驛吏도 병사로 삼아 징발할 수 있게 조치함으로써[197] 원수가 징발할 수 있는 군사력의 범주는 최대한 확대되었다.

이러한 상태에서 위화도 회군 이후 이성계를 중심으로 하는 신흥 무장과 신진 사대부 세력이 중앙 권력의 주도권을 장악하게 되자 지방의 군사 지휘체계도 큰 변화를 겪게 되었다. 그 동안 하삼도를 중심으로 도 단위 군사 지휘체계에서 그 위치가 강화되어 온 도순문사를 개편하여 1389년(창왕 1) 전임 지휘관으로서 도절제사都節制使를 설치하고 각도 도절제사가 도내에 파견되는 절제사節制使와 병마사兵馬使, 만호萬戶 등 육군과 수

195) 閔賢九, 앞의 「高麗後期의 軍制」, 338쪽.

196) 乞自金 令本道之任 專委三元帥 隨其成敗 以明賞罰 仍乞各道元帥 依六道都巡察使軍目 統率本道軍官 毋得奪占 以致紛擾(『高麗史』 권 81, 兵志, 兵制, 辛禑 6년 6월). 여기서의 本道 軍官은 本道 侍衛軍을 말하는 것으로 이해된다.

197) 閔賢九, 앞의 「高麗 後期의 軍制」, 339쪽.

군의 지휘관을 지휘하여 국방을 전담토록 한 것이다.[198] 이것은 중앙 시위군侍衛軍을 지휘하는 직책과 각도의 국방 책임자를 엄격히 구분한 조치이기도 하여서 이어서 진행된 삼군도총제부三軍都摠制府 설치를 통한 원수제 정리와 맥을 같이하는 변화였으나, 도절제사가 제도적으로 내용을 채우게 되는 것은 새 왕조가 건설된 다음의 일이었다.

198) 이책 제3장 도별 지방군사제도와 국방 참조.

제2부 조선초기의 지방군제

제1장 병마절도사제의 성립

1. 도절제사의 설치

고려시대에는 지방군으로 남방에는 주현군州縣軍, 북방에는 주진군州鎭軍이 두어져 있었다. 주현군과 주진군은 속군屬郡·속현屬縣을 포함한 각 지방 행정 단위마다 배치되고, 지방관地方官이 파견되는 경京·주州·부府·군郡·현縣을 단위로 하여서 각 지방관이 관할지역 안의 지방군을 파악하였다.[1] 그런데, 국방상 중요시된 양계兩界에는 989년(성종 8)부터 병마사兵馬使가 두어져 각각 계界를 단위로 주진군을 총괄하였지만,[2] 남방에는 각 고을과 중앙을 연결하는 중간 행정 단위, 즉 도道를 단위로 주현군을 관장하는 기구가 따로 두어져 있지 않았다. 그러다가 고려후기로 오면서 도가 점차 중간행정 단위에 상당하는 기능을 갖게 되었고, 14세기 중반부터 차츰 도순문사都巡問使가 제도화되어 각도의 군사軍事를 담당하게 되었다.[3]

그렇지만 도순문사가 제도화된 뒤에도 한편으로는 왜구의 격퇴라는 당면 목적을 이루기 위하여 원래 도별로 민사民事를 처결토록 두어진 안

---

1) 李基白,「高麗州縣軍考」,『歷史學報』29, 1965 ;『高麗兵制史硏究』, 1968, 206~208쪽 ;「高麗兩界의 州鎭軍」,『高麗兵制史硏究』, 245쪽.

2) 李基白, 앞의「高麗 兩界의 州鎭軍」, 1968, 243쪽, 258쪽.

3) 閔賢九,『조선초기의 군사제도와 정치』, 1983, 179쪽 ; 이 책 제1장 1절 참조.

찰사按察使 또는 도관찰출척사都觀察黜陟使 등도 때로는 군사를 지휘하여 국방에 임하였고,[4] 우왕禑王 때에는 원수제元帥制가 등장하여 한 도에 1인이 파견되는 것이 원칙이었던 원수元帥가 4~5인, 심한 경우에는 9인이나 파견되기도 하였다.[5] 이렇게 군사지휘계통이 통일되어 있지 못하여 많은 폐단이 일어난 까닭에 창왕昌王이 즉위한 뒤에 곧 도별 군사업무를 도순문사에게로 일원화하게 되었다.[6] 그러나 도순문사도 경관京官이 구전口傳으로 임명되어 도내를 순행하면서 군사업무를 감독하는 직책에 지나지 않았다. 따라서 문제점을 근본적으로 해결하기 위해서는 새로운 조치가 취해져야만 했다. 그것이 바로 전임專任 도절제사都節制使의 파견이었다.[7]

첫 전임 도절제사의 파견에 관하여 다음의 기록이 있다.

> 공양왕 원년 도순문사를 고쳐 도절제사라 하고, 원수를 고쳐 절제사(節制使)라 하여, 때로는 주(州) · 부(府)의 직임(職任)을 띠도록 하였다. 이보다 앞서 도순문사와 원수는 모두 경관(京官)을 구전(口傳)하였었는데, 이때에 이르러 비로소 제수(除授)를 하여 전임관(專任官)으로 하고, 경력(經歷)과 도사(都事)를 설치하였다.[8]

1389년(공양왕 원년)에 도순문사를 도절제사로 개칭하고 제수하여 파견하여서 그 직임에 오로지하도록 하고, 그 하부기구로 경력과 도사를 설치하였다는 내용이다. 공양왕은 창왕昌王 원년 11월에 즉위하였다. 그러

---

4) 河炫綱, 「高麗地方制度의 一研究 −道制를 中心으로−」「下」, 『史學研究』14, 1962, 84쪽.

5) 이 책 제1부 제3장 도별 지방군사제도와 국방 참조.

6) 教曰 近年 各道元帥 · 道巡問 · 按廉使 州 · 府大小軍民官 營進私膳 皆令禁斷違者罪之 使命繁多害及於民 今後 都評議使 軍事下都巡問使 民事下按廉使 雜泛使命 不許差遣 (『高麗史』권84, 刑法志 1, 職制, 辛禑 14년 6월).

7) 이 과정에 대해서는 張炳仁氏가 軍令體系의 정비라는 측면에서 비교적 상세히 언급한 바 있다(張炳仁, 「朝鮮初期의 兵馬節度使」, 『韓國學報』 34, 1984).

8) 恭讓王元年 改都巡問使爲都節制使 元帥爲節制使 或帶州 · 府之任 先是 巡問 · 元帥 皆以京官口傳 至是始用除授 以專其任 置經歷 · 都事(『高麗史』 권 77, 百官志 2, 外職, 節制使).

나 이른바 우왕禑王과 창왕이 신돈辛旽의 자손이라는 '신우신창론辛禑辛昌論'에 의거하여 왕통王統에서 제외된 까닭에 공양왕은 『고려사』 등의 기록에 즉위한 달부터 원년元年으로 칭하고 있다. 그런데 도절제사는 이미 창왕 즉위년부터 파견된 것으로 생각하도록 하는 기록이 있을 뿐 아니라[9] 실제로 공양왕이 즉위하기 전에 파견되어 있었음을 확인할 수 있다.[10] 도절제사와 대비되는 존재이면서 비슷한 시기에 도별로 파견되기 시작한 도관찰출척사都觀察黜陟使의 경우, 1388년(창왕 즉위년) 8월에 양부兩府 대신大臣을 구전口傳으로 임명하게 되었다가 '공양왕 원년'에 역시 제수除授하여 그 임무에 오로지하도록 했다고 기록되어 있다.[11] 이로 미루어 도절제사도 이미 창왕 즉위 후의 어느 시기부터 파견되기 시작하여 '공양왕 원년'으로 표기되는 1389년에 전임관으로 바뀐 것이 아닐까 추측할 수 있겠다. 공양왕이 이성계 등의 세력에 의해 추대되어 즉위한 다음 달인 12월에 관제를 개혁하였는데,[12] 그 내용은 밝혀져 있지 않지만 도절제사가 전임관으로 되는 시기는 혹시 이때일 수도 있다고 생각된다. 또한 도절제사의 공식 명칭은 병마도절제사兵馬都節制使였을 것으로 판단된다. 비록 그 수는 적으나 임명 기록에 '병마도절제사'로 명시된 사례가 있기 때문이다.[13] 그러므로 '도절제사'는 '병마도절제사'의 약칭이었다. 뒤에 조

---

9) 大司憲趙浚等上書陳時務曰……各道旣有節制使 友有觀察使 徵兵調役 紛擾如雲 (『高麗史節要』 권 33, 辛禑 14년 10월). 여기서의 節制使는 都觀察黜陟使를 觀察使라 하였듯이 都節制使를 略稱한 것으로 생각된다.

10) 兩界를 제외한 지역에서 都巡問使는 昌王 즉위년 9월 이후로, 元帥는 昌王 원년 4월 이후로 파견 기록이 나타나지 않으며, 都節制使의 임명기록은 『高麗史』와 『高麗史節要』 모두 昌王 원년 6월부터 나타난다.

11) 辛昌八月 以按廉秩卑 改爲都觀察黜陟使 以兩府大臣爲之 賜敎書斧鉞以遣之 恭讓王元年 始革京官口傳 別用除授 以專其任(『高麗史』 권 77, 百官志 2, 按廉使).

12) 『高麗史節要』 권 34, 恭讓王 元年 12월.

13) 한 예로 다음 기록을 들 수 있다.
癸未以韓尙質爲西北面都觀察黜陟使兼兵馬都節制使(『高麗史』 권 45, 世家, 恭讓王 원년 2월).

선왕조에 들어서서 도절제사의 직함이 '병마' 직함의 하나로 언급되는 가운데 여전히 '병마도절제사'를 '도절제사'로만 기록하는 경우가 많으므로, 이 글에서도 '병마'를 생략하고 '도절제사로 약칭하기로 한다.

종전의 모호했던 도순문사와 원수의 관계와는 달리 도절제사와 절제사의 사이에는 보다 분명한 상하관계가 수립되었다. 양자의 관계는 직함의 차이에서도 나타나지만, 그 파견되는 지역의 차이에서도 짐작할 수 있다. 이미 우왕 때부터 하삼도에는 계수관界首官에 해당하는 큰 고을별로 원수를 파견하는 경향이 있었으며,[14] 도절제사는 경상도, 전라도, 양광도, 경기, 동북면, 서북면 등 전국적으로 도 단위로 파견된 반면에 절제사는 경상도의 예를 들면 진주, 안동 등 계수관 단위로 파견하여서 분명한 차이를 보이고 있다. 이로써 절제사는 당연히 해당 도의 도절제사로부터 지휘를 받게 되었던 것이다.[15]

한편, 하삼도에는 이미 고려말부터 병영兵營이 설치되어 있었다. 하삼도는 왜구가 가장 심하여서 그 방어를 위한 거점이 일찍 마련되었던 것이다. 병영의 소재지는 양광도가 이산伊山, 전라도가 광주光州, 경상도가 합포合浦였다. 이 세 곳은 도순문사영都巡問使營으로 사용되다가 도절제사가 파견되면서 도절제사영都節制使營으로 바뀌어 연변에 설치된 수소戍所들로 형성된 방어망의 중심지로서 국방상 중요한 기능을 하고 있었다.[16]

---

14) 道別로 파견된 元帥에 비하면 소수이지만, 禑王 2년에 裵克廉이 晋州道元帥로 (『高麗史』권 133, 列傳 辛禑 2년 12월), 3년에 王賓副元帥로 (同上書, 3년 4월), 5년에 朴修敬이 安東元帥, 慶儀가 雞林元帥로 (『高麗史』권 134, 列傳, 辛禑 5년 6월), 7년에 尹虎가 雞林元帥로 (同上書, 7년 5월), 14년에 崔鄲이 安東元帥로 (『高麗史』권 135, 列傳, 辛禑 14년 4월)임명되거나 재직하였음은 그 예가 된다.

15) 恭讓王 원년에 諸元帥의 명칭을 節制使로 통일시켜 都節制使의 下級將帥化함으로써 軍令體系에 통일을 기하게 되었다는 견해도 있다(張炳仁, 앞 글, 1984, 163쪽). 그런데 이때 모든 元帥가 節制使로 改稱된 것이 아니라 뒤에 在京 節制使로 되는 元帥가 계속 존재한 까닭에 아직 지방의 軍令體系가 완전히 통일된 것은 아니었다(이 책 제2부 제2장 병마절도사와 하부 기구 참조).

16) 이 책 제1부 제3장 도별 지방군사제도와 국방 참조.

경력과 도사는 도절제사 경력사經歷司의 수령관首領官으로서 군사업무의 처결에 참여하고 문서사무를 처리하는 중요한 직책이다. 조선초기에는 도절제사 수령관으로서 경력이나 도사 가운데 하나를 두는 것이 보통이었지만, 태조 때에는 관찰사 밑에 경력과 도사를 모두 두었던 것처럼[17] 도절제사 밑에도 처음에는 둘 다 있었던 것으로 생각된다. 경력은 4품 이상, 도사는 5품 이하로 구분되는 이 수령관은 1392년(공양왕 4)에 혁파되고 대신 장무 녹사掌務錄事를 두었다.[18] 이때 장무 녹사를 '다시 설치하였다'고 한 것으로 보아 도절제사가 전임관이 되기 전에 이미 장무 녹사가 두어져 있었던 것 같다. 고려말에는 원수 등 여러 장수 밑에 도진무都鎭撫 등이 두어져 있었는데, 도절제사 밑에도 도진무 이하의 군관軍官이 두어져 조선초기와 같이 진무소鎭撫所를 구성하여서 군사들에 대한 지휘, 군자軍資의 관리 등을 담당하였을 것으로 추측된다.

이와 같이 1389년에 도를 단위로 전임 도절제사가 임명되어 절제사 등의 하급 장수를 지휘하여 국방에 임하고, 진무소와 수령관 또는 장무 녹사 등을 하부기구로 갖추게 되어 도절제사제都節制使制의 큰 골격이 형성되었다. 이러한 변화는 지방군이 조직화됨으로써 국방력은 물론 중앙 정부의 지방통제력도 강화되어 감을 뜻한다. 그런데 창왕 즉위 후의 이 시기는 바로 조선왕조를 수립하는 데 주도적 역할을 한 정도전鄭道傳, 조준趙浚 등이 활발히 개혁을 추진하던 때였음에 주의할 필요가 있다. 특히 조준이 창왕 즉위 후 계속하여 여러 도의 군사지휘권을 일원화하라고 주장하였던 것[19]과 연관지어서 추측컨대, 조선을 건국하는 주도세력에 의해 도별로 도절제사를 정점으로 하는 새 지방 군사제도가 형성되어 갔고, 그

17) 『太祖實錄』 권 12, 6년 8월 己亥.
18) 『高麗史』 권 77, 百官志 2, 外職, 節制使.
19) 『高麗史節要』 권 33, 辛禑 14년(昌王 즉위년) 8월 및 10월 ; 같은 책 권34, 恭讓王 元年 12월의 趙浚 上書.

시초가 도절제사의 설치가 아닌가 생각된다. 아마도 도절제사의 설치를 조선왕조적 지방군사제도 형성의 시발점으로 보아도 무방할 것이다.

2. 도절제사제의 정비

도절제사는 조선왕조가 수립된 뒤 태조 말엽에 잠시 혁파되었을 뿐 1466년(세조 12) 병마절도사兵馬節度使로 직함이 바뀔 때까지 계속 파견된다. 그런데 도절제사가 잠시 혁파되었던 태조말엽을 전후하여 도절제사의 기본적 직무가 규정되고 진군鎭軍과 영군營軍이 설치되는 등 몇 가지 중요한 조치가 취하여지며, 이어서 태종중엽에는 도절제사가 파견되는 도와 관찰사가 도절제사를 겸하는 도의 구분이 분명해지고, 세종초엽에는 각도의 육군과 수군의 지휘계통이 분명히 구분되기에 이른다. 여기서는 위의 순서대로 먼저 도절제사제가 정비되는 과정부터 살펴보기로 한다.

먼저, 도절제사의 직무가 1397년(태조 6) 2월에 처음으로 간략하게나마 다음과 같이 규정되었다.

> 도평의사사에서 상언(上言)하였다. "고려왕조 말기에 각도 군민(軍民)의 호수(戶數)의 기록이 없어서, …… 이제 각 고을의 군민 호수는 이미 장부를 작성해 놓았사오니, 도절제사는 마땅히 그 장부에 기록된 군인의 수를 가지고 농한기에는 각각 그 고을에서 무예를 훈련하고, 유사시에는 때에 맞게 이를 불러서 공격하고 수비하게 하소서. 만일 군관(軍官)이나 군인을 즉시 보내지 않거나, 군기(軍器)와 갑옷이 견고하지 않거나, 늙고 약한 군인을 추려서 보낸 경우에는 그 수령 및 총패(摠牌), 두목(頭目)을 해당되는 율(律)을 적용하여 처벌한 뒤 이를 도관찰사(都觀察使)에게 통보하게 하소서. 또 도절제사로서 왜구(倭寇)가 온다는 말을 듣고도 머뭇거리고 즉시 나아가지 않은 경우나, 전투에 임하여 힘을 다하지 않은 경우, 변고 없이 군을 일으킨 경우, 적

의 수효가 적은데도 군인 전체를 동원한 경우, 그 시기가 아닌데도 사냥한 경우, 긴급하지 않은 공무에 군관에게 말을 주어 도내를 횡행하게 한 경우는 관찰사가 규찰하여 아뢰어서 처벌을 논하소서.[20]

이를 요약하면, 도절제사는 첫째 농한기에 각 고을의 군적軍籍에 오른 군사를 그 고을에서 훈련토록 하고, 둘째 유사시에는 군사를 징발하여 대처하고, 셋째 군관軍官[21] 및 군인의 징발에 불충실한 수령, 총패, 두목은 해당되는 율律을 적용하여 처벌한 뒤 관찰사에게 알린다는 등의 직무에 대한 규정과 넷째 도절제사로서 외적의 침입에 대한 방어에 충실하지 못한 자와 공연히 민폐를 끼치는 자는 관찰사가 규찰하여서 아뢰어 논죄토록 한다는 금제禁制에 대한 규정으로 추릴 수 있다. 조선왕조 최초의 군적은 1393년(태조 2)에 작성된 바 있으며, 도절제사는 이 군적에 의거하여서 수령과 총패, 두목 등을 통하여 관할 군관과 군인을 훈련시키게 된 것이다. 사냥은 진상하는 각종 포脯와 가죽을 마련하기 위한 것으로서, 도절제사가 철을 가리지 않고 사냥을 하여 영營을 비우는 폐단이 자주 지적되고 있었다. 여하튼 이때에는 도절제사의 직무로서 지방군의 무예훈련과 적변賊變에 대한 대응 의무가 규정되는 정도에서 그쳤는데, 아직도 왜구가 심하여서 도절제사의 직무가 더 확대될 여유도 없었고, 지방군 조직도 또한 체계화되어 있지 못한 때문이었다. 그렇지만, 이로써 도절제사가 도내의 지방군을 총지휘하는 한편 수령의 군사업무를 감독하게 됨으로써

20) 使司上言 前朝之季 各道軍民 戶數無籍……今各官軍民之數 已有成籍 都節制使 當以其籍付軍數 當農隙之時 各於其官 訓鍊武藝 有事則及時招致攻守 如有軍官人不卽起送·軍器衣甲不能堅實·老弱軍人抄出起送者 守令及摠牌·頭目 照律論罪後 報都觀察使又都節制使 聞寇將至 逗遛不進者 臨戰不爲盡力者 無變起軍者 彼敵數少盡數起軍者非時田獵者 不緊公事軍官給馬道內橫行者 觀察使糾察 申聞論罪 (『太祖實錄』 권 11, 6년 2월 甲午).

21) 太祖 6년~定宗 즉위년에 조직화되는 鎭軍과 營軍은 馬軍으로서 軍官으로 호칭되기도 하였는데(閔賢九, 앞의 책, 1983, 188~189쪽), 이 軍官은 바로 이들과 같은 계통으로 추측된다.

도별 최고 군사책임자임이 확인되었다는 데에 큰 의의가 있다고 하겠다.

그러나 이로부터 불과 3개월 뒤인 1397년 5월 양계兩界를 제외한 각도의 도절제사가 잠시나마 혁파되기에 이른다. 대신 남방 5도의 연변에는 진鎭이 설치되어 첨절제사僉節制使가 두어지고, 지방군의 일부가 진군鎭軍으로 편성되었다.[22] 이러한 변화가 일어나게 된 직접적 계기는 그 전년 12월 이후의 왜구의 대규모 침입에 대한 군사작전 실패에서 찾아진다.[23] 당시 왜선倭船 60척이 영해寧海에 침입하여 토지와 식량의 지급을 요구하자 조선 정부는 계림부윤雞林府尹 유량柳亮을 통하여 이들을 설득하는 한편 다음 해(태조 6년) 1월초에 경상 · 충청 · 전라 · 경기좌도 등 4도 군사의 합동작전으로 이들을 격퇴하려 하였으나 각도의 도절제사가 소극적으로 임하거나 기일에 맞추지 못하여 모두 처벌된 사건이 일어났던 것이다.[24] 아울러 1397년 5월에 도절제사의 직무와 그에 대한 규찰 조항을 둔 것도 바로 이 작전의 실패에서 비롯된 것임을 짐작할 수 있다.

이제까지의 도道의 행정적 군사적 기능이 강화되어 온 추세와 상반되는 이 조치가 취해진 근본적 이유는 당시의 군사적 정치적 상황에서 찾아야 한다고 생각된다. 이 무렵에는 수군의 병선兵船이 이미 증강되어 있어서 왜구가 감히 접근하지 못한다고[25] 언급될 만큼 왜구가 현저히 줄어든 것이 사실이었다. 이에 따라 해안에 요새화된 진鎭을 설치하여 방어망을 형성하여서 여기에서 왜구를 완전히 차단하여 내륙에 들어가지 못하도록

---

22) 罷各道兵馬都節制使 置各鎭僉節制使 率所屬附近州兵馬 以備守禦 令都觀察使考其勤怠 慶尙道 四鎭 合浦 · 江州 · 寧海 · 東萊……(『太祖實錄』 권 11, 6년 5월 壬申). 兩界에 都節制使가 계속 파견되었음은 다음 기록으로부터 알 수 있다.

○ 倭寇(西北面 : 필자) 龍岡縣 兵馬都節制使李居易領兵追之……(『太祖實錄』 권 11, 6년 6월 乙酉).

○ 以孫興宗爲伊川君東北面兵馬(都)節制使永興尹(『太祖實錄』 권 13, 7년 1월 乙卯).

23) 이때 전국의 都節制使를 모두 혁파했다고 보는 견해도 있다(張炳仁, 앞 글, 1984, 165쪽).

24) 『太祖實錄』 권 10, 5년 12월 癸卯 및 같은 책 권 11, 6년 1월 辛巳.

25) 『太祖實錄』 권 11, 6년 2월 甲午.

하는 방향으로 정책결정이 이루어진 것이 아닌가 한다. 이와 함께 주목되는 것이 이 뒤로 진 단위로 습진習陣 곧 진법훈련陣法訓鍊이 실시되었다는 점이다. 습진은 당시 정도전을 중심으로 하는 세력이 주로 중앙군 절제사와 시위패侍衛牌 사이의 사적私的 영속관계를 통제하려는 목적에서 추진된 까닭에 무장들이 대개 비협조적 태도를 보였던 것인데, 이제는 그것이 지방에까지 확대된 것이다.[26] 도절제사는 2품 이상 고위 무신의 직책이므로 정도전 측으로서는 도절제사를 혁파하고, 대신 진마다 첨절제사를 두고 습진을 실시함으로써 지방의 군사권까지 통제하려 했을 가능성이 높다. 이는 태종이 실권을 장악한 뒤 곧 도절제사를 다시 둔 것과도 연관된다고 생각된다.

진을 설치하고 첨절제사를 두면서 과거 도절제사가 관할하던 도내 각 고을의 군사는 각 진에 분속되어 첨절제사가 관할하게 되었다. 이때의 진은 고려말에 설치된 수소에서 한 걸음 더 나아가 요새화된 위에 진군이 두어진 것으로서,[27] 연변 방어망의 중심 거점이 되었다. 그 도별 소재지와 수는 경상도에는 합포, 강주江州, 영해, 동래東萊의 4진, 전라도에 목포木浦, 조양兆陽, 옥구沃溝, 흥덕興德의 4진, 충청도에 순성蓴城, 남포藍浦, 이산의 3진, 풍해도에 풍주豊州, 옹진瓮津의 2진, 강원도에 삼척三陟, 간성杆城의 2진으로 모두 15개소이며, 경기에는 진이 설치되지 않았다. 이들 진의 첨절제사는 세종 때의 첨절제사처럼 모두 진 소재지나 부근 읍의 도호부사都護府使, 현령縣令, 현감縣監 등을 겸하였던 것으로 보인다.[28] 세종 때

---

26) 閔賢九, 앞의 책, 1983, 110~111쪽.

27) 閔賢九, 앞의 책, 1983, 185~187쪽.

28) 그 예를 들면 다음과 같다.

○ 東萊縣……本朝太祖六年丁丑 始置兵馬使兼判縣事 今上(世宗)五年癸卯 改稱僉節制使 四品則稱同 僉節制使.

○ 寧海都護府……本朝太祖六年丁丑 始置鎭兵馬使兼府使 太宗癸巳 例改爲都護府(이상 『世宗實錄』「地理志」慶尙道).

兆陽鎭만은 兆陽이 郡縣이 아니어서 부근인 高興의 知縣事를 겸하였다(『世宗實錄』

에 읍마다 별도로 진군이 부방赴防하는 진이 정해져 있었던 점[29]과 각 읍의 군창軍倉 소재지가 지정되어 있었던 점[30]을 고려하면, 군사상의 인적, 물적 자원을 조달할 수 있도록 진의 소관 고을들이 정해져 있었던 것으로 생각된다. 그리고 당시 관찰사가 병마직함兵馬職銜을 겸대兼帶하고는 있었지만[31] 역시 첨절제사가 독자적으로 진군을 지휘하고 관찰사는 그 직무 수행을 감독하였을 것이다. 이때 설치된 진들은 그대로 유지되거나 이전되면서 이후 증설된 진과 함께 도절제사의 휘하에서 국방상 중요한 거점으로서 구실하게 된다.

도절제사는 정종定宗이 즉위한 직후인 1398년(태조 7) 9월에는 이미 다시 파견되고 있었으며, 이때에 병영의 체제가 처음 규정되었다.[32] 이에 앞서 1394년(태조 3) 3월 도절제사가 거느리고 부임하는 군관을 '솔행군관率行軍官'이라 하여 병마사兵馬使 1인, 지병마사知兵馬事 1인, 병마부사兵馬副使 1인, 판관判官 3인, 반당伴黨 3인 등 모두 9인으로 정한 바 있다.[33] 이 규정은 언뜻 고려의 양계 병마사기구에 대한 규정[34]을 연상케 하여서

「地理志」 全羅道 高興縣). 그리고, 南方 諸鎭의 僉節制使는 定宗代~世宗 5년에는 兵馬使로 호칭되었는데, 『世宗實錄』「地理志」의 편찬자들은 太祖 6년 처음 설치할 때부터 兵馬使로 호칭한 것으로 이해하고 있다.

29) 『世宗實錄』「地理志」에는 黃海道의 경우에만 各邑 鎭軍이 赴防하는 鎭名이 명시되어 있으나, 다른 도들도 비슷하지 않았을까 추측된다.

30) 『世宗實錄』「地理志」 各邑의 城子項. 2~3개의 邑의 軍倉이 한 곳에 있는 경우도 있다(例 : 義城縣……金山石城 : 在縣南十五里……有軍倉 軍威 · 比安軍倉 併入置(『世宗實錄』「地理志」 慶尙道).

31) 張炳仁, 「朝鮮初期의 觀察使」, 『韓國史論』 4, 1978, 132쪽.

32) 使司稟旨 定諸都節制使道受料之數 軍官 · 伴黨十五 從人十五 大小馬各十五匹 留營軍官五十 從人五十 大小馬 各五十匹 軍器打造工匠三十七名(『太祖實錄』 권 15, 7년 9월 戊戌). 이 조치가 都節制使의 復設을 의미함은 閔賢九, 앞의 책, 1983, 183쪽에서 이미 밝혀진 바 있다. 단, 그 시기를 10월이라 한 것은 무슨 착오에서 나온 것으로 보이며, 이 날은 정확히 定宗이 즉위한 지 21일 뒤였다.

33) 『太祖實錄』 권 5, 3년 3월 乙巳.

34) 『高麗史』 권 77, 百官志 2, 外職, 兵馬使. 자세한 것은 邊太燮, 「高麗兩界의 支配組織」, 『高麗政治制度史研究』, 1971, 212~214쪽 참조.

홍미로운데, 그때의 내용과는 병마 녹사가 반당으로 바뀌어 있을 뿐 전체 구성이 일치한다. 즉 도절제사는 고려 때의 양계 병마사기구 전체와 같은 규모의 기구를 그 아래에 거느리고 있었던 셈으로, 이는 도절제사의 계통과 아울러 그 하부기구 안의 계층구조를 나타내고 있다. 그러다가 1398년 9월에 도절제사영의 하부기구가 다음과 같이 규정된 것이다.

<도표 9> 1398년 9월의 도절제사영 하부기구

명 칭	인 원
군관 · 반당	15인 (종인 15인, 대 · 소마 각 15필)
유영(留營)군관	50인 (종인 50인, 대 · 소마 각 50필)
군기타조공장	37인

군관과 반당은 1394년에 규정된 솔행군관과 같은 계통으로 추측되는데, 여기에 유영留營군관과 군기타조공장軍器打造工匠이 추가되어 있다. 유영군관은 곧 영군營軍으로 도절제사영을 경비하였고, 군기타조공장은 도절제사의 책임 아래 군기軍器를 제작하였다.[35] 이로써 도절제사는 첨절제사를 통해 진군을 지휘하는 한편, 영군을 직접 지휘하여 국방에 임하게 되었다. 즉, 도절제사제가 영진군체제營鎭軍體制를 기반으로 하게 된 것이다.

아직 왜구가 전국적으로 침입하고 있던 태조연간까지는 도절제사가 각도에 모두 파견되었던 것으로 나타난다. 그러나 도절제사제가 형태를 갖추고 지방군도 영진군체제로 조직화되면서 전략적으로 덜 중요시된 황해 · 강원도와 사회 · 경제적 구조가 특수한 경기京畿에는 도절제사가 원칙적으로 파견되지 않게 된다. 도절제사가 파견되지 않으면 당시에는 관

35) 閔賢九, 앞의 책, 1983, 183쪽.

찰사가 '제조병마提調兵馬'의 직함을 띠었으므로 군사軍事도 관장하였겠지만, 정식으로 겸도절제사兼都節制使로 임명되어 군사를 처결하지는 않았다. 그런데 1408년(태종 8) 7월 전국 각도에 일제히 도절제사, 관찰사, 도순문사를 임명하면서 각각 수령직을 겸하게 하였는데,[36] 이것이 하나의 전환점을 이루었다. 이 조치와 곧이어 규정된 도절제사 등의 군관 수[37]를 함께 간략히 정리하면 다음의 <도표 10>과 같다.

<도표 10> 1408년의 도절제사 겸목 및 군관 배정

도 명	직 함	겸목직함	군관수
계림안동도 상주진주도 전 라 도 충 청 도	도절제사	계림부윤 창원부사 나주목사 홍주목사	10인
풍 해 도 강 원 도	도절제사	해주목사 강릉부사	7인
동 북 면 서 북 면	도순문사 (겸도절제사)	영흥부윤 평양부윤	10인

이때 경기와 동 · 서북면에는 따로 도절제사가 임명되지 않았다. 단, 동 · 서북면의 도순문사는 이미 민정民政을 담당하는 직책으로 변모하여 남방 여러 도의 관찰사와 함께 감사로 호칭되고 있었음에도 불구하고[38] 군관

36) 『太宗實錄』 권 16, 8년 7월 癸丑 및 己未.

37) 『太宗實錄』 권 16, 8년 7월 癸亥.

38) 其外曰慶尙 · 全羅道 西爲西海道 東爲交州江陵道……置監司曰都觀察黜陟使 東北爲東北面 西北爲西北面 置監司曰都巡問使 (鄭道傳,『三峯集』,「朝鮮經國典」上, 賦典, 州郡).

이 배정되어 있는 것으로 보아, 도절제사를 겸하였을 것으로 생각된다. 군관이란 앞서 언급된 솔행군관으로서, 1398년(태조 7)의 규정에서 군관 · 반당 15인이던 것이 군관 10인으로 줄고, 전략적으로 덜 중요한 황해 · 강원도는 7인으로 규정되었다. 도절제사의 겸목兼牧 즉 수령직 겸임은 고려 말 전임의 도절제사를 파견할 때에 이미 '혹은 주 · 부의 직임을 겸한다'고 규정한 바 있으나, 실제로는 양계의 도절제사만 겸목하다가 이때 처음 전국적으로 모두 겸목하게 되었다. 그러나 양계 이외의 도절제사의 겸목은 1412년(태종 12) 10월에 폐지되며, 이 뒤로 간혹 예외가 있지만 양계 이외 지역의 도절제사나 병사兵使가 겸목하는 일은 없었다.

그러면 이제 1408년을 전후하여서 각도 도절제사의 파견 경향은 어떠하였는지 하삼도와 경기 · 황해 · 강원도 및 동 · 서북면(함길 · 평안도)의 세 지역으로 나누어서 살펴보기로 한다.

경상 · 전라 · 충청도

하삼도下三道라 통칭하는 이 세 도는 왜구의 방어가 중요시된 지역이어서 도절제사가 계속 파견되었다. 특히, 일본과 가장 가까운 경상도에는 1407년(태종 7) 9월 낙동洛東과 낙서洛西를 경계로 두 군사도軍事道로 나뉜 뒤,[39] 1408년 7월에 각각 도절제사가 두어지는 변화가 일어났다. 경상도의 군사도는 이 뒤 몇 번에 걸쳐 합쳐지고 나뉘어지다가 결국 1436년(세종 18) 12월 다시 나뉘어 도절제사가 두어지는 체제로 정착하였다.[40] 계수관의 이름을 붙여 계림안동도(雞林安東道: 1413년 이후는 경주안동도), 진주상주도晉州尙州道로 호칭되던 경상도의 두 도절제사 군사도는 1416년(태종 16) 각각 경상좌도慶尙左道와 경상우도慶尙右道로 부르게 되었는데, 이는 경상도가 군사적으로 중요한 데다가 다른 도에 비해 면적이 넓고 인구와 물산이

39) 『太宗實錄』 권 14, 7년 9월 乙丑.
40) 『世宗實錄』권 76, 18년 12월 戊午.

풍부해서 현실적으로 두 개의 병영을 지탱할 만 하였기 때문에 가능하였다.

하삼도의 병영은 다른 지역에 비해 일찍 설치되어 세종 초엽까지는 모두 정착되었다. 충청도 병영은 이산(태종 때에 德山으로 개칭)에서 1421년(세종 3) 1월 해미海美로 옮겨져[41] 고정되었다. 광주에 있던 전라도 병영은 1417년(태종 17) 1월 도강(道康: 뒤에 탐진과 합쳐져 강진이 됨)으로 옮겨졌다.[42] 1408년 7월에 충청도 도절제사는 홍주목洪州牧을, 전라도 도절제사는 나주목羅州牧을 겸목토록 하였었는데, 이는 홍주와 나주가 병영 소재지인 덕산현과 무진군(武珍郡: 光州)의 계수관으로서 지역도 인접해 있고 장상將相의 지위에 있는 도절제사의 격에도 맞는 까닭에 수령을 겸임하는 지역으로 삼은 것으로 생각된다.[43] 합포는 1408년에 면적이 확대되어 창원부昌原府로 승격되었으며, 이 뒤로 경상우도 병영의 소재지로 되었다. 경상좌도 병영은 1417년 경주慶州에서 울산蔚山으로 옮겨진 뒤[44] 몇 번 폐지와 재설치가 반복되다가 1436년(세종 18) 이후로는 그 지위를 계속 유지하였다. 이렇게 하여 하삼도의 병영은 모두 해안 쪽으로 이동하였다. 이 위치는 16세기 말엽까지 그대로 유지되며, 이로써 하삼도의 병영은 역시 해안에 위치한 여러 진과 긴밀한 연락을 취하면서 방어망의 중심지로서 왜구의 침입에 대처하게 되었다.

경기와 황해 · 강원도

황해도와 강원도에는 조사의난趙思義亂, 왜구의 침입 등 내란이나 외적

---

41) 『世宗實錄』권 11, 3년 1월 乙酉.

42) 『太宗實錄』권 33, 17년 1월 丁未.

43) 당시 忠淸道와 全羅道의 兵營이 洪州와 羅州에 있었던 것으로 보는 견해가 있다(張炳仁, 앞 글, 1984, 162쪽). 한편, 李相佰, 『韓國史』「近世前期篇」,1962, 241~242쪽에서는 忠淸兵營은 太宗 2년부터 德山에, 全羅兵營은 太宗代에 光州에 있었던 것으로 記述하고 있다.

44) 『太宗實錄』 권 33, 17년 1월 戊申.

의 침입이 있을 때에만 도절제사를 파견하여 왔었는데, 1408년 7월 이후로 비로소 평시에는 관찰사가 도절제사를 겸임케 하다가 유사시에만 따로 도절제사를 파견하기 시작하였다. 반면에 경기에는 태조~태종초엽에는 자주 도절제사가 두어졌었지만 1403년 이후로는 관찰사가 겸하는 도절제사도 두지 않다가 진관체제鎭管體制가 편성된 뒤인 1458년(세조 4)에야 겸도절제사가 두어졌다.[45] 이 차이는 황해 · 강원도에는 영진군營鎭軍이 존재하였으나 경기에는 원칙적으로 중앙군인 시위군侍衛軍외에 지방군으로서는 다른 지역과 달리 직업군인화한 선군船軍만이 존재하였다는 특수성과 관련이 있을 것이다.[46] 즉 경기에는 관장해야할 지방군이 없었던 까닭에 도절제사를 두지 않았는데, 진관체제가 편성되어 각 고을별로 하번下番의 중앙군 및 수군도 파악하게 됨으로써[47] 비로소 도절제사를 둘 이유가 생긴 것이나, 여전히 병영은 물론이고 유방군留防軍이 배정된 진도 설치되지 않았다. 황해 · 강원도의 병영은 각각 해주海州와 강릉江陵에 설치되었고,[48] 진무소도 계속 두어졌으며,[49] 영군을 두기도 하였다.[50] 황

---

45) 『世祖實錄』권 11, 4년 2월 辛亥.

46) 京畿에 都節制使를 두지 않았던 이유에는 京軍과 江華等處의 水軍이 존재하였고, 兵使(都節制使: 필자)의 巡行에 따른 민폐의 발생을 염려한 점도 있겠으나(張炳仁, 앞글, 1984, 167쪽), 보다 근본적으로는 科田의 설치 및 營鎭軍의 不在로 대표되는 京畿의 특수한 사회 · 경제적 성격과 연관된다고 생각된다.

47) 이 책 121~130쪽.

48) 海州와 江陵에는 世宗 2년 12월 鎭이 설치됨으로써 兵營과 鎭이 한 곳에 있게 되어 논란이 일어나는데, 결국 世宗 8년에 海州鎭은 唐釜로 移置하고 (『世宗實錄』 권 30, 7년 11월 丁巳), 江陵鎭은 혁파하여 그 鎭軍을 兵營에 속하도록 하였다(『世宗實錄』 권 32, 8년 5월 丁酉).

49) 兵曹啓 江原道 江陵府 有江陵鎭節制使鎭撫所及兵馬都節制使鎭撫所……(『世宗實錄』 권 32, 8년 5월 丁酉).

50) 世宗初에는 兩道의 兵營에 營軍이 있었으나『世宗實錄地理志』에는 營軍이 없는 것으로 되어 있다. 兩道에는 世祖 8년에 다시 營軍이 두어졌고(『世祖實錄』 권 28, 8년 6월 辛卯), 營軍을 正兵에 合屬 한 뒤 同王 13년에는 각각 留防軍 2旅를 배정했는데(『世祖實錄』 권 42, 13년 6월 己未), 『經國大典』에는 留防軍이 배정되어 있지 않다. 成宗 6년의 兩道 正兵 留防 · 番上 규정에 兵營이 제외된 것으로 보아 (『成宗實錄』 권 58, 6

해도에는 1953년(선조 26) 임진왜란을 치르는 중에 전임의 병사兵使를 다시 설치한다.[51)]

이처럼 황해 · 강원도에 전임의 도절제사 또는 병사를 계속 두지 못하고 겸도절제사 또는 겸병사를 두었다. 그 이유는 군사적 중요성도 적은데다가 다른 도에 비해 재정적 기반도 넉넉하지 못한 때문이었다. 따로 도절제사나 병사를 둘 경우 겸목케 한 것도 이러한 까닭에서인데, 1449년(세종 31) 몽골의 침입 가능성이 생겨나자 국방 태세를 강화하려고 황해도 병영을 황주黃州로 정하여 도절제사를 따로 두어 겸목케 하였다가 군사는 많고 지역은 협소하다는 이유로 병영을 다시 해주에 두고 감영을 황주로 옮길 정도로[52)] 병영의 유지에는 많은 비용이 들었다.

동 · 서북면(함길 · 평안도)

조선왕조가 수립된 이후 서북면에는 1394년(태조 3) 2월부터,[53)] 동북면에는 1398년(태조 7) 1월부터 도절제사가 파견되었음이 확인된다.[54)] 양계에는 이 뒤로 전임 또는 겸임의 도절제사가 계속 두어져 오다가 1408년 7월 도순문사가 다시 도절제사를 겸하게 된 것이다. 1410년(태종 10) 다시 양계에 전임 도절제사를 파견하였으나 1413년(태종 13) 7월에는 또 도안무사都安撫使가 도절제사를 겸하게 하였지만, 사실은 원래 파견되어 있던 도절제사를 도안무사로 임명하는 절차를 밟았다.[55)] 이 도안무사가

년 8월 乙酉)이 무렵부터 兩道 兵營에 留防軍을 두지 않게 된 것으로 보인다.

51) 『增補文獻備考』 職官考 外官職 兵馬節度使.

52) 『世宗實錄』 권 125, 31년 8월 癸丑 및 壬申.

53) 西北面에는 太祖 3년 2월 崔永沚가 安州 · 義州 · 泥城 · 江界等處兵馬都節制使兼安州牧使로 임명되었는데 (『太祖實錄』 권 5, 3년 2월 戊戌). 이해 10월에는 '西北面都節制使崔永沚'로 기록에 나타나고 있다(『太祖實錄』 권 6, 3년 10월 辛未).

54) 『太祖實錄』 권 13, 7년 1월 乙未.

55) 太宗 13년 7월 새로 金承霔를 西北面 都節制使, 李從茂를 東北面 都節制使로 임명하였는데 (『太宗實錄』 권 26, 13년 7월 丙子) 이달에 都安撫使로서 都節制使를 겸하게

1417년 10월 도절제사로 개칭됨으로써 비로소 양계에 계속 전임의 도절제사가 파견되기 시작하였다.[56] 아울러 1413년 10월 서북면은 평안도로, 동북면은 영길도(永吉道; 뒤에 다시 咸吉道로 고쳐짐)로 개명됨으로써 전국이 '도'의 명칭을 사용하는 행정단위로 정제되었다. 이는 종전에 군사지대였던 북방이 일반 행정구역화하는 추세에서 나타난 변화였으며,[57] 이어서 두 도 최고 군사책임자의 직함도 도절제사로 확정됨으로써 전국 각 도의 최고 군사책임자의 직함이 통일된 것이다.

그러나 평안도와 함길도 도절제사의 군사도 및 병영의 소재지는 아직 고정되지 못하였다. 평안도(서북면) 도절제사는 태조 때에는 평양윤平壤尹을 겸한 일도 있지만[58] 태종 때부터 계속 안주安州를 겸목하다가 1428년(세종 10) 영변대도호부사寧邊大都護府使를 겸하도록 하면서[59] 병영이 영변에 정착하였다. 평안도의 병영은 다만 국경지역 국방이 급해진 세종 말엽에서 단종 때까지 몇 년 동안 강계江界로 옮겨 간 일이 있었다.[60] 그

한 뒤 10월 두 道의 명칭을 바꾸고 李從茂를 永吉道 都安撫使, 金承霔를 平安道 都安撫使로 임명하였다.(『太宗實錄』 권 26,13년 10월 戊辰).

56) 改平安·咸吉道都巡問使爲都觀察黜陟使 都安撫使爲兵馬都節制使 (『太宗實錄』 권 34 17년 10월 丁酉).
이 조치를 '都安撫使兼兵馬都節制使'라는 官名에서 都安撫使를 삭제한 것으로 보았고 또, '平安道 本無都節制使 都巡問使兼統之 至癸巳年 始別置都節制使' (『世宗實錄』 권 84, 21년 1월 庚申)라는 기록에 의거하여 兩界에서 都節制使制가 정착된 것은 太宗 13년(癸巳年)이라고 판단한 연구가 있다(張炳仁, 앞 글, 1984, 171~172쪽). 그런데 世宗 21년의 기록은 '乃用奉使之印 凡於文書 用奉使印未便 請別鑄都節制使印信而送' 이라는 주내용으로 이어져서 太宗 13년 奉命使臣의 성격이 강한 都安撫使가 都節制使를 겸한 뒤 계속 都安撫使의 印信을 사용하였음을 나타내고 있다. 여기서 都安撫使兼都節制使가 근본적으로 都巡問使兼都節制使와 구별된다고 보이지는 않으며, 역시 專任 都節制使가 파견되는 1417년 10월에 兩界의 都節制使制가 정착되었다고 보는 것이 옳다고 생각된다.

57) 李樹健, 「朝鮮初期 郡縣制 整備에 대하여」, 『嶺南史學』 1, 1971, 30쪽.

58) 『太祖實錄』 권 7, 4년 2월 乙丑 및 4월 壬申. 이는 都節制使가 都巡問使를 겸한 때문이었다.

59) 『世宗實錄』 권 42, 10년 12월 己卯.

60) 吳宗祿, 「朝鮮初期 兩界의 軍事制度와 國防體制」, 고려대 박사논문, 1992. 21~32쪽.

반면에 함길도는 1416년(태종 16) 길주가 도절제사 겸목처로 되어 병영의 소재지가 되었지만, 병영은 다시 1434년(세종 16) 부거참富居站, 1436년(세종 18) 2월 경성鏡城, 1439년(세종 21) 경성부鏡城府와 함께 용성龍城땅으로, 1448년(세종 30) 4월 북상하여 고종성古鍾城으로 이전되었다가[61) 1468년(세조 4)에야 북쪽으로 이전한 경성에 정착하였다.[62) 세종 때에 4군 · 6진을 개척하여 국경이 북상해 간 데다가 평안도의 경우 여진족에 대한 방어책의 변화로, 함길도의 경우 사민정책에 의한 변경지역의 내지화內地化로 인하여 계속 병영이 이전되었던 것이다. 평안도와 함길도의 도절제사 및 병사의 군사도는 세종말엽~성종초엽에 다시 큰 변화를 겪고 나서야 고정되나, 전반적으로는 1417년에는 이미 그 제도적 골격은 대부분 완성되어 있었다.

이상과 같이 1408년 7월부터 도절제사 또는 겸도절제사가 두어지는 도는 지역별로 경향에 차이를 보이며 정착되어 갔다. 즉 각도 육군의 지휘권을 하삼도에서는 도절제사가, 경기에서는 관찰사가 '제조병마'의 직함을 겸대한 자격으로서 강원 · 황해도에서는 겸도절제사로서 갖게 되었으며, 양계에서는 전임 또는 도순문사나 도안무사 겸임의 도절제사가 임명되어 그 지휘권을 행사하여 오다가 1417년부터 전임의 도절제사가 지휘하게 되었다. 그리고 남방 지역의 도절제사 군사도는 1408년 7월을 계기로 고정되었으며, 병영도 차차 고정되기에 이른다. 자세한 내용은 뒤에 설명할 것이나, 도절제사의 여러 직무가 1408년부터 규정되어 가는 것도 이와 연관될 것이다. 그런데 각도 수군의 지휘관 직책인 수군도절제사水軍都節制使는 병마도절제사兵馬都節制使보다 뒤늦게 두어지기 시작하였고, 파견되는 지역도 제한되어서 지휘계통상 병마도절제사가 수군에 간여할

---

61)『世宗實錄』권 64, 16년 5월 甲戌 ; 같은 책 권 71, 18년 2월 丙辰 ; 같은 책 권 75, 18년 11월 戊午 ; 같은 책 권 120, 30년 4월 甲子.

62)『世祖實錄』권 12, 4년 5월 癸卯.

수 있게 되어 있었다. 이로부터 각도 육군과 수군의 지휘계통이 구분되어 정리되는 것은 세종초엽의 일이다.

고려말에는 해도海道 원수元帥가 두어져 수군을 관할하였는데, 조선 건국 후 8개월만인 1393년(태조 2) 3월에 경기좌 · 우도京畿左右道에 각각 수군도절제사가 두어져 있었음이 나타나며,[63] 태조말엽에는 하삼도에도 수군도절제사가 두어지게 된 것으로 보인다.[64] 그러나 수군도절제사는 적변賊變이 예상되거나 발생하였을 때에만 설치하였다가 곧 혁파하곤 하였으며, 혁파한 때에는 하삼도의 경우에만 항상 병마도절제사가 그 직무를 겸함으로써[65] 명맥을 유지하였는데, 한편으로는 이로 말미암아 수군의 지휘계통에 혼선이 일어나게 되었던 것이다.

수군이 가장 중요시된 지역은 경기와 하삼도였다. 이 가운데에서 하삼도의 수군도절제사는 얼마 동안 혁파되어 있다가 1420년(세종 2) 10월 다시 두어진 뒤 바로 수군도안무처치사(水軍都按撫處置使, 보통 처치사로 약칭함)로 직함이 바뀌며,[66] 이 뒤 도절제사가 처치사處置使를 겸하는 일은 없어진다. 또 경상도에는 1408년 계림안동도 도절제사가 경상좌도 수군도절제사를, 상주진주도 도절제사가 경상우도 수군도절제사를 겸하게 한 뒤[67] 좌 · 우도에 각각 수군도절제사를 두는 일이 많았는데, 1426년(세종 8)에 좌도 처치사를 혁파했다가 다시 설치하는 동안에는 도만호都萬戶가 그 직무를 대신하도록 하여[68] 태종 때와는 다른 양상을 나타내고

---

63) 『太祖實錄』 권 3, 2년 3월 甲子.

64) 慶尙道 水軍都節制使가 『定宗實錄』 권 1, 1년 1월 庚寅의 기록에 보이는데, 太宗 때에 下三道의 水軍都節制使가 함께 革罷 · 復置되는 과정을 겪는 것으로 보아 忠淸 · 全羅道에도 역시 太祖代末에는 水軍都節制使가 설치되었을 것으로 생각된다.

65) 『太宗實錄』 권 10, 5년 7월 辛丑 ; 같은 책 권 13, 7년 3월 丁巳 ; 같은 책 권 32, 16년 8월 甲申.

66) 『世宗實錄』 권 9, 2년 10월 乙未 및 己亥.

67) 『太宗實錄』 권 16, 8년 8월 乙未.

68) 『世宗實錄』 권 34, 8년 11월 乙未.

있다. 즉 도내 육군과 수군에 대한 지휘권이 분리되어 도절제사와 수군의 지휘권은 관계가 없어지게 되었다. 그 대신 처치사가 육지를 횡행하지 못하게 하는 한편 항상 선상船上에서 근무하거나 여러 수군의 포浦를 순찰토록 하고, 아울러 수군은 화약 등 부득이한 군수물자를 두기 위한 영사營舍를 제외하고는 육지에 건축물도 둘 수 없도록 하였다.[69] 이 원칙은 직함이 각각 병마절도사, 수군절도사로 바뀐 뒤에도 유지되어 아직 수군의 도역逃役이 극심하지는 않았던 성종 때까지는 잘 지켜지고 있었다.[70]

한편 경기 수군도절제사는 1417년에 혁파되었다가 1421~1423년(세종 3~5) 동안 처치사가 설치되고,[71] 1473~1485년(성종 4~16) 동안에는 수사水使 곧 수군절도사水軍節度使가 두어진 적이 있다. 즉 경기에는 대부분의 기간 동안 처치사나 수사가 설치되어 있지 않았다. 황해도와 강원도에도 수군도절제사나 처치사, 수사가 두어지는 일은 극히 드물었다. 따라서 중앙 3도의 수군은 첨절제사僉節制使나 도만호都萬戶에 의해 지휘되고 관찰사가 이들의 업무를 감독하는 형식을 취하였으며,[72] 이는 1470년(성종 원년) 3월 경기 · 황해 · 강원도의 관찰사가 각각 병 · 수사를 겸하게 됨으로써[73] 확고해진다.

양계에는 전임의 수군도절제사, 처치사 또는 수사가 두어진 일이 없다. 이는 근본적으로 이 지역이 왜구에 대한 우려가 적었기 때문이었겠지만,

---

69) 『世宗實錄』 권 116, 29년 4월 辛丑.

70) 李泰鎭, 앞 글, 1968, 287~289쪽.

71) 이때 京畿 處置使를 혁파한 기록은 보이지 않는데, 世宗 5년 12월 冗官革罷時에 함께 혁파된 것으로 보인다. 당시 각도 觀察使 · 都節制使 · 處置使가 京官을 兼帶하게 되어 각각 그 職銜을 明記하였으나 京畿 處置使는 제외되어 있다(『世宗實錄』 권 22, 5년 12월 戊午).

72) 한 예를 다음의 경우에서 볼 수 있다.
革京畿道水軍都節制使 從議政府之請也 以都萬戶掌其務 今監司察其能否(『太宗實錄』 권 22, 11년 7월 辛未).

73) 『成宗實錄』 권 4, 1년 3월 甲申.

양계는 수군도 역시 군익도에 분속되어 있어서 남방과는 지휘계통이 달랐던 것도 주요 원인이라고 생각된다. 평안도 수군은 평양도平壤道와 의주도義州道, 안주도安州道 또는 영변도寧邊道에 속하여서 각각 수군첨절제사의 지휘를 받았다.[74] 이에 비추어 볼 때 태조 때에 영흥도永興道와 청해도靑海道로 나뉘어 편성되어 있던 함길도의 수군이[75] 세종 때에는 함흥도咸興道와 경원도慶源道 또는 경성도鏡城道에 나뉘어 소속되어 각각 만호의 지휘를 받게 되지 않았을까 추측된다. 군익도에 속하는 군사는 궁극적으로는 도절제사의 지휘를 받았으므로 수군역시 그 지휘를 받게 되었다. 1434년(세종 6)에 처치사가 없는 도에서는 수군도만호, 천호의 업무를 도절제사가 감독토록 규정하였는데,[76] 처치사가 없고 도절제사만 있는 도는 양계의 두 도뿐이었다. 『경국대전(經國大典)』에 남방과는 달리 양계의 병사가 감사와 함께 수사직을 겸하게 되어 있는 것과[77] 두 도의 병마우후兵馬虞候가 수군우후水軍虞候를 겸하였던 데에는[78] 이러한 연유가 있는 것이다. 따라서 양계의 경우 도절제사 · 병사는 최고 군사지휘자로서 수군에 대해서도 실질적인 지휘권을 행사할 수 있었다.

이렇게 하여 세종연간에 이르러 각도의 육군과 수군의 군령체계가 결정되었다. 다시 말해서 하삼도에서는 각각 도절제사와 처치사에게, 경기 · 강원 · 황해도에서는 모두 관찰사에게, 평안 · 함길도에서는 모두 도절제사에게 도내 육군과 수군이 지휘를 받게 되었으며, 이 경향은 병마절도사로 직함이 바뀐 뒤에도 계속되었다. 참고를 위해 『세종실록』「지리지」에 나

---

74) 義州道와 平壤道에는 太祖 때에도 水軍僉節制使가 있었고, 安州道 水軍은 安州牧使(1428년; 世宗 10년까지는 平安道 都節制使가 겸하였음)가 관장하여 오다가 1447년(世宗 29) 따로 僉節制使를 두었다(『世宗實錄』 권 117, 29년 9월 乙未).

75) 『太祖實錄』 권 14, 7년 5월 庚寅.

76) 『世宗實錄』 권 24, 6년 4월 癸丑.

77) 【永安道】 正三品 水軍節度使三員 二南北道兵馬節度使兼 一觀察使兼 【平安道】 正三品 水軍節度使二員 一兵馬節度使兼 一觀察使兼(『經國大典』 兵典 外官職).

78) 한 예로 李良 折衝 永安兵馬水軍虞候(『成宗實錄』 권 265, 23년 5월 戊子)를 들 수 있다.

타나는 수군의 편제를 간단히 도표화하면 다음의 <도표 11>과 같다.[79]

<도표 11> 『세종실록』 「지리지」에 나타나는 수군의 편제

경기도	–	수군첨절제사 2원	만호 4원
충청도	수군도안무처치사 1원	도만호 2원	만호 5원
경상도	수군도안무처치사 2원	도만호 2원	만호 17원
전라도	수군도안무처치사 1원	도만호 2원	만호 13원
황해도	–	수군첨절제사 1원	만호 6원
강원도	–	–	만호 6원
평안도	–	수군첨절제사 3원	–
함길도	–	–	만호 2원

3. 병마절도사제의 확립

병마절도사제가 확립되는 과정은 1457년(세조 3년)에 진관체제鎭管體制가 편성됨으로써 시작되었다. 이 뒤 1466년(세조 12) 병마도절제사로부터 병마절도사로 직함이 바뀌고, 1472년(성종 3년)에 이르러 각도의 관찰사가 모두 병마절도사를 예겸例兼하게 됨으로써 병마절도사와 관련된 제도가 확립되었던 것이다. 영진군체제를 기반으로 하는 병마도절제사제에서는 하번下番의 지방군 및 중앙군이 체계적으로 파악되고 있지 않다는 점, 수령이 지방군의 무예 훈련이나 습진習陣, 군기軍器의 정비 등의 군사 업무에 관하여 병마도절제사로부터 감독받기는 하나 그 지휘를 받는 것은 아니었다는 점, 또 진鎭을 벗어난 내륙에서는 유사시에 대비한 군사력

79) 이 표는 李載龔, 「朝鮮前期의 水軍」, 『韓國史硏究』 5, 1970, 120쪽에서 轉載하여 修正한 것임.

동원체제가 형성되어 있지 않았다는 점 등의 문제가 있었다. 병마절도사제는 이러한 문제점을 보완하기 위해 마련된 진관체제라는 전국적으로 정제된 지방군사제도를 기반으로 하여 확립됨으로써 도절제사제보다 발전, 정비된 내용을 갖게 되었다.

조선의 지방군제는 1455년(세조 원년) 9월 전국적으로 도마다 거읍巨邑이라 부르는 큰 고을 또는 진鎭이 중심이 되는 군익도軍翼道와 단독으로 진을 이루는 독진獨鎭으로 편성한 군익도체제로 개편되었다.[80] 이를 바탕으로 다시 1457년 10월 도마다 몇 개의 거진巨鎭이 휘하의 여러 고을을 제진諸鎭으로 거느리는 체제로 개편되었는데, 이것이 진관체제이다.[81] 이러한 지방군제의 변화는 세종 때를 지나는 동안 대폭 증가된 하번下番의 중앙군을 지방별로 파악하도록 함으로써 달성된 지방 군사력의 증강이 바탕이 되었으며,[82] 도절제사가 각종 병종兵種으로 편성된 사실상의 도내 지방민 전체를 거진장巨鎭將－제진장(諸鎭將＝수령)을 통해 파악하게 되는 지방민 지배형태의 큰 변화이기도 했다.[83] 그리고, 거진과 제읍의 수령이 각각 그 직위에 상응하는 병마직함兵馬職銜을 겸대兼帶하게 됨으로써[84] 도절제사가 수령을 직접 지휘할 수 있는 군령체계가 형성되었다. 수

---

80) 兵曹啓 諸道沿海要害之處 皆設鎭置將以固守禦……慶尙道 慶州道 中翼 慶州 · 永川 · 左翼 · 梁山 · 彦陽 右翼 密陽……泗川鎭 中翼 泗川 左翼 固城 · 鎭海 右翼 昆陽 · 河東 獨鎭 巨濟 · 南海……(『世祖實錄』 권 2, 1년 9월 癸未).他道도 이에 준하나, 京畿만은 예외로 鎭이 설치되지 않았다.

81) 兵曹啓 今奉傳旨 革諸道中左右翼 所屬諸邑 磨堪啓聞……慶尙道……慶州鎭 寧海 · 盈德 · 淸河 · 興海 · 迎日 · 長鬐 · 永川 · 密陽……晋州鎭 泗川 · 昆陽 · 河東 · 南海 · 丹城 · 山陰 · 宜寧 · 咸陽 · 三嘉 · 安陰(『世祖實錄』 권 9, 3년 10월 庚戌).

82) 閔賢九, 앞의 책, 1983, 241～243쪽.

83) 자세한 것은 이 글 3절의 2 참조.

84) 『世祖實錄』 권 1, 1년 9월 癸未 ; 같은 책 권11, 4년 1월 壬戌 및 『經國大典』 兵典 外官職. 처음 中翼 首官이나 巨鎭의 將은 兵馬節制使, 僉節制使, 同僉節制使의 직함을, 左 · 右翼이나 諸鎭의 將은 兵馬團練使 · 副使 · 判官의 직함을 겸대하여서 구분이 있었으나, 『經國大典』에서는 구별 없이 堂上官은 節制使, 그 이하는 僉節制使, 同僉節制使, 節制都尉로 통일된다. 원래 節制使는 2品 이상관의 직책이었으나 이로부터 堂上 守令

령이 병마직함을 겸대하고 하번 중앙군을 파악하는 것은 경기에도 적용되었으며, 이로부터 경기 관찰사도 도절제사를 겸하게 되었음은 앞서 언급한 바 있다. 반면에 관찰사가 갖고 있던 '제조병마提調兵馬'의 직함은 세종 때 삭제되어[85] 지방군에 대한 지휘계통은 병사가 전적으로 장악하게 되었다. 각 고을의 수령은 병마직함을 겸대하기는 해도 기본적으로 도의 장관으로서 '제조병마'의 직함을 겸대한 관찰사로부터 여러 업무의 감독과 포폄褒貶을 받고 있었고, 또 수령은 대개 문반이어서 무신을 경시하는 경향도 있었다. 이러한 까닭으로 도절제사의 명령이 잘 시행되지 않았음에서인지 1457년 도절제사를 '육군 대장陸軍大將'으로 부르도록 하여 그 권위를 높여 준 바 있는데,[86] 이제 병마도절제사의 직함을 병마절도사로 고치면서 관찰사가 겸대하던 '제조병마'의 직함을 복원하지 않았던 것이다. 이로써 병사는 도절제사보다도 크게 증강된 권력을 장악하게 되었으리라는 점은 쉽게 짐작되리라고 본다. 1466년에는 도절제사도진무都節制使都鎭撫도 병마우후兵馬虞候로 명칭을 고쳐져 병영에서 근무하는 진무鎭撫와 구별되도록 되었고, 도사都事도 평사評事로 고쳐져서 관찰사의 도사와 구별되기에 이르렀다.

진관체제가 편성됨으로써 전국적으로 통일된 지방군제가 형성되었다고는 하나, 남방과 북방의 국방체제에는 실제 내용상의 차이가 엄연히 남아 있었다. 남방에서는 여전히 영·진의 유방군留防軍을 지휘하여 국방에 임하는 체제로 이어지고 있었기 때문이다. 유방군은 이전에 진군鎭軍이 두어졌던 연변 제진諸鎭과 병영에만 배정되었다. 유방군이 두어진 이들 진은 소속되어 있는 거진장을 통해서가 아니라 주진主鎭 즉 병사(처음에

이 겸하는 兵馬職銜으로 되었는데, 이는 3品 觀察使가 都節制使를 겸할 때는 예외적으로 僉節制使라 하지 않고, 都節制使라 칭한 것과 연관되는 것으로 보인다(註 112).

85) 張炳仁, 앞의 「朝鮮初期의 觀察使」, 1978, 133쪽.

86) 『世祖實錄』 권 9, 3년 9월 戊寅.

는 도절제사)로부터 직접 지휘를 받도록 되어 있었다.[87] 이 유군제진有軍諸鎭은 주된 기능이 국방에 있었으므로 대개 문신으로 임명되는 거진장을 통하여 지휘를 받도록 하기는 곤란했던 것이다.

<도표 12> 1467년의 유군거진 및 절도부사 설치

도 명	진 명	변화내용	유방군수
황해도	해주진 옹진진 풍천진 황주진	강령진을 합속 장연진의 유방군을 양분하여 두 진에 분속시킴 수안진을 합속	2려 (250명) 2려 (250명) 2려 (250명) 2려 (250명)
강원도	강릉진	삼척진을 합속, 절도부사를 둠	2려 (250명)
충청도	비인진 태안진 내 상	남포진을 합속	2려 (250명) 1려 (125명) 3려 (375명)
전라도	전주진 나주진 부안진 순천진 흥양진 진도진 내 상	옥구진을 합속, 절도부사를 둠 무장진을 합속	2려 (250명) 2려 (250명) 2려 (250명) 2려 (250명) 1려 (125명) 1려 (125명) 2려 (250명)

87) 兵曹啓 諸道巨鎭習陣事目……一. 諸道巨鎭設立時 前此革設鎭諸邑 本意非罷鎭也 但分屬主鎭耳 諸邑不察本意 並以移屬疑慮 請仍舊屬主鎭聽令(『世祖實錄』 11, 4년 2월 乙卯). 여기에서 '前此革設鎭諸邑'이란 전국을 軍翼道로 편성할 때 설치한 鎭을 혁파했다는 뜻으로 생각되며, '分屬主鎭'은 각종 兵種으로 편성된 地方民을 巨 鎭에 분속시켜 파악한다는 뜻으로, '仍舊屬主鎭聽令'이란 軍翼體制에서 沿邊 諸鎭이 中翼 또는 獨鎭으로서 主鎭(兵營)과 직접 연결되다가 뒤에 留防軍이 두어진 곳이므로 그 지휘는 전과 같이 兵營으로부터 직접 받게 한다는 뜻으로 새겨진다.

경상도	진주진 안동진 상주진 영일진 동래진 웅천진 거제진 남해진 좌도 내상 우도 내상	사천진을 합속 경상좌도 절도부사를 둠 경상우도 절도부사를 둠 영해진을 합속	2려 (250명) 2려 (250명) 2려 (250명) 2려 (250명) 3려 (375명) 3려 (375명) 2려 (250명) 2려 (250명) 4려 (500명) 4려 (500명)

각도의 병영은 지리상으로도 유군제진과 긴밀히 연결되어서 국방의 중심지로서의 위치를 유지하였다. 이러한 이유로 유군제진의 진장은 군관을 거느리고 부임할 수 있었고,[88] 그 포폄도 군사력의 파악이 주된 기능이라고 할 무군제진장無軍諸鎭將 즉 일반 수령의 포폄을 감사가 담당하였던 것과는 달리 병사가 담당하였다.[89]

따라서 진관체제는 내륙의 국방력을 강화하려는 주목적을 달성하기에는 미흡하였다. 이를 보완하기 위해 세조는 1467년에 남방 5도 내륙의 일부 거진에 새로 유방군을 배치하고 절도부사를 두도록 하는 한편 연변의 일부 진은 다른 진에 합속시켰다.[90] 이때 새로 유방군이 배치된 거진은 경상도의 진주진晋州鎭, 안동진安東鎭, 상주진尙州鎭과 전라도의 전주진全州鎭, 나주진羅州鎭 등 5개였다. 이 조치를 간략히 도표화하면 앞의 <도표 12>와 같다.

이 변화는 바로 세조 때의 군액軍額 증대를 기반으로 한 것이었다. 그러나 그 군액 증대 자체가 무리하게 이루어진 것이었고, 또 이해에 일어난

88) 『經國大典』 兵典 軍官.
89) 『經國大典』 吏典 褒貶 및 兵典 褒貶.
90) 『世祖實錄』 권41, 13년 3월 庚午, 같은 책 권42, 13년 6월 甲辰 및 己未.

이시애李施愛의 반란으로 큰 혼란을 겪게 됨으로써 1년 여 만인 1469년(예종 원년) 1월에 각도 절도부사를 혁파하면서 이 유군거진의 설치와 연변 제진의 합속이라는 변화도 종전대로 환원되었던 것으로 보인다.[91)]

병마절도사제는 1470년(성종 원년) 병사가 수령에 대한 포폄 중 군사 업무의 평가에 참여하게 되고[92)] 이어서 1472년(성종 3)에 각도 관찰사가 병사를 예겸하게 됨으로써 확립되었다. 병사가 수령에 대한 포폄에 참여하게 된 것은 진관체제 편성에 따른 여러 조치 즉 守令이 모두 병마직함을 겸대하고, 관찰사의 삭제된 병마직함이 복원되지 않은 것 등의 논리적 귀결이라고 할 수 있다. 그런데, 세조가 죽은 뒤 병사의 권한은 종전의 추세와는 거꾸로 위축되어 갔다. 예종과 성종 두 임금이 어린 나이에 즉위하여 대신들이 실질적인 권력을 행사하는 가운데 1469년(예종 원년) 병사에게만 주던 밀부密符를 관찰사에게도 주게 된 데[93)] 이어서 1472년 각도 관찰사가 병사를 예겸케 함으로써 지금까지의 관찰사와 병사의 관계와는 또 다른 새로운 관계를 형성시키기에 이른 것이다. 관찰사가 병사를 예겸하게 될 때의 논의는 다음과 같이 진행되었다.

> 사간원 대사간 성준(成俊) 등이 상소하여 당시의 폐단을 조목별로 아뢰었다. …… 그 셋째입니다. 병권(兵權)을 혼자서 마음대로 해서는 아니 됩니다. 여러 도의 절도사가 혼자 한 도의 육군을 통솔하고 관찰사는 여기에 참여하지 않는데, 권력을 나누어 서로 견제하는 방도가 아니어서 걱정됩니다. 감사는 한 도를 통솔하고 규찰하며, 큰 일 작은 일 가릴 것 없이 모두 다스리는데, 군사 업무를 다스리는 것이 어떻게

---

91)『睿宗實錄』권 3, 1년 1월 戊寅. 이 뒤 內陸 巨鎭 留防軍에 대한 기록은 보이지 않는다.『經國大典』兵典 留防 항목에는 遂安, 長淵, 藍浦, 沃溝, 茂長, 泗川, 寧海 등 합병되었던 各鎭에 다시 留防軍이 배정되어 있는데, 이로써 미루어 보면 역시 종전대로 환원되었다고 생각된다.

92) 이 책 제2부 제3장 병마절도사와 국방 참조.

93)『睿宗實錄』권 7, 1년 9월 辛巳.

> 담당하는 일의 밖에 있을 수 있겠습니까? 우리나라가 전에는 여러 도의 감사가 모두 관직에 병마 직함을 띠고 아울러 군사 업무를 총괄하였습니다. 선왕들의 제도는 그 생각이 깊습니다. 저희들은 이 제도에 따라 지방의 병권을 나누는 것이 옳다고 생각합니다. …… 원상(院相)에게 내려 보내 의논하도록 하였다. …… 제3조 관찰사가 병마절도사를 겸하는 것은 아뢴대로 시행하십시오. …… 전지(傳旨)하였다. "그렇게 하라."[94]

논의의 출발점은 사간원의 상소였으며, 병사가 도의 병권을 독차지하여 행사하는 것은 옳지 못하며, 관찰사가 도의 장관의 지위에 있으므로 마땅히 군사업무도 처결할 수 있어야만 한다는 것이 핵심 내용이었다. 이 시점은 성종이 16세로 성년이 되어 친정親政이 시작되어야 했으나, 원상院相들이 정치 운영을 주도하고 있었다. 이에 따라 성종은 당연한 절차인 것처럼 원상들에게 의논하도록 하고, 원상들이 사간원의 주장을 지지하여 이 의견이 받아들여졌다. 전에 관찰사가 겸대했다는 '병마직兵馬職'이란 '제조병마提調兵馬'의 직함을 말하는 것으로 보인다. 본래 남방 6도의 관찰사와 양계의 도순문사는 도절제사를 겸하는 경우에만 '군직軍職'을 갖는 것으로 이해되었었다.[95] 즉 도절제사를 겸하는 것이 도 단위 군사에

---

94) 司諫院大司諫成俊等上疏 條陳時弊……其三日 兵權不可專擅 諸道節度使專制一道兵馬 而觀察使不與焉 恐非分權相制之道也 監司統察一方 事無大小 皆其所制 料理軍務亦豈職分之外 本朝前此諸道監司皆職帶兵馬 兼摠軍務 祖宗之制 其慮深矣 臣等願依此制 以分閫外兵權 可乎……下院相議之……第三條觀察使兼兵馬使 請從所啓施行……傳曰可 (『成宗實錄』 권 14, 3년 1월 壬子)

95) 太宗 때 정한 '出外 二品以上 移文式' 규정에 '都觀察使와 都巡問使가 都節制使를 겸하면 兵曹에 移文할 때 民事는 平關, 軍事는 牒呈을 사용하고 軍職을 겸하지 않으면 모두 平關을 사용한다' (『太宗實錄』 권 11, 6년 3월 丁酉, 방점은 필자) 고 하여 軍職을 겸하는 것은 '提調兵馬'의 직함을 겸하는 것이 아니라 都節制使를 겸하는 것으로 이해되었음을 볼 수 있다. '自今 都節制使 應敵動軍外 軍兵點考 山行出入 雖一日之役 必報監司然後施行 以存體統' (『世宗實錄』 권 22, 5년 11월 丙戌)의 기록을 그거로 世宗代이후 監司가 應敵動軍 이외의 모든 軍事를 관장케 되었다고 보았다는 주장도 있다

대한 처결권을 뜻한다면, '제조병마'를 겸대하는 것은 군사에 대한 감찰권 내지는 감독권을 뜻하는 것이었다. 그런데 이제 관찰사라면 의례적으로 병마직을 겸하여 군사적 처결권을 행사할 수도 있게 된 것이다. 더구나 수령과의 관계에서 그들의 직접적 상관으로 포폄을 담당하는 관찰사가 병마직위으로도 겸병사兼兵使로서 상관이 됨으로써 전임專任 병마절도사인 단병사單兵使의 수령에 대한 영향력이 크게 감소하였을 것임은 분명하다. 또 단병사는 사실상 겸병사인 감사보다 낮은 지위에 놓이게 되었는데, 이렇게 하여 병사가 군사권을 독차지하여 행사하는 것을 막는다기보다 문신 중심 국가 경영을 각 지방에서도 관철하려는 것이 겸병사제를 실시하게 된 근본 목적이라고 생각된다. 또한 관찰사는 병사를 예겸하게 되면서 수사도 역시 예겸케 된 것으로 보인다.[96]

감사가 병사를 예겸하게 됨으로써 『경국대전』에는 전국의 병사 정원이 총 15원員으로 규정되었다. 단병사가 있는 도에는 병영이 설치되어 하부기구와 유방군이 두어졌고, 겸병사만 있는 도의 경우 황해도와 강원도에는 병영과 하부기구의 일부가 두어졌지만 유방군은 두어지지 않았으며, 유군제진이 전혀 없는 경기에는 계속 병영도 두어지지 않았다.[97] 단병사는 경상도와 영안도에는 각각 2원이 두어졌고, 충청도, 전라도, 평안도에는 각각 1원이 두어졌다. 병영의 우후는 영안남도 병사를 제외한 각도의 단병사 밑에 두어졌으며, 평사는 평안도와 영안북도의 병사 밑에만 두어졌다.[98]

(張炳仁, 앞의 글 1984, 181쪽). 그러나 觀察使가 都節制使를 겸하는 경우와 '提調兵馬'의 직함을 겸대하는 경우가 뚜렷이 구분되므로 이는 지나친 해석이라고 판단된다. 都節制使가 따로 두어진 도에서는 觀察使가 軍事를 관장한다기 보다는 都節制使의 직무수행을 감찰 내지는 감독하는 정도였다고 생각된다.

96) 『經國大典』 兵典 外官職에 각도 監司가 水使도 例兼한다고 규정하고 있으나, 1472년(成宗 3) 이후 별도로 監司가 水使를 例兼케 한 조치는 보이지 않는다.

97) 이는 黃海 · 江原道에는 兵使(兵營)에 外工匠이 배정되어 있지만 京畿에는 監司 밑에만 外工匠이 배정되어 있는 것에서 확인된다(『經國大典』 工典 外工匠).

98) 『經國大典』 兵典 外官職.

<도표 13> 『경국대전』에 규정된 병마절도사제

도 명	병마절도사	우 후	평 사	구전군관	병영소재지	병영유방군수
경기	겸병사 1원					
황해도	겸병사 1원			5원	해주	
강원도	겸병사 1원			5원	강릉	
경상도	겸병사 1원 좌도병사 1원 우도병사 1원	1원 1원		5원 5원	울산 창원	4려 (500명) 4려 (500명)
충청도	겸병사 1원 단병사 1원	1원		5원	해미	3려 (375명)
전라도	겸병사 1원 단병사 1원	1원		5원	강진	3려 (375명)
평안도	겸병사 1원 단병사 1원	1원	1원	10원	영변(겸목)	갑사 · 정병 유방본도
영안도	겸병사 1원 북도병사 1원 남도병사 1원	1원	1원	10원 10원	경성(겸목) 북청(겸목)	위와 같음

영안도에 단병사 2원이 두어지는 것은 1467년(세조 13)의 이시애의 반란에서 연유하며, 도의 명칭도 반란의 근원지와 중심지가 길주吉州와 함흥咸興이었던 까닭에 함길도에서 영안도로 바뀌었다. 함길도에도 1466년에 절도부사를 두어서 북청에 영을 설치하였는데,[99] 다음 해 7월 이시애

99) 南兵馬節度使 世祖十二年始置兵馬節度副使 開營於北青府 明年因吉州李施愛亂 陞兵馬節度使(『增補文獻備考』 職官考 外官職 兵馬節度使)라는 기록에 의하여 世祖 12년에 咸吉道節度副使가 두어졌음을 알 수 있으나 『世祖實錄』에는 그 설치 기록이 나타

반란 사건을 겪은 뒤 9월에 군사도를 남도와 북도로 나누어 각각 병사와 감사를 두고 북도는 경성, 남도는 북청에 각각 병영을 두게 되었다. 즉 절도부사가 남도병사로 승격한 셈이다. 함길도는 이 뒤 함경도로 명칭이 바뀌었다가 1470년에 영안도로 개명되는데, 남도관찰사는 이해 3월 혁파되었다.[100] 그러나 남도병사는 그 하부기구를 축소하는 데서 그치고 혁파되지는 않았다.[101] 남도병사는 대개 남병사南兵使라 불렀는데, 이 남병사의 설치는 여진족의 침입을 효과적으로 막기 위한 점도 있지만 그보다는 이시애 반란 사건을 계기로 도민道民에 대한 파악을 강화하여 내란을 방지 하려는 것이 주된 목적이었다고 생각된다. 여기에는 도내에 여진인이 섞여 거주하고 있고, 도의 지형이 남북으로 길게 뻗쳤다는 특수한 여건도 작용하였을 것이다.

『경국대전』에 나타나는 전국의 병사, 병마우후, 평사의 배치와 병영의 유방군 및 당시의 병영 소재지를 함께 도표로 정리하면 앞의 <도표 13>과 같다.

나지 않으며, 다만 당시 節度副使가 파견되어 있었음은 확인된다. 『世祖實錄』 권 42, 13년 5월 辛巳).

100) 『成宗實錄』 권 4, 1년 3월 丙戌.

101) 南兵使를 혁파하자는 주장은 자주 나왔으나, 1470년(성종 원년) 8월 評事를 혁파하고 1474년(성종 5) 7월 虞候를 權革하는 데서 그쳤으며, 이대로 『經國大典』에 收載되었다.

제2장 병마절도사와 하부 기구

1. 병마절도사의 칭호

여기서 도절제사都節制使와 병사兵使가 갖고 있던 칭호를 살펴보는 것은 그들이 도내에서 누리던 군사적 지위를 파악하기 위함이다. '절제節制'와 '절도節度'는 모두 관할하는 군사를 지휘한다는 뜻이며, 서로 통용되었다. 가장 흔히 사용된 병사라는 약칭은 병마절도사에게만 사용되고 병마도절제사에게는 거의 사용되지 않아서[102] 도절제사라는 약칭과 서로 구분된다. 그러면, 먼저 도절제사라는 칭호부터 살펴보기로 한다.

도절제사는 보통 절제사라 하였다.[103] 주로 양계의 거진巨鎭 또는 군익도軍翼道 단위로 파견되는 장수로는 병마절제사兵馬節制使가 임명되었는데, 이들과는 도절제사와 단절제사單節制使로 구분하기도 했다.[104] 즉 도

---

102) 兵馬都節制使를 兵使로 略稱한 경우는『世宗實錄』권 26, 6년 10월 丁未와『世祖實錄』권 33, 10년 7월 戊寅의 기록에서 찾아볼 수 있을 뿐이었다.

103) '3品 堂上者를 불가피하게 敍用할 때 兵使의 경우는 兵馬節制使로 改稱하는 경우도 나타나고 있다'는 설명이 제시된 바 있는데(張炳仁, 앞의 글, 1984, 176쪽), 그 근거가 된 기록은 보다 정확히 말한다면 都節制使는 3品官이 임명된 예가 없고 3品 堂上의 觀察使(당시는 이 경우를 單觀察使라 하였음)가 軍職을 겸하면 僉節制使라 하여야 원칙이나 특별히 '僉'字를 빼고 節制使라 한다는 것으로서, 監司兼職의 경우만 해당한다. 당시 節制使나 都節制使나 2品 이상의 관직임은 마찬가지였고, 3品은 僉節制使라 하였다.

104) 議政府啓……咸吉道北境 旣置單節制使 又有都節制使(『世宗實錄』권 119, 30년 3월 辛卯).

절제사도 장상相將의 지위에 있는 장수의 일반적 칭호로 사용된 '절제사'의 범주에 속하는 것으로 인식하고 있었다. 물론, 도절제사는 휘하의 절제사들을 지휘하는 위치에 있었다. 그런데 여기서 문제로 되는 것이 태조~정종 때의 재경在京 각도 절제사와 현지에 파견된 도절제사의 관계가 명확하지 않다는 점과 실상 도절제사라는 직함이 각도에 파견된 병마·수군도절제사에게만 사용되지는 않았다는 점이다.

태조~정종 때에는 중앙에 있는 각도 절제사가 시위패侍衛牌를 사병私兵과 같은 존재로서 지휘하고 있었다. 이들은 고려말 창왕 때 원수元帥로부터 개칭되어 각도에 파견된 절제사의 계통이 아니라, 1390년(공양왕 2)에 이성계가 중외군사中外軍事를 모두 총괄하게 되면서 원수를 혁파하고 나서[105] 1392년 조선을 건국하기 전에 조준趙浚·남은南誾 등에게 각도 군사를 관할하도록 하면서 둔 절제사의 계통을 잇는 것으로 생각된다.[106] 조선 건국 이후 사병 혁파 이전까지 재경 각도 절제사는 시위패만이 아니라 관할하는 도의 선군船軍과 육수군陸守軍, 그 밖에 여러 역을 지는 자들까지 상경시켜 동원할 수 있을 정도로 강대한 권한을 행사하고 있었다.[107] 이들은 대개 종친이거나 재상들이어서 중앙 정계에서의 강대한 권력을 바탕으로 큰 영향력을 행사할 수 있었던 까닭에 1400년(정종 2) 4월 사병이 혁파되어 재경在京 각도 절제사의 권한이 크게 제한될 때까지는 각도에 파견된 도절제사의 도내 지방군에 대한 권한이 매우 한정적이었을 것임이 쉽게 짐작된다. 따라서 도절제사가 도내 군사를 전담하여 지휘하게 된 것은 사병혁파 이후의 일로 보아야 할 것이다.

한편 사병이 혁파된 뒤인 1409년(태종 9)에는 전국을 11도로 나누어 각

---

105) 『高麗史』 권 45, 世家 45, 恭讓王 2년 11월 辛丑.

106) 『高麗史』 권 46, 世家 45, 恭讓王 4년 6월 丙寅.

107) 大司憲南在等上言……一. 國家所重 在於戎事 握兵發兵 各有其職 古之制也 近者 各道節制使 直牒主府郡縣 其騎船軍·陸守軍 與雜泛供役者 盡令抄出赴京……(『太祖實錄』 권 2, 1년 9월 己亥).

도별로 도절제사 1인과 그를 보좌하는 절제사 또는 첨절제사를 1~2인씩 두어서 시위군을 통솔토록 하였다.108) 이들 도절제사 이하 절제사, 첨절제사는 대개 삼군도총제부三軍都摠制府의 도총제都摠制나 총제摠制, 첨총제僉摠制로서 병권兵權을 장악하고 있거나 봉군封君된 사람들이었고, 11도는 경기좌 · 우도, 계림안동도, 상주진주도, 전라도, 충청도, 풍해도豊海道, 강원도, 동북면, 평양도, 안주도였다. 시위군을 관할하기 위한 11도의 구분은 1407년 9월 경상도의 군사도를 둘로 나눌 때 완성된 것으로 보이며, 이는 1408년 3월에 이미 도별로 11개의 경군영京軍營이 두어져 있고, 각 군영에 색장色掌 15인을 두도록 하였던 기록에서 알 수 있다.109) 1402년

---

108) 置十一道都節制使各一人 其左之者 嘉善以上則爲節制使 通政以下則爲僉節制使 尙州晋州道 靑原君沈淙 漆原君尹子當 雞林安東道 麗山君金承霔 前節制使曹緩(瑗)……(『太宗實錄』 권 18, 9년 10월 乙丑).
이를 당시의 對外情勢에 따른 대응조치로서 各道에 都節制使를 파견함으로써 11개의 兵馬道가 정해진 것으로 보는 견해도 있으나 (閔賢九, 앞의 책, 1983, 184쪽), 위의 都節制使등이 中央軍의 節制使였음은『太宗實錄』 같은 날의 다음 두 記事에서 확인할 수 있다.
○ 時李叔蕃掌中軍 趙大臨掌左軍 權跬掌右軍 金南秀 · 韓珪 · 延嗣宗 · 李從茂 · 馬天牧 · 成發道 · 趙涓等 七人爲之在 預軍政.
○ 罷江原道都節制使 令觀察使兼之(이상 방점은 필자).
여기서 방점을 찍은 사람은 모두 11道 都節制使나 節制使로 임명된 사람이며, 同日에 江原道 都節制使를 혁파한 것은 더욱 뚜렷한 증거가 된다고 생각한다. 張炳仁氏도 역시 이들을 '侍衛軍 節度使'로 보고 있어(張炳仁, 앞의 글, 1984, 165쪽), 필자와 견해를 같이하고 있다.

109) 兵曹詳定各道軍營色掌遷轉之法 各都節制使道色掌一百三十九名擊申聞鼓 下兵曹 今詳定額數及職品高下遷轉品次 兵曹啓 各道軍營凡十一所 每一道色掌以十五人爲額 許五品以下入屬 十一道合爲一都目……(『太宗實錄』 권 15, 8년 3월 庚戌).
侍衛軍都節制使道의 色掌은 8개월 뒤 鎭撫로 명칭이 바뀌며, 동시에 각도 侍衛軍 節度使 8人이 새로 임명되는데, 그 가운데 5人이 同王 9년 10월의 11道 都節制使와 일치한다(『太宗實錄』 권 16, 8년 11월 丙辰). 節度使가 都節制使의 別稱인지, 명칭이 바뀌었는지, 또는 기록에 착오가 있었는지는 확인할 수 없다. 侍衛軍 京軍營의 존재는 '敦化門西 慶尙道軍營火延燒行廊二十七間……'(『太宗實錄』 권 30, 15년 9월 癸丑)의 기록으로 확인된다.

에 좌 · 우도 둘을 합하였던 경기의 시위군은 아직 좌 · 우도로 나뉘어 관장되고 있었고, 서북면의 의주도와 강계도, 이성도 등 3개 군익도에서는 여진 방어를 위해 시위군이 번상하지 않았음도 드러난다.[110] 이들 시위군을 관할한 도절제사가 그 뒤 어떻게 변화하였는지는 기록에 나타나지 않으나, 1412년(태종 12) 7월 의흥삼군부義興三軍府가 혁파되고 1414년(태종 14)을 전후하여 삼군진무소三軍鎭撫所가 다시 설치되는[111] 사이인 1413년 3월 시위군을 진군鎭軍에 합한 바 있는데,[112] 이 무렵에 시위군 도절제사 제도가 혁파되지 않았을까 추측된다.

이 밖에 중앙군 도절제사로 1419년(세종 원년) 대마도對馬島를 정벌할 때 삼군도절제사三軍都節制使가 두어진 일이 있다.[113] 이는 정벌을 위해 편성된 삼군三軍의 도절제사이므로 임시 관직이기는 하지만 휘하의 절제사, 병마사, 지병마사 등을 지휘하는 직책이었다는 점에서 시위군의 도절제사와 유사함을 발견할 수 있다. 그러나 이 뒤로는 중앙군의 장수가 도절제사 직함을 갖는 경우는 보이지 않는다는 점이 주목된다.

조선 초엽에는 주로 왜구를 물리치기 위하여 조전절제사助戰節制使를 자주 파견하였으며, 이따금 조전도절제사助戰都節制使도 파견하였다. 조전도절제사는 임시로 전투지역의 군사를 총지휘하도록 파견된 것으로 추측되는데, 그 파견 예를 보면 다음과 같다.

> ○ 상의중추원사(商議中樞院事) 진을서(陳乙瑞)를 해도(海道) 조전도절제사로, 중추원부사(中樞院副使) 이극공(李克恭)과 신유현(辛有

---

110)『世宗實錄』「地理志」에는 平安道의 5개 軍翼道 가운데 義州道, 江界道, 泥城道에 속하는 邑에는 侍衛軍으로 편성된 군사가 기록되어 있지 않다. 이 지역에는 太宗 때에도 侍衛軍이 없었을 가능성이 높다.

111) 閔賢九, 앞의 책, 1983, 279쪽.

112)『太宗實錄』 권 25, 13년 3월 壬午.

113)『世宗實錄』 권 4, 1년 5월 戊午. 甲子 및 戊申.

賢), 장사정(張思靖)을 조전절제사로 임명하여 왜구를 풍해도와 서북면 바닷가 지역에서 잡도록 하였다.114)

○ 임금이 고양현(高陽縣) 가둔원(街屯院) 앞에 머물렀다. 정진(鄭津)이 또 "왜구가 도두음곶(都豆音串)에 침입하였는데 만호 김성길(金城吉)이 술에 취하여 대비하지 않아서 왜구의 배 32척이 우리 병선 7척을 빼앗아 불태웠고, 우리 군인으로 죽은 자가 반을 넘는다 …… ." 고 보고하였다. 두 임금이 그 보고를 듣고 크게 놀랐다. 박은(朴訔)이 아뢰었다. "충청도 병마도절제사 김상려(金商旅)는 어깨에 병이 있고 재주도 없습니다. 그러나 위급한 때에 장수를 바꾸어서는 아니 되니, 일단 임무를 맡길 만한 자에게 조전(助戰)하도록 하고 일이 정리된 뒤에 교체하는 것이 좋겠습니다." 이리하여 첨총제 이중지(李中至)를 충청도 조전병마도절제사로 임명하였다.115)

○ 황해도 감사가 급히 보고하였다. "이달 11일 조전절제사 이사검(李思儉)과 만호 이덕생(李德生)이 병선 5척으로 해주 연평곶(延平串)에서 왜구의 정보를 수집하는데 왜구의 배 38척이 안개가 껴서 잘 안 보이는 틈을 타서 갑자기 와 포위하였습니다 …… ." 두 임금이 매우 걱정되어 곧바로 대호군(大護軍) 김효성(金孝誠)을 경기 · 황해도 조전병마사(助戰兵馬使)로 임명하고, …… 또 이지실(李之實)을 황해도 조전병마도절제사로 임명하였다.116)

이들은 모두 왜구를 막기 위해 파견되었는데, 첫번째와 세번째의 경우는 조전도절제사 밑에 조전절제사, 조전병마사 등이 파견되었음을 볼 수 있고, 두 번째의 충청도 조전병마도절제사 이중지는 예정대로 3일 뒤에 충청도 도절제사로 임명되었다.117) 즉 조전도절제사는 전투가 발생했을 때 '조전助戰'을 위해 임시로 파견되는 장수들을 총지휘하기 위해서, 또는 지휘능력이 결여된 도절제사를 대신하여 군사를 지휘하기 위해서 파견되

114) 『太祖實錄』 권 12, 6년 7월 丙辰.
115) 『世宗實錄』 권 4, 1년 5월 辛亥.
116) 『世宗實錄』 권 4, 1년 5월 丁巳.
117) 『世宗實錄』 권 4, 1년 5월 甲寅.

었던 것이다. 그런데, 조전도절제사도 1419년 5월 뒤로는 파견되는 예를 볼 수 없다. 이 뒤 조전을 위해 파견되는 장수는 절제사, 첨절제사 등 도절제사보다 낮은 직함을 가질 뿐이었다. 이는 국방력의 강화와 정치의 안정에 기인하는 것이겠지만, 또한 도절제사가 도별 최고 군사책임자의 직함으로 정착되고 있음을 나타내는 것이라고 하겠다.

도절제사가 관할하는 군사도 안의 특정 지역에도 도절제사가 파견되는 일이 있었다. 이러한 예는 국방상의 중요지역으로 이른바 익군체제에 의해 군익도가 편성되어 있던 양계에서만 나타난다. 특히 서북방 방어의 중심지인 안주도와 강계도에 몇 번 도절제사가 임명되었음을 볼 수 있다.[118] 이들은 군익도 내의 군사를 관할하면서 한편으로는 도의 주장主將인 함길 · 평안도(동 · 서북면) 도절제사의 지휘를 받았다.[119] 그러나 도의 주장과 군익도의 주장이 같이 도절제사라는 직함을 사용하는 것은 군령체계의 혼란을 야기할 우려가 있었다. 그 까닭인지 1421년(세종 3) 8월 이후 결국 도내 특정 지역에 도절제사를 파견하는 경우도 보이지 않게 된다.[120] 이로써 도절제사가 도내에서 군사적 전제권을 행사할 수 있도록

118) 安州道에는 太宗 때에만도 2년 11월 李天祐, 7년 12월 鄭耕, 9년 11월 李從茂 , 11년 2월 金萬壽, 12년 2월 金宇 등이 都節制使로 파견되었고, 江界道에는 太宗 17년 윤5월 朴矩, 世宗 3년 8월 郭承祐가 都節制使로 임명되었다. 이것이 軍翼道別로 都巡問使 또는 都節制使를 두어 分掌시켰던 근거이리라는 추측이 제시된 바 있다(張炳仁, 앞의 글, 1984, 170쪽). 그러나 이 문세는 첫째 都巡問使가 軍翼道 단위로 임명된 예는 朝鮮時代에는 없다는 점, 둘째 軍翼道에는 원래 都兵馬使가 파견되다가 兵馬節制使가 파견되며 모두 지위가 都節制使에 비견될 만하다는 점, 셋째, 太宗代까지는 都節制使가 一道의 主將의 직함으로 정착하지 못했다는 점을 고려하면 역시 부정적이라고 판단된다.

119) 이는 世宗 3년 8월 江界道 都節制使로 임명된 郭承祐가 大臣들에게 歷辭하던 중에 자기보다 品階가 낮은 平安道 都節制使 崔汾의 관할 아래 놓이게 되었음을 불평하여 결국 파직된 데에서(『世宗實錄』 권 13, 3년 8월 甲寅) 알 수 있다. 이것이 마지막 임명된 軍翼道 都節制使였다.

120) 『世宗實錄』 권 69, 17년 8월 辛丑의 기록에 '會寧都節制使 李澄玉'이라고 하여 會寧에 都節制使를 파견한 듯이 되어 있으나, 이는 李澄玉이 이해 3月 咸吉道 都節制使로

명칭이 정비된 것으로 볼 수 있을 것이다. 이렇게 하여 세종 때부터 도절제사는 각도 주장의 직함으로 굳어지게 되었고, 그것이 세조 때에 이르러서 병마절도사로 바뀌는 것이다.

병사 또는 도절제사의 별칭으로는 주장 또는 주수主帥, 대장大將, 원수元帥, 곤수閫帥, 연수連帥 등이 사용되었다. 주장과 주수는 도절제사영 또는 병마절도사영을 도의 주진主鎭이라고 부르는 것과 상응하는 명칭으로서, 도내의 여러 군사 업무를 담당하여서 군관 및 군사를 총지휘한다는 의미로 사용되었다. 진관체제가 『경국대전』에 수록된 뒤 주진이라면 대개 병영을, 주장이라면 병사를 뜻하게 되었지만, 정확히는 도의 주진, 주장을 뜻하는 것이었다. 진의 절제사, 첨절제사 등도 그 부하들에 대하여 주장으로 불렸으며,[121] 이것도 관할지역 안의 군관 및 군사를 총지휘한다는 의미로 사용된 것이었다. 병사는 또한 도의 주장으로서 이들에 대해 주장의 위치에 있었다.

1457년(세조 3)에 도절제사의 권위를 높이기 위하여 육군대장陸軍大將으로 부르게 한 바 있지만, 대장은 그 이전에도 이미 도절제사의 별칭으로 사용되고 있었다. 대장이란 중국 전국시대부터 두어진 한 국가 총사령관의 직책인 대장군大將軍의 약칭으로서 다른 모든 장군을 지휘하는 장군을 의미한다. 조선초기에도 도내의 모든 장수를 지휘한다는 의미에서 도절제사 · 병사를 대장으로 불렀으며, 이에 비하여 절제사는 부장副將, 그 이하는 편장偏將으로 불렀고, 대장과 주장은 혼용하기도 했다.[122]

임명되었다가 곧 會寧節制使(判會寧府事)로 전임된 데서 나온 혼돈으로 생각된다.

121) 한 예를 다음의 경우에서 볼 수 있다.

議政府據吏曹呈啓 兩界及六道沿邊守令 必以有武才者差任……唯義州 · 江界 · 鏡城 · 會寧 · 鍾城 · 慶源 · 穩城等官 旣有主將 其判官 雖短於武才 以長於吏治者爲之(『世宗實錄』 권 119, 29년 9월 癸巳).

122) 平安道都體察使金宗瑞上言……且於寧邊 · 安州 皆置大將 以安州爲大將之所 寧邊爲副將之所 賊從義州而來 則龍川淩漢城偏將邀之於隘 從朔州而來 則責山城偏將邀之於隘 從靑山而來 則朔州主將 邀之於隘……(『文宗實錄』 권 5, 1년 1월 乙丑). 당시에

도절제사 또는 병사를 원수로 부르는 것은 고려말에 도순문사가 도절제사로, 원수가 절제사로 바뀐 것을 생각하면 이상하게 볼 수도 있겠지만, 원수가 갖는 일반적인 의미는 주장이나 대장과 같으므로 도절제사 · 병사의 도내에서의 군사적 지위와 연관하여 그렇게 호칭된 것으로 보면 이상할 것이 없다. 고려말의 원수도 원래는 도마다 1인씩 파견되는 것이 원칙이었고, 원수가 도순문사를 겸하기도 하여서 양자가 확연히 구분된 것은 아니었으며, 조선초기에 병영을 원수부元帥府라고도 했던 것은 이와 상응한다.[123)]

곤수와 연수는 도절제사에게도 적용되었지만, 주로 조선후기에 병사의 별칭으로 많이 사용되었다.[124)] 곤수는 '도성의 문턱 밖은 장수가 통제한다閫以外者 將帥制之'라는 말에서 나온 것으로 생각된다. 도절제사 · 병사의 직무는 자주 '곤외지임閫外之任'으로 표현되었으며, 이는 군관과 군사에 대한 논공행상論功行賞은 물론이고 생사여탈권生死與奪權마저 갖는 전시戰時의 권한을 나타내는 말이기도 하였다. 연수는 한漢 때 태수太守의 별칭이었는데, 후대에는 안찰사의 별칭으로 사용되었다고 한다. 중국의 절도사는 절수節帥라고 부르기도 했는데, 곤수와 연수는 이와 비슷한 양식의 별칭이 아닌가 한다.

이와 같이 도절제사와 병사에게는 도내 군사 업무를 전담하여 지휘하고 군관과 군사를 총지휘한다는 의미의 별칭이 사용되고 있었다. 그 실제에 대하여는 병사의 직무와 기능을 논하는 가운데 언급될 것이다.

는 平安道를 左 · 右道로 나누어 각각 都節制使를 두고 있었다.

123) 『世宗實錄』 권 36, 9년 5월 戊戌.

124) 그 예로 다음의 경우를 들 수 있다.

○ 鎭撫使 · 統制使 · 閫帥 · 邊地營將 新資外職歷辭 時 · 原任大臣 · 將臣 · 六卿 (『六典條例』兵典 兵曹 總例).

○ 或曰 藩鎭之任 其權實重 觀察 · 節度 過爲久任 則恐不無後世之弊 如何 曰 方伯 · 連帥 古周召之任……(『磻溪隨錄』 권 13, 任官之制).

2. 병마절도사의 임용

1) 제수와 천거

고려말 도순문사에서 도절제사로 명칭이 바뀐 뒤 국왕이 도절제사를 제수除授하여 파견하였음은 앞에서 보았다. 이때의 제수의 의미는 이전에 경관京官을 구전口傳으로 임명하던 것과는 달리 전에 가졌던 관직을 제외시키고 새 관직 즉 도절제사직만을 갖도록 하여 전임관專任官으로 한다는 의미가 포함되어 있는 것으로 생각된다.[125] 그러나 조선왕조로 들어와서 도절제사는 대체로 경직京職을 띤 채 임명되었으며, 1408년 7월부터야 하비下批하여 임명하게 됨으로써 다시 전임관으로 확립되었다. 이때 주의注擬와 수점受點은 의정부 또는 이조에서 맡다가 직함이 병마도절제사에서 병마절도사로 바뀐 뒤인 1470년(성종 원년)에 『경국대전』 이전吏典과 병전兵典의 제도를 따르게 되면서 비로소 병조에서 맡게 된 것으로 보인다.[126] 1478년(성종 9)에는 병사가 수령의 포폄에 참여한다는 이유로 이조와 병조가 동의하여 주의토록 하였는데[127], 수점은 역시 주무 관서인 병조가 담당하고 있었다.

도절제사 · 병사를 임명할 때에는 천거를 받은 사람 가운데서 주의하여 수점하는 것이 원칙이었다. 이미 1389년(공양왕 원년)에 조준이 도절제사를 도평의사사와 대간으로 하여금 천거케 하여 임명하자고 주장한 바 있는데[128], 당시 이 주장이 받아들여지지 않았을까 생각된다. 『경국대전』에는 관찰사와 마찬가지로 병사도 의정부와 육조의 당상관 및 대간

---

125) 除授 除者 除去舊官 就新官也 授予也 付也(『經國大典註解』「後集」 권 上, 吏典, 京官職).
126) 『成宗實錄』 권 6, 1년 7월 戊寅.
127) 『成宗實錄』 권 99, 9년 12월 庚戌.
128) 『高麗史節要』 권 34, 恭讓王 元年 12월.

관원의 천거를 받도록 되어 있다.[129] 제수를 위해서는 3인을 천망薦望하여 주의注擬하는 것이 보통이었지만, 양계의 병사는 그 직임의 중요성에 비추어서 때로는 수에 구애받지 말고 주의토록 한 일도 있다.[130] 병사로 천거되는 대상자는 시時 · 산散의 문무관료이며, 계속 2품 이상자를 임명하여 오다가 1476년(성종 7) 12월 양계 이외의 지역에는 관찰사의 예에 따라 3품 당상관도 천망토록 되면서[131] 비로소 1477년부터 수직守職의 병사가 파견되기 시작하였다. 실제로 1476년까지는 3품관을 도절제사 · 병사로 임명한 예가 보이지 않는다.

한편, [illegible] 않고 병사를 국왕이 독단적으로 임명하거나 병조가 [illegible]의하여 물의를 빚은 일도 있었다. 다만 승지承旨를 거친 사람은 천거가 없어도 감사나 병 · 수사로 임명될 수 있었다.[132] 물론 정상적으로 천거를 받아 주의됨으로써 병사로 임명되는 것이 보통이었지만, 이는 역시 국왕과 전조銓曹가 관료의 임명에 큰 영향력을 행사하는 까닭에 나타나게 되는 현상이었다.

2) 자격요건

병사에게 작게는 전투의 성패가, 크게는 국가의 안위가 달려 있는 만큼 그 자격 요건으로서 우선 무재武才가 있어야 했다. 무재에는 무술은 물론

---

129) 【薦擧】……每年春孟月 議政府 · 六曹堂上官及司憲府 · 司諫院官員 各薦堪爲觀察使 · 節度使者(『經國大典』 吏典).

130) 『成宗實錄』 권 55, 6년 5월 己未.

131) 兵曹啓 兩界外 諸道兵馬節度使 今後 依觀察使例 雖三品堂上官 能堪其任者並薦何如 從之(『成宗實錄』 권 74, 7년 12월 己丑). 張炳仁氏는 '兵使를 從2品 이하자로 임명한 경우는 世宗朝 이후 많이 나타난다'고 하였는데(張炳仁, 前揭論文, 1984, 176쪽), 觀察使가 兼任하는 경우만 이에 해당하며, 3品官이 受點되더라도 2品으로 特進시켜 差遣하는 것이 通例였다.

132) 『成宗實錄』 권 282, 24년 9월 辛亥.

이고 장수로서 갖추어야 할 지략까지 포함된다. 1434년(세종 16)에는 장래의 장수를 양성하기 위하여 무재가 있는 자들을 의정부의 대신, 육조판서, 삼군진무소 도진무 등이 뽑아서 3년마다 한 번씩 무재록武才錄을 작성토록 하고[133] 진장鎭將과 연변수령沿邊守令 등은 이 무재록에 오른 자들이나 무과武科 급제자를 우선적으로 임명토록 하였다.[134] 병사는 무재가 중요시된 까닭에 대개는 장년의 무신을 임명하였고, 수직守職의 병사가 파견되기에 이른 이유의 하나는 여기에 있다고 생각된다.

병사는 무재와 아울러 덕망을 갖출 것이 요구되었다. 이는 병사가 밖으로 외적을 막을 뿐 아니라 안으로는 치안을 유지하고 내란을 방지하여야 했기 때문이다. 이러한 자격 요건을 충족시키는 인물을 얻기 위해 문신으로서 무재가 있는 자를 양성하여 등용하기도 했다. 이들은 특히 양계의 도절제사 또는 병사로 중용되었는데, 세종 때에 김종서金宗瑞, 심세형金世衡이 먼저 함길도에서 관찰사를 지낸 뒤 이 도의 도절제사로 임명된 것이나, 세조 때에 허종許琮, 이극균李克均이 겸선전관兼宣傳官에 임명되었다가 몇 차례에 걸쳐 함길도, 평안도 등의 병사로 임명되었던 것이 이에 해당한다. 성종 말엽에도 이 예에 따라 문신으로 무재가 있는 자들을 뽑아 선전관을 겸하도록 하여 장수의 재목을 양성한 바 있다.[135]

3) 경직겸차와 수령직 겸직

도절제사와 병사는 1477년(성종 8) 본격적으로 실직實職으로 임명하기

---

133) 『世宗實錄』 권 66, 16년 12월 乙巳.

134) 議政府據吏曹呈啓 兩界及六道沿邊守令 必以有武才者差任 然沿邊八十餘郡縣 皆不是最緊……其沿邊郡縣 分其上中下緊 原係各鎭及上緊郡縣 以武科及登武才錄者爲之……(『世宗實錄』 권 117, 29년 9월 癸巳).

135) 『成宗實錄』 권 263, 23년 3월 乙未.
이 때 양성된 인물로 대표적인 이가 中宗 때 三浦倭亂을 평정하여 공을 세우는 柳順汀이다.

시작할 때까지는 경직京職을 띤 채 임명하는 경우가 많았다. 1408년 도절제사를 하비下批하여 임명하기 시작하면서 경직을 삭제한 대신 수령직을 겸하게 하였다가 1412년 이후로는 양계의 도절제사만 수령직을 겸하게 하였음은 앞에서 보았다. 그 뒤 도절제사·병사는 1423~1434년(세종 5~16), 1457~1477년(세조 3~성종 8) 동안은 경직을 띤 채 임명되었다. 그러다가 1477년 7월에야 『경국대전』의 규정대로 실직으로 임명하여 보내게 된 것이다.136)

병사에게 경직을 띠고 그 직무를 수행하도록 하였던 이유는 근본적으로 국가재정이 풍족하지 못하여 녹봉과 기타 비용을 줄이려는 데에 있었다. 그러나 감사와 병사, 수사 등을 경직을 띠고 부임하게 되면 적임자를 널리 뽑지 못하고, 맡은 직책에 충실할 수 없고, 경관京官의 과궐窠闕이 줄어들어 관직을 받지 못하는 사람이 는다는 폐단이 뒤따르기 마련이어서, 그들의 수령관과 함께 국가재정의 형편에 따라 경직을 띠고 부임하거나 실직만 띠는 차이가 발생하였다.

병사가 수령을 겸직하는 경우는 양계에 한정되었다. 함길도의 군사도가 나뉜 뒤 북병사와 남병사 모두 수령직을 겸하였고, 평안도의 군사도가 좌·우도 또는 중·동·서도로 나뉘어 각각 병사가 두어졌을 때에도 그 기간이 얼마 되지 않았음에도 역시 모두 수령직을 겸하였다.

4) 상피

병사는 도내 육군의 병권을 장악하고 군사를 전담하여 통제하므로 상피相避가 매우 중요시되었다. 특히 병사와 상·하로 지휘관계에 놓이는 관서와 관직에 대해서는 반드시 상피되었다. 따라서 병사의 직무를 관장

136) 傳旨吏曹兵曹曰 諸道觀察使·兵馬水軍節度使·都事·評事 皆以京官兼差 窠闕甚狹 用人爲難 今後 依大典 實職差遣(『成宗實錄』 권 82, 8년 7월 癸未).

하는 병조는 물론이고[137] 군사적인 임무를 띠고 임시로 파견되는 도체찰사都體察使나 도순찰사都巡察使 등과도 역시 상피되었다.[138] 병사의 휘하인 우후와 평사, 도내 여러 고을의 수령, 제진諸鎭의 진장과 만호, 그리고 상호 지휘관계에 있지는 않아도 직무상 서로 연관되는 감사, 수사와도 역시 상피되었다.[139] 행정구역으로서의 도 안에 두 개의 군사도가 있는 경우인 영안남 · 북도와 경상좌 · 우도의 병사는 각각 관할지역 안의 수령, 진장 등과만 상피되었다.[140] 이와 같이 병사에 대한 상피 규정은 매우 엄밀하였다. 그 까닭이 한 도의 병권이 친족 사이에 집중되어 왕권을 위협하는 일이 없도록 하려는 것임은 쉽게 짐작할 수 있다.

5) 임기

도절제사의 임기에 대하여는 1423년(세종 5) 도절제사를 '전과 마찬가지로 수령을 겸직하는 도절제사는 가족을 거느리고 부임하며, 2년 근무한 뒤에 교체한다'고 규정한 바 있다.[141] 이 뒤에 '국가의 제도에 도절제사는 2년 근무 뒤에 교대한다'는 말이 나오는 것으로 보아[142] 도절제사의 임기는 세종 초엽에 2년으로 확정되어 있었던 듯하다. 그런데, 조선초기의 도절제사는 법을 어겨 파직되는 경우도 많았고, 위급할 때에는 보다 유능한 사람으로 교체하는 일도 잦아서 임기를 다 채우는 경우가 드물었다. 이 때문에 1424년 허조許稠가 '도절제사와 처치사는 반드시 2년이 지

137) 司憲持平李復善來啓曰……且李克增今爲兵曹判書 而其弟李克均爲平安道節度使 節度使之職 管於兵曹 例當相避(『成宗實錄』 권 155, 14년 6월 丁丑).

138) 領中樞府事李克培來啓曰 臣今受平安道體察之命 臣弟克均爲其道節度使 凡發兵用軍等事 法當相避敢辭 傳曰改之(『成宗實錄』 권 130, 12년 6월 甲寅).

139) 觀察使 · 節度使 · 守令 · 僉使 · 萬戶 並交代相避(『續大典』 吏典 相避).

140) 咸鏡道南北關及兩南左右道守令於節度使 換道則勿避 南關守令於北評事亦同(『續大典』 吏典 相避).

141) 『世宗實錄』 권 20, 5년 12월 甲寅.

142) 『世宗實錄』 권 65, 16년 8월 戊辰.

난 다음에 체임하고, 공적이 있는 자는 외관을 겸직하여 오래 맡게 하자' 고 건의하여 그에 따르도록 하였지만[143], 특별히 이미 부임한 도절제사를 외관을 겸직하도록 한 예도 없고, 2년의 임기도 실제로는 세조 때가 되어야 잘 지켜졌다. 병사의 임기는 『경국대전』에도 2년으로 규정되어 있다.[144] 다만 양계의 도절제사 및 병사는 2년 이상 오래 맡는 경우가 많았다.[145]

6) 부임과 체임

도절제사와 병사는 수령직을 겸하는 경우에만 식솔을 거느리고 부임하였고, 당시에는 이를 '솔권부임率眷赴任'이라 하였다. 이 원칙은 성종 때까지도 지켜지고 있었다.[146] 그러나, 수령직을 겸하는 세 병사 즉 평안병사와 남병사, 북병사 가운데서 여진족이 섞여 사는 지역인 경성鏡城에 병영이 있는 북병사는 가족과 함께 부임하지 못하다. 이는 함길도 도절제사영을 경성에 두면서부터 지켜온 규칙이었다.

병사는 감사, 수사와 마찬가지로 부임할 때에는 모두 전별연을 열어 주었고, 새로 임명되면 사신使臣으로 나가는 예에 따라 임명된 다음날에 대전大殿, 왕비전王妃殿, 왕세자궁王世子宮 등에 들어가 사은숙배謝恩肅拜하고, 임기를 마치고 돌아온 다음에도 역시 사은숙배하여야 했다.[147] 또, 임명된 지 10일 이내에 의정부와 병조에 참알參謁하고[148], 부임에 앞서 중신重臣들과 대간 관원을 두루 방문하며 부임을 알려야 했는데, 이때 중신

---

143) 『世宗實錄』 권 26, 6년 11월 辛丑.

144) ○ 節度使 · 虞候 · 評事 仕滿七百二十(『經國大典』 兵典 外官職).
○ 七百二十 二十四箇月也(『經國大典註解』「後集」兵典 外官職).

145) 吳宗祿, 앞의 글, 1992. 참조.

146) 李克培議……臣則以爲 平安道則觀察使兼平壤府尹 節度使兼寧邊府使 永安道則觀察使兼永興府使 南道節度使 兼北青府使 皆在內地 故皆率眷赴任 此國家舊章也(『成宗實錄』 권 195, 17년 9월 庚戌).

147) 『經國大典』 禮典 朝儀.

148) 『經國大典』 禮典 參謁.

들이 필요한 주의와 부탁을 하는 것이 통례였다.149)

병 · 수사는 체임할 때 영문營門에서 교대하는 것이 원칙이었다. 원래 전임 병사는 영에 머무르면서 인신印信을 도의 경계로 보내 신임 병사를 맞이하였는데, 긴급한 사태가 생겨 대응해야 할 때 문서를 작성하기 위해서는 인신이 있어야만 된다고 하여 1434년(세종 16)에 영문에서 교대하면서 직접 인신을 주고받도록 하였다.150) 이 규정은 그대로 『경국대전』에 실려 있다.151) 발병부發兵符도 역시 영문에서 교대하면서 직접 주고받았을 것으로 생각된다.

7) 출신

병사와 도절제사는 보통 무신으로 임명하였지만, 문신을 임명하는 경우도 상당히 많았다. 태조 때부터 성종 때까지 도절제사와 병사로 임명된 사람들의 출신과 역임관직, 그들이 도절제사나 병사로 근무하였던 도 등을 조선왕조실록에 기록된 졸기卒記에서 뽑아내 정리한 것이 이 책 뒷 부분에 제시한 <부표 2>이다.152)

여기에서 하경복河敬復과 조비형曹備衡, 성달생成達生 세 사람이 1402년(태종 2)에 우리 역사상 처음 실시된 임오무과壬午武科에 급제한 이들이며, 하경복 이후의 28인 가운데서 무과에 급제한 사람이 18인으로 대다수를 차지하고 있다. 특히 세종 때에 도절제사를 지낸 사람은 거의가 무과에 급제한 이들이다. 세조 때 이후에는 문과 출신이나 문신으로서 중신의 지위에

149) 金雲泰, 『朝鮮王朝行政史』 「近世篇」, 1970, 179쪽 및 이글 註 125).

150) 『世宗實錄』 권 66, 16년 10월 庚戌.

151) 外官印信 觀察使則於境上 節度使 · 僉節制使 · 萬戶則於鎭門 守令 · 察訪 · 驛渡丞則於衙門 面相授受 (『經國大典』 禮典 用印).

152) 필자가 『太宗實錄』~『成宗實錄』에서 1392년~1494년에 都節制使 · 兵使로 파견된 예를 조사한 바로는 총파견횟수 361회, 파견된 人物의 수 223人 이었으며, 이 가운데 卒記가 실린 것은 45人으로 223人의 20.2%에 해당한다.

오른 사람들이 상당수 병사로 임명되었음도 볼 수 있다.

한편 국왕과 밀접한 관계에 있는 사람이 병사로 많이 등용되었다는 점도 발견된다. 종친과 부마, 외척 등 왕과 혈연관계가 있는 사람도 4인이 있지만, 이 밖에 국왕이 왕위에 오르기 전에 개인적으로 밀접한 관계를 맺었던 사람들이 병사로 임용되고 있고, 특히 양계의 도절제사나 병사로 중용되는 일이 많았음은 주목할 만하다. 위와 같은 경우는 거의 태종 및 세조때에 집중되어 있는데, 이는 두 왕이 무력을 사용하여 집권한 뒤, 가장 강대한 지방군을 관장하는 양계의 병사 또는 도절제사로 자신이 가장 신임하는 인물을 파견함으로써 정국을 안정시키고 내란을 방지하려 했던 의도를 반영한 결과로 추측된다.

3. 병영의 조직

병마절도사영은 보통 내상內廂이라고 불렀다. 병영兵營은 병마절도사영의 약칭이며, 병사가 담당하는 여러 직무를 수행하기 위하여 우후와 평사, 구전군관 등의 품관과 아전, 공장, 노비 및 유방군이 두어졌다. 여기서는 이들 병영의 구성원에 대해서 살펴보기로 한다.

1) 병마우후

병마우후兵馬虞候는 1466년(세조 12)에 병마도절제사도진무兵馬都節制使都鎭撫에서 개명된 관직으로, 종 3품의 무신 직과職窠이다. 우후는 병사를 보좌하는 막료로서 병우후로 약칭되었고, 주장에 버금간다고 하여 아장이라는 별칭으로 부르기도 하였다. 우후의 임기는 병사와 마찬가지로 2년이었다.153)

---

153) 註 144).

양계의 우후와 남방 여러 도의 우후는 그 격이 달랐다. 양계 도절제사의 도진무는 정 3품인 상호군 이상으로 임명하는 경우가 많았는데,[154] 남방 각도에서는 세조 초엽에 와서야 전함前銜 관원을 도진무로 임명하도록 규정되었으며[155] 이러한 차이 때문에 양계 도절제사의 도진무에게만 녹봉을 지급하였던 것으로 생각된다. 이 차이는 우후로 직함이 바뀐 뒤에도 계속되어서 1471년(성종 2)에 정식으로 양계의 우후에게만 녹봉을 지급하도록 규정하기에 이르렀다.[156] 이는 원래 구전군관 가운데서 1인을 도진무로 임명하는 것이 상례였던 남방 각도의 경우와 정예 무장을 도진무로 임명해 온 양계의 경우가 달랐던 까닭에서 생겨난 차이로 생각된다.

우후의 직무는 아장이라는 별칭에서도 나타나듯이 병사를 도와 여러 군사 업무를 수행하는 것이었다. 병사를 대신해서 도내 여러 고을을 순행하면서 군사조치와 지방군의 훈련, 습진習陣, 군기軍器의 정비 등을 살피는 것도 우후의 직무였다. 전에 진무소鎭撫所에서 관장하던 병사의 명령 전달과 군량, 군자의 관리도 역시 우후가 담당하였다고 생각된다.[157] 그리고 병사가 유고有故한 때에는 아장인 우후가 임시로 도내의 군사軍事를

---

154) 『世宗實錄』 권 59, 15년 1월 乙丑, 같은 책 권 67, 17년 3월 己亥, 같은 책 권 78, 19년 7월 戊申 등.

155) 忠淸 · 全羅 · 慶尙道都巡察使朴薑 副使具致寬等啓……一. 前者 以下三道諸營鎭及諸浦軍官 率以權知 · 直長 · 令史 · 別軍等雜職去官人自擧 虛費公廩 防戍虛疎 甚爲不可 請自今 都節制使 · 處置使軍官內一人 以前銜朝士中有武才者差定 都鎭撫稱銜 待滿二周 依京中前銜別坐例敍用(『世祖實錄』 권 6, 3년 1월 辛巳).

156) 戶曹啓 前此 兩界虞候給祿 餘則否 今大典內 泛稱節度使虞候有祿 然則他道虞候亦應給祿 請依前例 兩界外勿給祿 從之(『成宗實錄』 권 9, 2년 2월 癸酉).

157) 鎭撫所의 기능은 다음 기록에서 대략 파악할 수 있다.

○ 平安道都節制使崔閏德差朴好問馳啓曰…… 一. 主將出令 鎭撫所傳言 其一應動靜 諸軍於鎭撫所聽令(『世宗實錄』 권 60, 15년 5월 己未).

○ 兵曹啓 兩界巨鎭諸邑設節制使判官者 本欲可否相濟 非分管軍民之務也 今節制使……用口傳軍官 別開鎭撫所 凡營田所出 及獵獲之物 皆納之 廣招工匠 無所不爲(『世宗實錄』 권 4, 2년 5월 乙未).

담당하는 것이 상례였다.158) 우후는 병사를 대리하여 직무를 수행하는 까닭에 도내를 순행하다가 수령들과 모여 회의를 할 때에는 자신보다 직계職階가 높은 당상 수령이 있더라도 그보다 높은 좌차座次를 차지하였다.159)

2) 평사

평사는 도절제사 수령관首領官인 도사都事의 후신이다. 병사의 유일한 직속 문신 부하인 평사는 우후와 함께 그 막료로 호칭되었으며, 『경국대전』에는 평안도와 영안북도병사 밑에만 두도록 규정되어 있다. 도절제사 수령관은 국가의 비용을 줄이기 위해 용관冗官을 혁파할 때마다 함께 혁파되고 대신 장무 녹사掌務錄事를 두었다가 다시 설치되는 과정을 수차에 걸쳐 반복하였으며, 1466년에 당시 양계에만 설치되어 있던 도절제사 경력소經歷所를 혁파하고 평사를 두면서 정 6품관으로 규정하였다.160) 평사의 임기도

---

158) 예외적으로 觀察使나 해당도에 당시 파견되어 있는 都體察使 등의 使臣에게 잠시 그 직무를 겸하도록 하는 경우도 있었다(『世宗實錄』 권 69, 17년 9월 壬申 ; 『世祖實錄』 권 10, 3년 11월 壬午).

159) 虞候巡行諸邑時 虞候東 堂上守令西 並交倚 三品以下守令南行 無堂上守令 則虞候北 六品以上守令西 都事 · 評事同(『經國大典』 禮典 京外官會坐).

160) 都節制使 首領官의 置廢를 간단히 정리하면 다음과 같다.

- ○ 昌王代　　置掌務錄事.
- ○ 恭讓王　1년 12월　置首領官(經歷 · 都事).
- ○ 恭讓王　4년 4월　置掌務錄事.
- ○ 太　祖　7년 9월　置首領官(經歷 · 都事).
- ○ 太　宗　14년 8월　置掌務錄事(三軍錄事로 差任).
- ○ 太　宗　16년 8월　置經歷(都事가 파견될 때도 있었음).
- ○ 世　宗　1년 2월　置掌務錄事(三軍錄事로 差任).
- ○ 世　宗　5년 12월　置首領官(經歷 또는 都事, 京職兼差, 16년 10월 實職差遣).
- ○ 世　宗　18년 2월　首領官 혁파(兩界에만 殘置).
- ○ 世　祖　3년 2월　置首領官(都事).

世祖 3년 復置된 각도 都節制使 都事가 언제 혁파되고 다시 兩界에만 남게 되는지는 확실치 않다.

역시 2년이었다.[161] 도절제사 도사는 1457년(세조 3)부터 다시 경직을 띤 채 임명하도록 되어 평사로 직함이 바뀐 뒤에도 그러한 임명 방식이 계속되다가 1477년(성종 8) 9월부터 병사와 함께 실직만 띠도록 바뀌었다.[162]

도절제사의 수령관은 도절제사를 보좌하여 군사 조치에 참여하는 한편 그 명령을 시행하고, 문서와 장부를 관장하고, 병영의 군자와 고과 등의 공사를 담당하였으며,[163] 군기의 제작 및 군사들의 군장점검도 담당하였는데,[164] 이는 또한 평사의 직무라고 할 수 있다. 그런데 양계에만 평사를 둔 것은 이 지역이 군사적으로 중요하여 병사를 보좌할 문신 막료가 필요한 데다가, 한편으로는 첨절제사, 만호 외에도 무신 수령이 많이 임명되고 병사의 권한도 막중하여서 이를 견제할 필요가 있었기 때문으로 생각된다.

평사는 그 임무가 중요시되어 관직의 품계인 종6품보다 높은 사람을 임명하는 경우가 많았으며, 문 · 무재를 겸비한 문신 가운데서 임명하는 것이 통례였다. 도내를 순행할 때의 평사에 대한 대우는 우후보다 품계가 낮았지만 우후의 경우에 준하였다.[165]

3) 구전군관과 진무

도절제사가 거느리고 부임하는 군관은 1394년(태조 3)에 처음 규정되었고, 이때의 9명의 군관 · 반당이 고려의 병마사기구와 같은 계통의 구

---

161) 註 144).

162) 註 131).

163) 이는 다음과 같은 掌務錄事의 직무로부터 추측할 수 있다.
慶尙道監司啓 道內兵馬都節制使 · 左右道處置使道掌務錄事 但掌營中軍料 · 雜物及告課公事而已(『世宗實錄』 권 56, 14년 5월 甲戌).

164) 司諫院陳時務之事 一曰 各道節制使口傳鎭撫 多至十員 各率僕馬 糜費有弊 且因營造容或營私 自今依舊差首領官 專掌月課軍器 鎭撫唯治軍卒(『太宗實錄』 권 32, 16년 8월 乙卯).

165) 註 159).

성이었음은 앞서 언급한 바 있다. 도절제사의 '솔행군관率行軍官'이라 부르던 이들은 1398년(태조 7)에 15인으로 증가한 뒤 1408년(태종 8)에는 어느 지역에 부임하는가에 따라 차등을 두어 7~10인으로 정해졌는데, 이 뒤 변방에 군사적 충돌이 생기거나 할 때면 그 수가 증가되곤 하다가 『경국대전』에서는 1408년 수준으로 다시 줄어, 양계의 병사는 10인, 다른 도의 병사는 5인을 거느리고 가도록 되었다.[166] 하삼도의 병사는 1457년(세조 3)부터 그리고 겸병사만 두어지는 경기도, 황해도, 강원도에도 1458년부터 하번下番 경군사京軍士를 거느리고 가게 되었는데[167], 병영이 설치되지 않고 유방군留防軍이 두어지는 진도 없는 경기의 겸병사는 1470년(성종 원년)부터 군관을 거느리지 못하게 되었다.[168] 이러한 사실은 이들 솔행군관 또는 구전군관口傳軍官이라 부르는 존재가 도절제사나 병사의 군사 지휘와 직결되는 존재였음을 나타낸다.

군관은 병사가 스스로 천거하여 구전[169]에 의해 임명받는 까닭에 구전군관이라 하거나 계청군관啓請軍官이라고 불렀으며, 거느리고 간다는 뜻으로 솔행군관이라고도 하였다. 이들은 병사 밑에서 군사를 지휘하는 까닭에 비장裨將이라는 별칭으로 부르기도 하였다. 남방의 구전군관으로는

166) 『經國大典』 兵典 軍官.

167) 兵曹啓 天順元年(세조 3年) 九月日受教 下三道諸營鎭諸浦軍官將帶去軍士 並以下番軍士有武才者 從自願 依兩界例 口傳率行 仕到於兩界半減 今江原 · 黃海 · 京畿諸營鎭諸浦軍官 亦依此例率行仕到於兩界減三分之二 且赴防軍士 寅緣請託 口傳後不即赴防 冒錄仕到 今都節制使 · 處置使糾檢或以營鎭諸浦所在邑人口傳 則自家往來 軍門虛疎 勿令口傳 從之(『世祖實錄』 권 11, 4년 1월 戊子).

168) 『成宗實錄』 권 6, 1년 9월 乙丑.
『經國大典』에는 無軍巨鎭 및 無軍諸鎭의 鎭將은 端川을 제외하고는 軍官을 率行하지 못한다고 하였으나 無軍主鎭에 대하여는 언급하지 않고 있다(『經國大典』 兵典 外官職 軍官).

169) 口傳은 官職 임명방식의 하나로, 提擧, 別坐, 敬差官 등을 批目에 의하지 않고 등용하는 것을 말하며, 銓曹에서 啓聞하여 王의 재가를 얻어서 다시 狀啓한 뒤에 임명하는 절차를 밟는다(『世宗實錄』 권 1, 즉위년 8월 丙午).

권지權知, 직장直長, 영사令史, 별군別軍 등 잡직雜織의 근무를 마치고 거관去官한 사람들을 거느리고 가기도 하였으나, 1457~1458년(세조 3~4)에 하번의 경군사 가운데 무재가 있는 자로서 병영 소재 고을 사람이 아니어야 한다고 규정되었고,170) 1475년(성종 6)에는 반드시 시재試才를 거치도록 조건이 강화되었다.171) 『경국대전』에는 '하번의 경군사'를 무과 출신자와 하번의 별시위別侍衛, 갑사甲士로 자세하게 규정하는 한편 그 기준이 강화되어 있다.172) 양계 병사의 군관만은 당번 경군사는 물론이고 내금위도 거느리고 갈 수 있었으며, 1470년(성종 즉위년)에는 그 정원의 반을 내금위로 임명하도록 규정한 일도 있는데,173) 『경국대전』에서는 그때마다 왕명을 받아 시행토록 정하고 있다. 1457~1458년에는 또한 구전군관의 임기는 1년으로, 사도仕到는 하삼도가 양계의 1/2, 경기와 · 강원도, 황해도는 양계의 1/3로 차이를 두어서 규정하였다.

구전군관은 병 · 수사 외에 유방군留防軍이 딸려 있는 유군有軍의 거진巨鎭 및 제진諸鎭의 경우 그 진장鎭將들도 2~5인을 거느리고 갈 수 있었으므로 그 수가 상당히 많았으며, 특히 유군 거진과 제진이 많은 양계에는 그 숫자가 더욱 많았다. 그런데 이들 군관은 병사나 진장이 스스로 천거하기 때문에 아들, 조카 등의 친족이나 친근한 경군사를 데리고 가기 마련이었다. 특히 양계는 사도仕到가 많아서 그 경향이 더욱 심하였으며, 이들의 불법행위도 많아 아예 군관을 보내지 말자는 의견이 나온 일도 있었다.174)

진무는 크게 두 부류로 나뉜다. 하나는 고려말부터 장수 밑에 두어졌던

---

170) 註 166) 및 178) 참조.

171) 『成宗實錄』 권 54, 6년 4월 乙酉.

172) 〔軍官〕 以武科及下番別侍衛 · 甲士 鎭將各薦 兵曹考覈啓差 周年乃遞 : 兩界雖當番差之 兩界節度使 則內禁衛亦差 數則臨時取旨 兩界及濟州三邑不差本道人(『經國大典』 兵典 外官職).

173) 『成宗實錄』 권 1, 즉위년 12월 壬申.

174) 『世宗實錄』 권 93, 23년 7월 壬戌.

진무소鎭撫所를 구성하는 진무의 계통을 잇는 것으로서, 진무소를 관할하는 도진무都鎭撫도 이에 포함시켜 통칭하여 진무로 불렀으며, 구전군관으로써 임명하였던 것으로 생각된다.[175] 즉 이 부류의 진무의 실체는 곧 구전군관이었다. 다른 하나는 양계의 토착인으로 임명되는 진무인데, 이들은 거관去官하면 토관土官에 임명되었고 군익軍翼의 천호, 백호의 지위에 버금가는 위치에 있어서[176] 향리鄕吏 중의 장교將校들에 대비시킬 수 있다. 그런데, 첫 번째 부류의 진무는 구전군관의 자격요건이 경군사로 제한되고 도진무의 명칭도 병마우후로 바뀌면서 소멸하였고, 그 대신 장교층에 속하는 사람으로써 진무로 임명하는 부류만 잔존하게 된 것으로 추측된다.[177]

원칙적으로 군관과 진무의 직무는 진 · 보 · 구자 등에 배치되어서 군사를 지휘하여 국방에 임하는 것이었다. 이들은 때로는 병사를 따라 도내를 순행하며 군사업무를 처리하였고, 원래는 수령관이 두어지지 않을 경우에만 해당된 것이지만 일부는 병영에서 군기軍器와 군자를 관리하고 군적軍籍을 작성하는 등의 공사를 처리하였다.[178]

4) 아전, 노비 및 공장

『경국대전』에는 병영의 아전으로서 나장羅將과 차비군差備軍만 규정되어 있다. 나장은 한자로 螺匠으로도 표기되었으며, 일반 양인 가운데서

175) 都節制使의 鎭撫를 口傳鎭撫라고 부른 경우가 있는데 (註 175), 그 수도 10人으로 당시의 都節制使 軍官의 수와 일치한다.

176) 李載龒, 「朝鮮初期의 土官에 대하여」, 『震檀學報』 29 · 30 合輯, 1966, 123~124쪽.

177) 이에 대한 증거로, 成宗 말엽에 慶尙道兵營에 禮房鎭撫가 있었음을 들 수 있다.(『成宗實錄』 권 264, 23년 4월 丙辰).

178) ○ 慶尙道監司啓……請自今 革掌務錄事 公事則令營中有職鎭撫 告課 · 雜物則令廉勤口傳軍官及留營鎭撫掌之(『世宗實錄』 권 56, 14년 5월 甲戌).

○ 御經筵請訖……仁亨又啓曰 軍籍差錯官吏 皆依事目科罪……且兵營鎭撫等 利其賄賂 諸邑軍籍無不紛更…… (『成宗實錄』 권 216, 19년 5월 戊寅).

골라 정하여서 관아의 잡일 또는 관원의 배종陪從에 종사하는 사람들로서, 대동법 실시 이후에는 조예皂隸와 함께 사령使令으로 통칭되었다고 한다.[179] 처음에는 도절제사, 수령 등이 각각 한역인 즉 특정한 역을 지지 않는 사람을 나장으로 거느렸으나 그 정원이 규정되어 있지 않다가 1462년(세조 8)에 병영의 경우 30명으로 규정하였고[180], 1466년에 20명으로 감축하였다가 『경국대전』에는 다시 30명으로 늘려 규정하였다.[181]

차비군은 1464년(세조 10) 영진군營鎭軍을 정병正兵에 합속할 때 종전의 영진군 가운데서 영과 진에서 '차비差備'해야 할 사람들을 '진군鎭軍'으로 호칭하도록 하여 정병으로 합속하는 데서 제외하였던 부류이다.[182] 이 진군이 『경국대전』에는 차비군으로 호칭되어서 병영에는 20명이 두어지도록 되었다.[183] 이들은 영문營門을 지키고 영내의 질서를 유지하는 등의 일을 맡았던 것으로 생각된다.

그런데 병영에는 『경국대전』에는 규정되어 있지 않은 이속이 다수 있었다. 병영에 속해있던 아전의 명칭으로서 지인知印, 영사, 영리, 육방六房, 주사主事 등의 명칭이 보이는데, 이들은 어느 지역의 병영인가에 따라 그 수가 일정하지 않았기 때문에 정원을 규정할 수 없었던 것으로 생각된다.

지인은 평안도와 함길도(영안도) 병영의 경우 정원이 50명으로 규정되어 있었다.[184] 양계의 병사는 각각 영변부사, 경성부사, 북청부사를 겸하였지만 부府의 지인은 따로 배정되어 있었으므로 다른 도의 병영에도 대략 50명 정도의 지인이 딸려있지 않았을까 추측된다. 지인은 관인을 맡아서 문서 사무를 처리하는 직책이었다.

---

179) 李泰鎭, 앞 글, 1968, 229쪽.
180) 『世祖實錄』 권 28, 8년 5월 癸卯.
181) 『經國大典』 兵典 外衙前.
182) 『世祖實錄』 권 34, 10년 9월 庚午 ; 같은 책 권35, 11년 1월 戊辰.
183) 『經國大典』 兵典 外衙前.
184) 『世祖實錄』 권 7, 3년 5월 甲申.

영사는 지인과 함께 문서 사무를 맡아 본 것으로 보인다. 1450년(문종 즉위년)에 평안도를 좌 · 우도로 나누어서 각각 도절제사를 둘 때 진무 · 지인 · 나장과 함께 영사도 둘로 나누어 소속시킨 일이 있으므로[185] 다른 도의 병영에도 역시 영사가 있었을 것으로 생각된다. 영사의 정원이나 인원수에 대한 기록은 나타나지 않는다. 그런데 1760년(영조 36)에 편찬된 『여지도서(輿地圖書)』에 각도 병영의 구성원이 상세히 기록되어 있으나 영사가 들어 있지 않은 것으로 보아 그 사이에 소멸되어 다른 부류의 이속에 흡수된 것으로 추측된다.

병영의 영리로는 병사가 관할하는 각 고을의 향리가 역을 지며 그 직무를 담당하였다. 그 이유는 병사가 도내 각 고을의 군사업무를 감독할 때 지역별 사정에 밝은 향리의 힘을 빌리고, 아울러 각 고을과의 연락도 용이하게 하려는 데에 있었던 것으로 생각된다.[186] 감영의 영리를 도내 가장 중요한 계수관의 호장층戶長層 향리들이 담당하였던 것에 비추어 볼 때, 병영의 영리도 도내 주요 고을의 상층 향리들이 담당하였을 가능성이 크다.[187] 영리는 직임에 따라 육방六房과 주사主事로 구분되어 두어진 것으로 보인다. 평안도 병영의 경우 육방은 1명씩 6명이, 주사는 20명이 두어져 있었는데,[188] 다른 도에서도 이와 비슷하였을 것이다. 병영에는 이밖에 구전군관과는 구분되는 존재로서 보통 '군관'이라고 호칭되는 장교층에 속하는 사람들도 다수 근무하고 있었을 것으로 생각된다.

한편 갑사甲士와 정병正兵이 모두 출신 도에서 유방留防하는 평안도와

185) 『文宗實錄』 권 2, 즉위년 7월 乙卯.

186) 北村秀人, 「高麗末 · 朝鮮初期の 鄕吏」, 『朝鮮史硏究會論文集』13, 1976, 79~80쪽.

187) 慶尙道 監營의 경우 營 소재지인 慶州府의 戶長層으로 營吏를 구성하다가 太宗 때에 尙州로 監營을 옮긴 뒤 道內 各邑의 戶長層에서 차출하여 營吏를 구성하였고, 成宗朝 당시 營吏는 六房으로 나누어 업무를 분장하였고 그 수는 20~30명이었음이 드러나는데(李樹健, 「世宗朝의 地方 統治體制」, 『世宗朝文化硏究』 I , 1982, 165~166쪽.), 兵營의 경우도 이에 준했을 것이다.

188) 『世祖實錄』 권 11, 4년 2월 丙辰.

영안도에서는 영아전의 수가 정원을 크게 넘어서서 성종 때부터 큰 문제로 대두되고 있었다. 몇 차례 변동을 거쳐 아전의 정원이 평안도와 영안북도 병영은 각 600명, 영안남도 병영은 400명으로 규정하였는데,[189] 이는 이 지역에 향리가 적어서 남방의 향리를 이주시켜 역을 지게 하였지만[190] 그래도 부족하여 정해진 역이 없는 사람들로써 병영의 아전으로 충당하는 수를 나타내며, 이것이 정병들에게 피역의 수단으로 이용되었던 것이다. 이들 영아전은 3번으로 나뉘어 역을 졌다.

각도 병영에는 또한 공장이 배정되어서 주로 군기류를 제작, 수선하는 일을 하였다. 『경국대전』 공전 외공장 조항에 규정된 각도 병영 소속 공장 종류와 정원을 표로 만들면 다음의 <도표 14>와 같다.

<도표 14> 『경국대전』에서의 각도 병영의 공장

도별 / 종류	야장	궁인	시인	궁현장	피장	목장	칠장	소성장	소장	선자장	상자장	갑장	계
충청도	6	2	2	1	1	1	1					1	15
경상좌도	15	2	2	1	3	1	2	1	1	1	1	1	31
경상우도	14	2	2	1	3	1	2			1	1	1	28
전라도	6	2	2	1	1	1	1					1	15
강원도	4	2	2	1	1	1	1					1	13
황해도	4	2	2	1	1	1	1					1	13
영안남도	1												1
영안북도	1												1
평안도	1	2	2	1	1		1					1	9
計	52	14	14	7	11	6	9	1	1	2	2	7	126

189) 『成宗實錄』 권 188, 17년 2월 戊戌 ; 같은 책 권 196, 17년 10월 己卯.
190) 李成茂, 「朝鮮初期의 鄕吏」, 『韓國史硏究』 5, 1970, 73~74쪽.

각도 병영에 입역하는 노비의 수는 『경국대전』에 200명으로 정해져 있는데, 이는 도호부都護府의 350명보다는 적고 군郡의 150명보다는 많은 숫자이다.[191] 병영의 노비는 지방 관아에 소속된 노비가 대개 그렇듯이 영노營奴, 비자婢子, 기생비妓生婢로 대별되며, 영노에는 급창及唱, 방자房子 등이 있었고 비자로는 급수비汲水婢, 다모비茶母婢 등이 있었다.[192]

---

191) 『經國大典』 刑典 外奴婢.
192) 『輿地圖書』 忠淸道 兵馬節度營.

제3장 병마절도사와 국방

1. 국방책임자로서의 직무

국방은 병사의 본연의 직무이다. 병사는 평시에는 국방을 위한 제반 조치를 취해 두고 적이 침입하면 그에 대응하여 군사조치를 취하여야 했다. 아직 병마절도사로 직함이 바뀌기 전인 1457년(세조 3) 10월 진관체제를 편성한 4일 뒤에 국방을 위해 병사가 수행해야 할 평상시의 직무를 '도절제사의 군정절목軍政節目' 이라 하여 규정한 바 있다. 이 규정은 세조가 각 도 도절제사에게 내리는 유지諭旨의 형식으로 되어 있는데, 좀 길지만 전체를 인용해 보겠다.

> 여러 도의 절제사(節制使)에게 유시하였다.
>
> "나라의 큰일은 군정(軍政)이며, 군정의 중요한 것은 군사들을 통솔하여 훈련하고, 기계 장비를 정돈하고, 성곽을 튼튼하게 만드는 것이 다이다. 그렇기 때문에 이제 거진(巨鎭)을 모든 요해처(要害處)에 설치하고, 각기 약간의 고을들을 통솔케 하고, 그 진장(鎭將)은 다시 도절제사에게 통제를 받도록 하였다. 경(卿)들이 몸소 나의 방략(方略)을 받고 한 지방 생민의 목숨을 맡았으니, 그 맡은 것이 어찌 무겁고 또 크지 않겠는가? 경들은 마땅히 나의 생각을 체득하여서 더욱 마음과 힘을 다하여 기필코 그 성적을 나타내어, 길이 아름다운 명성을 전하도록 하라. 그 합당한 절목(節目)을 뒤에 조목별로 나열한다.

1. 군사를 지휘하고 훈련하는 일이다. 매 정월과 11월에 그가 가는 진(鎭)에서 통관(統管)하는 고을의 군병을 집합시키고, 그 주(州)의 수령 및 휘하(麾下) 가운데서 택하여, 형명(形名)을 주어, 2위(衛) 또는 2부(部), 또는 대(隊), 또는 여(旅)를 만들게 하여, 그 진격, 후퇴, 행군, 주둔, 전투할 때의 진(陣)의 형세, 또는 활쏘기 훈련, 군법 강의 등의 일들에 대해 적절하게 훈련하고, 그 나머지 모든 진에 문서를 보내 군사를 모으게 하여, 각각 훈련시키도록 하라. 내가 장차 사람을 보내어 경들의 재능을 보겠다.

1. 기계(器械) 장비를 정돈하는 일이다. 활과 화살, 갑옷과 투구는 무기 가운데 가장 중요한데, 그 만든 것이 튼튼하지 않으면 한갓 물자만 허비하게 된다. 비록 훌륭한 재능이 있어도 도리어 둔하고 못난 솜씨가 될 것이니, 경들의 적개심(敵愾心)을 장차 어떻게 실시하겠는가? 이제부터 급히 활과 화살을 만드는 데 유의하라. 내가 항상 쓰는 우리나라 각궁(角弓)은 매우 좋아서, 중국 각궁이 필요 없다. 이제 활과 화살, 갑옷과 투구를 보내니, 이를 모방하여 제조하라. 내가 장차 사람을 보내어 여러 고을의 병기를 점고(點考)하겠다.

1. 성곽(城郭)을 견고하게 하는 일은 백성을 혹사하려는 것이 아니고, 우리 백성을 보호하려는 것이다. 먼 고을의 백성을 모아 기일을 정하고 몹시 꺼려하는 노고를 강요하여서 그것이 남들을 보호하는 공사가 된다면, 즐거이 마음을 다하여 견고하게 쌓겠는가? 이는 곧 백성을 혹사하는 일일 따름이다. 이제는 그렇지 않다. 각각 그 읍성(邑城)을 수축하게 하되, 시일을 정하지 않으면 공사도 그다지 고생스럽지 않을 것이고, 그 이해(利害)로 깨우치면 반드시 유익할 것이다. 그러나 백성을 부리는 것은 큰일이니, 모름지기 왕명을 받아 거행해야 하니, 아울러 알아 두기 바란다. 내가 장차 사람을 보내어 그 성과를 살피겠다.

위의 세 가지 절목은 그 큰 것만을 든 것이므로, 빠진 작은 절목들은 경들 스스로의 생각에 기대한다.[193)]

---

193) 諭諸道(都)節制使曰 國之大事 軍政而已 軍政之要 在節制敎閱 整械器 固城郭而已 故今置巨鎭於諸要害處 各統若于州郡 其鎭將又統於都節制使 卿身受予方略 司一方生靈之命 其委任豈不重且大哉 卿宜體予 益勵心力 期顯成績 思永流芳 所宜節目 條于後

즉 세조는 도절제사의 직무 가운데에서 가장 중요한 것이 군사를 지휘하고 훈련하는 일, 기계와 장비를 정비하는 일, 성곽을 튼튼하게 만드는 일이라 하여 1월과 11월에 행하는 지방군의 습진習陣과 무예훈련, 활과 화살, 갑옷, 투구 등 병기兵器의 제조와 정비, 관할지역 안의 읍성의 수축을 들고, 그 밖의 일은 도절제사가 스스로 알아서 행하라는 것이다. 여기서 언급된 세 가지 항목이 바로 병사가 국방을 위해 평상시에 수행해야 할 직무의 대강이므로, 이를 순서대로 살펴본 뒤 병사의 전투에 임할 때의 직무를 살피기로 한다.

1) 지방군의 무예훈련 및 습진

지방군의 무예훈련은 이미 1397년(태조 6)에 도절제사가 관할하도록 규정한 바 있다. 물론 각 고을의 군사훈련을 도절제사가 직접 담당한 것은 아니고, 수령의 지휘 아래 해당 고을의 군사 수에 따라 두어지는 2~5명의 총패摠牌가 훈련을 담당하였다.[194] 태종 때에는 이를 그 고을이 소속된 진鎭의 병마사(또는 첨절제사)나 군익도의 절제사가 감독하고,[195] 다

一. 節制敎閱者 每正月十一月 集所至之鎭 擇州官及麾下而受形名 或作三(二)衛 或作二部 或作隊 或作旅 若進退行留戰陣之勢 若習射講法等事 量宜閱習 其餘諸鎭 行移集兵 使各閱習 予將遣人 觀卿之才 一. 整械器者 弓箭甲胄兵器之最造不堅實 徒爲虛費 雖有良才 反如奴手 卿之敵愾 將安所施 自今急急留心於造弓箭 予所常用鄕角弓甚好 不必唐角弓 今送弓箭甲胄 可倣製造 予將遣人 考諸邑兵器 一. 固城郭者 非勵民也 保吾民也 聚會遠邑之民 刻日役之 以甚憚之勞 爲護他之役 其肯用必堅築乎 是則勵民而已 今則不然 使各修築邑城 不以日月 役不甚勞 喩之利害 則必有益矣 然役民大事也 須取旨乃擧 並宜知悉 予將遣人 審其功效 右三節目 擧其大者耳 遺其小節 待卿自思(『世祖實錄』 권 9, 3년 10월 甲寅).

194) 議政府進時務數修……一. 大官摠牌四五名 小官摠牌二三名 隨其軍額多少 各其官中心及四面 各其相近處分定 每年二月初一日始晦日至 十月初一日始晦日至 俾習用槍騎 · 步射 無時考察 如有不用心者守令及摠牌 論罪戒後(『太宗實錄』 권 16, 8년 7월 乙丑).

195) 議政府又啓……且各道判牧府事職帶節制使者 · 各鎭兵馬使 凡抄鍊軍士 · 精備軍器 · 講習武藝等事於任領內各官 並行考察 一如本官(『太宗實錄』 권 26, 13년 7월 戊戌).

시 도절제사와 감사가 도내를 순행하면서 감독하게 하였다. 훈련하는 시기는 2월과 10월이었고, 훈련 종목은 창과 기사騎射, 보사步射 등이었다. 화포火砲가 적을 막는 유효한 무기로 등장하면서 1435년(세종 17)부터 영진군營鎭軍에게 4중삭 즉 2월, 5월, 8월, 11월에 화포를 훈련하게 하였고, 1451년(문종 원년)에는 화차火車도 양계와 하삼도 및 황해도의 영과 진에 설치하여 훈련하도록 하였다.[196] 그런데 문종 때 이후로 습진習陣이 중요시되어 강조되면서 세조 때부터는 무예훈련을 습진할 때에 병행하도록 한 것이다.

습진 즉 진법 훈련陣法訓鍊은 대규모 군사작전이 가능하도록 군사를 조직, 훈련시키는 것이어서 큰 중요성을 갖고 있다. 또한 유사시에는 전국의 지방군을 단일한 조직체로 구성하여 작전을 수행할 수 있도록 하기 위한 것이므로, 평소에 많은 훈련이 필요하였다. 중앙군의 습진은 이미 1394년(태조 3)에 시작되었고, 1397년(태조 6) 8월에는 진도陣圖 훈련관訓鍊官을 각도 각진에 파견하여 습진토록 하였으나, 당시 습진을 주도한 정도전鄭道傳이 다음 해 '왕자의 난'으로 제거됨으로써 지방군의 습진은 시작하자마자 끝났던 것으로 보인다.

그 뒤 지방군은 20여 년 동안 전혀 습진을 하지 않는 상태가 지속되었다. 그러다가 1420년(세종 2) 전라도 도절제사의 요청에 따라 영진군이 진도陣圖와 진서陣書에 의해 항상 습진하도록 됨으로써 실질적으로 처음 지방군의 습진이 시작되었다.[197] 이어서 다음 해 7월에는 변계량卞季良 등이 개편한 진도법陣圖法이 병조에 의해 확정됨에 따라 이에 의해서 각 고을에 거주하는 별패別牌와 시위군侍衛軍, 영진군, 수성군 등 하번의 지방군을 농한기인 2월과 10월에 거주지 부근에 정해진 도회소都會所에서 습

196) 許善道, 「麗末鮮初 火器의 傳來와 發達(中)」, 『歷史學報』 25, 1967(『韓國史火器發達史』(上), 1969.에 再收錄), 40~47쪽, 57쪽 및 85쪽.

197) 『世宗實錄』 권 7, 2년 3월 己酉.

진토록 되었다. 여기에는 하번의 별패와 시위군이 처음으로 도절제사의 관할 아래 놓이게 되었다는 데서 새로운 의미가 있다. 그 주요 부분을 인용하면 다음과 같다.

> 병조에서 아뢰었다. "진도(陣圖)의 법은[198] 군국(軍國)의 급무이니, 훈련하여 익숙하게 하지 않을 수 없습니다. 지방의 군사는 전혀 진법을 연습하지 아니하니, 실로 안 될 일입니다. 지금부터 각도의 도절제사에 명하여, 매번 농한기마다 별패, 시위군, 영진군, 수성군 등을 각기 부근에 모아서, 수령(守令) 가운데 진법에 밝고 익숙한 자를 차사원(差使員)으로 삼고, 품관(品官)을 뽑아 훈도관(訓導官)으로 삼아서 진법을 미리 연습하게 하고, 도절제사가 돌아다니면서 검찰(檢察)하도록 합니다. 대열(大閱)할 때에 열병(閱兵)하는 군사 중에서 만약 진법을 어긴 자가 있으면 도절제사와 차사원 · 훈도관 등을 모두 율(律)의 규정에 따라 처벌합니다.
>
> 1. 행진(行陣)하는 법 ……
>
> 1. 결진(結陣)하는 법 …… 5명 씩 서로 뜻이 맞는 사람끼리 오(伍)를 만들고 오마다 장(長)을 두며, 두 오가 소대(小隊)를 이루고 대마다 장(長)을 두며, 5오가 중대(中隊)를 이루고 중대마다 정(正)을 두며, 오 10개가 대대(大隊)를 이루고 대대마다 교(校)를 둡니다. 이 50인이 모름지기 마음을 합쳐서 …… 결진하는 법은 본래 일정한 형태가 없으며, 많게는 64 가지에까지 이르나, 대개 모두 때에 맞추고 형세에 따라 바꾸는 것입니다. 그러나 그 대요(大要)는 다섯 가지에 지나지 않습니다.
>
> 1. 적군(敵軍)과 응전(應戰)하는 법 ……
>
> 1. 교장(敎場)의 법입니다. 사표(四表)에서 앞으로 가고 뒤로 물러가는 것은, 중위(中衛)에서 각(角)을 한 번 불면, 다섯 위의 기를 든 사람

---

198) 이 '陣圖之法'은 卞季良이 李齊賢과 鄭道傳, 河崙의 陣法 가운데서 특히 李齊賢의 것을 많이 본따 지은 것이라 한다(「陣設問答」, 『春亭集』: 戰史篇纂委員會, 『兵將說 · 陣法』, 1983, 273~280쪽). 1433년(世宗 15)에는 金宗瑞, 河敬復 , 皇甫仁에게 명하여 『癸丑陣說』을 짓게 하였는데, 그 골자는 卞季良의 陣圖法과 거의 같다(許善道, 「「陣法」考」, 『歷史學報』 47, 1970, 136~138쪽).

이 각기 그 방위(方位)에 맞추어 기를 진장(陣場)에 세우고, …… 무릇 군사를 출동시킬 때에는 중위에서 진을 돌아다니며 방울을 흔들면서 영(令)을 내리기를, '무릇 진에 있는 자는 기(旗)와 각(角)과 징과 북이 지시하는 절차를 따라 앉고 일어나고, 앞으로 나아가고 뒤로 물러나서, 모두 그 차례를 잃지 말고, 떠들지 말고 문란하지 말아서, 병법(兵法)을 범하지 말라.'고 합니다. ……199)

도절제사가 진법을 잘 아는 수령을 차사원으로 삼고 품관 중에서 훈도관을 뽑아 각 고을의 지방군을 습진케 한 뒤 도내를 순행하면서 습진을 검찰토록 한다는 것이 도절제사가 관할하는 습진 훈련의 골자이다. 여기서 '부근에 모은다'는 것은 습진하기 위해 도회소로 집합시키는 것을 뜻한다. 그리고 행진行陣, 결진結陣, 응적應敵, 교장教場으로 나누어 훈련할 진법의 내용을 상세히 정하고 전체를 5위衛로 편성하여 위마다 5소所를 두며, 군사 5인이 오伍를 이루고 10인이면 소대, 25인이면 중대, 50인이면 대대로 편성하도록 정하여 습진을 위한 부대편성도 규정하였다. 여기에는 소와 대의 관계가 분명히 나타나 있지 않으나, 각 고을의 군사 수에 따라 소대나 중대, 대대가 독자적으로 1소가 될 수 있도록 하였을 것으로 짐작된다. 각도 군사의 습진은 대열大閱 때에 평가받아 군사들이 진법에 익숙하지 못한 경우 훈도, 수령(차사원), 도절제사까지 처벌받도록 하였는데, 다음 달 즉 이해 8월에 대열을 위해 각도의 군사를 5위로 나누어 소속시키

---

199) 兵曹啓 陣圖之法 軍國急務 不可不預習也 外方軍士專不習陣 實爲未便 今後令各道(都)節制使 每當農隙 別牌及侍衛 · 營鎭屬 · 守城軍等 各以附近聚會 以守令之明習陣法者爲差使員 選品官爲訓導官 豫習陣法(都)節制使巡行檢察 大閱時所閱軍士內如有犯法者 都節制使及差使員 · 訓導等 並從律文科罪 一. 行陣……一. 結陣……五人自相得意者結爲伍 伍中有長 二五爲小隊 (隊)中有長 五五爲中隊 隊有正 五十有大隊 隊有校 五十人須結其心……結陣之法 本無常形 多至六十有四 盖皆隨時因勢而變也……然其大要不過五行而已 一. 應敵……一. 教場 四表進退 中衛角一通 五衛旗人各以其方 立旗于陣場…… 凡出軍 中衛循陣搖鐸令曰 今日 凡在陣者 望聽旗角金鼓之節 坐作進退毋失其次 毋譁毋亂 以干兵法……(『世宗實錄』 권 12, 3년 7월 己巳).

고 의갑衣甲의 휘장徽章과 색깔도 정하였다.[200)]

그러나 이 규정은 지방군에게 그대로 적용하기에는 과중한 것이어서 모두 실시할 수는 없었다. 또 지역별 사정을 고려할 필요가 있어서 다음과 같은 지방군에 대한 진법훈도사목陣法訓導事目을 새로 마련하게 되었다.

> 병조에서 여러 도에 진법을 가르칠 사목(事目)을 아뢰었다.
>
> 1. 진법을 연습할 때에 법을 범한 수령과 3품 이상의 군관을 관찰사에게 보고하면, 관찰사가 사실을 조사하여 죄를 논하여 처벌한다.
>
> 1. 23진(陣)을[201)] 한꺼번에 훈련시키는 것은 어려우므로, 방진(方陣) · 원진(圓陣) · 곡진(曲陣) · 직진(直陣) · 예진(銳陣)의 다섯 진과 행진(行陣)을 훈련시킨다.
>
> 1. 평안도의 여연(閭延) · 삭주(朔州) · 의주(義州) · 강계(江界)와 함길도의 경원(慶源) · 경성(鏡城) · 갑산(甲山)의 군마(軍馬)는 만약 모아서 훈련하면 방어가 허술하게 될 것이므로, 그 군관 중에 문자를 아는 사람을 불러 올려서 훈련한다.
>
> 1. 유후사(留後司)에 패(牌)를 구성한 군인 안에서 마병(馬兵)을 동원하여 훈련하며, 유후사의 낭청 한 사람이 이를 관장한다.
>
> 그대로 따랐다.[202)]

당시 경기에는 겸도절제사도 두지 않았고 영진군도 없었으므로 개성유후사만이 독자적으로 습진하였던 것으로 생각된다. 곧이어 남방 바닷가 여러 고을의 군사들도 여연 등의 양계지역 진과 마찬가지로 도회소에서 습진

---

200) 『世宗實錄』 권 13, 3년 8월 壬寅.

201) 結陣의 변화만도 64개나 된다고 하므로(註 199) 23陣이 陣의 변화 전체를 말하는 것이 아님은 분명하며, 혹시 方 · 圓 · 曲 · 直 · 銳의 5陣과 進 · 退 · 行 · 留 · 戰에 따른 陣의 편성 등을 합하여 23陣이 되는 것은 아닐까 추측된다.

202) 兵曹啓 諸道陣法訓導事目 一 習陣時犯法守令及三品以上軍官 報觀察使 觀察使覈實論罪 一 二十三陣 一時教閱爲難 以方 · 圓 · 曲 · 直 · 銳五陣及行陣教習 一 平安道閭延 · 朔州 · 義州 · 江界 咸吉道 慶源 · 鏡城 · 甲山軍馬 若聚會教閱 則防禦踈虞 其軍官解文字者 招致教習 一 留後司 作牌軍人內 簽發馬兵教閱 令本司郎廳一人掌之 從之(『世宗實錄』 권 12, 3년 7월 戊子).

하지 않고 항상 소속 고을에서 적변賊變에 대비토록 하였다.[203] 각도 지방군의 습진하는 시기는 1448년(세종 30)에 다시 상세하게 규정하여서 영·진의 당번군사는 매월 3번, 하번 지방군은 2월과 10월에 도회소에서 1번씩 습진하되 1번에 3일 동안 하고, 도절제사는 그 습진 날짜와 훈련을 잘 시켰는가의 여부를 매년 간략하게 기록하여 병조에 보고토록 하였다.[204] 습진을 위한 도회소로는 역시 각도의 계수관이었던 큰 고을들이 선정되었으며, 한 예로 전라도의 경우 전주, 광주, 나주, 남원이 도회소였다.[205]

지방군의 습진은 문종이 새 진법을 완성함으로써 중요한 변화가 일어나게 되었다. 이 진법은 '오위진법五衛陣法'이라고 불렀는데, 지방군은 1453년(단종 원년)부터 새 진법을 근간으로 하는 『약초진서(略抄陣書)』에 의하여 습진하게 되었다. 그 경위와 함께 『약초진서』의 주요 내용은 다음 기록에서 알 수 있다.

> 의정부에서 병조의 첩정 내용에 의거하여 아뢰었다.
>
> "『속병전(續兵典)』에 '여러 도 병마도절제사가 도회관을 정하여 부근의 여러 고을을 적절히 소속시켜, 농한기마다 군사를 불러 모아 진법을 연습시킨다.'고 하였습니다. 그러나 양식을 싸 가지고 왕래하는 폐단이 있사오니, 금후로는 도회소를 혁파하고 각각 그 고을에서 매년 2월 초2일과 10월 초2일에 경내(境內)의 하번 경군사와 영진군, 수성군을 징발하여, 진서(陣書)에 능통한 자를 택하여 장수와 훈도를 삼아 수령이 훈련시키는 것을 감독하게 하고, 양계의 강변 여러 고을의 구자와 다른 도의 바닷가에서 방어하고 있는 여러 영·진의 부방 군사에 대한 진법 훈련은 경군(京軍)의 규정에 의하여 매월 초2일과 22일에 『신진서(新陣書)』에 따라 훈련시키되, 전서(全書)만을 사용하여

---

203) 『世宗實錄』 권 13, 3년 8월 甲寅.

204) 『世宗實錄』 권 122, 30년 10월 辛巳.

205) 全羅道觀察使啓……海邊郡縣別牌·侍衛牌等 並以習陣 聚於全州·羅州·光州·南原……(『世宗實錄』 권 13, 3년 8월 甲寅).

훈련시키면 형명(形名)을 갖추기가 어려울 뿐 아니라, 군사들도 또한 부족하니, 마땅히 『약초진서』를 주자소(鑄字所)를 시켜 인쇄하여 여러 도 도절제사에게 나누어 보내고, 순행하며 감독하게 하거나, 혹은 사람을 보내어 간사함을 적발하게 하여, 연말마다 진법 훈련시킨 날자와 훈련을 잘 시켰는지의 여부를 갖추어 기록하여 아뢰게 하소서." 그대로 따랐다.

『약초진서』는 다음과 같다.

대장(大將)에게 2위(衛)를 두고, 2위에 각각 2부(部)를 두며, 2부에 각각 2통(統)을 둔다.[기병(騎兵)이 많으면 기통(騎統)의 사람 수가 많고, 보병(步兵)이 많으면 보통(步統)의 사람 수가 많다. 만약 기병이 없으면 2통 다 보통(步統)으로 해도 된다. 때로는 오(伍)로 통(統)을 이루게 하고, 때로는 대(隊)가 통을 이루게 하며, 때로는 여(旅)가 통을 이루게 하며, 군사가 많고 적은 것에 따라서 정한다. 만약 군사가 많으면 3통, 4통을 편성하여도 된다. 5인이 오를 이루고, 25인이 대를 이루며, 1백 25인이 여를 이룬다.] 위마다 각각 유군(遊軍) 2 령(領)을 둔다.[대개 정군(正軍)의 10분의 3을 유군으로 삼는다. 가령 정군이 7인이면 유군은 3인이다.] 대장이 위장(衛將)에게 명령하고, 위장이 부장(部將)에게 명령하고, 부장이 통장(統將)에게 명령하고, 통장이 여수(旅師)에게 명령하고, 여수가 대정(隊正)에게 명령하고, 대정이 오장(倍長)에게 명령하고, 오장이 그 병졸에게 명령한다.[유군장(遊軍將)이 영장(領將)에게 명령한다.] 형명(刑名)의 기(旗)는 응(應), 점(點)[땅에 이르지 않고 다시 일어나는 것을 점이라고 한다.], 지(指)[땅에 이르렀다가 뒤에 다시 일어나는 것을 지라고 한다.], 보(報) …….[206]

---

206) 議政府據兵曹呈啓 續兵典 諸道兵馬都節制使 定都會官 量屬附近諸邑 每於農隙 徵聚軍士習陣 然裏糧往來有弊 請今後除都會 各其邑 每年二月初二日 十月初二日 聚境內下番軍士及營鎭軍 · 守城軍 擇通曉陣書者 爲將帥訓導 守令親監鍊習 兩界江邊諸邑 · 口子及他道沿邊防禦諸營鎭赴防軍士習陣 依京中例 每月初二日二十二日 依新陣書肄習 第用全書敎習 則非唯形名難備 軍士亦且不足 宜略抄陣書 令鑄字所印之分送諸道都節制使或巡行檢察 或差人摘姦 每歲抄 具錄習陣日時及敎習能否啓聞 從之 其略抄陣書曰 大將有二衛 二衛各有二部 二部各有二統 騎兵多則騎兵人數多 步兵多則步兵人數多 若無騎兵兵則二統皆步亦可 或以伍爲統 或以隊爲統 或以旅爲統 隨兵多少而定之 若兵多則三統四統亦可 五人爲伍二十五人爲隊 一百二十五人爲旅 每衛各有遊軍二統 大槩以正軍十分之三爲遊軍假如正軍七人 則遊軍三人 大將令衛將 衛將令部將

위의 기록에서 『약초진서』는 새 진법을 지방군의 형편에 알맞도록 부대의 편성 규모를 축소하고 특히 습진에서 가장 중요한 부대 단위인 통의 편성을 유연하게 할 수 있도록 하고, 습진 내용을 간략히 하여 정리한 것으로, 인쇄하여 각도에 보내서 도절제사가 그에 의거하여 습진토록 하였음을 볼 수 있다. 부대 편성은 『진서』 즉 오위진법에서는 대장 밑에 5위를 두고 위는 5부, 부는 4통으로 구성되어야만 한다고 규정되어 있어서 전체가 100통이나 된다.[207] 그렇지만 『약초진서』에서는 대장 휘하의 통은 그 수가 8통으로 축소되어 있고, 통의 편성도 고을의 군사 수에 따라 조정하여 1오나 1대로도 통을 이룰 수 있고, 군사가 많으면 3, 4통도 둘 수 있다고 하여서 큰 융통성을 부여하였다. 도회소에서의 습진은 이때 폐지되고, 각 고을에 거주하는 하번 경군사도 하번 영진군, 수성군과 함께 거주하는 읍에서 습진하도록 한 이전의 규정이 다시 확인되었으며, 따라서 훈도관은 계속 두어졌지만 차사원은 임명하지 않고 각 고을 수령이 직접 습진을 지휘하게 되었다. 동시에 습진 날자와 횟수가 조정되어 각 고을 군사가 자신의 고을에서 훈련하는 습진은 2월과 10월의 초 2일에, 양계 강변의 여러 고을과 구자, 남방 여러 영과 진의 당번 군사는 전보다 1

部將令統將 統將令旅帥 旅帥令隊正 隊正令伍長 伍長令其卒 遊軍將令統將 形名 旗有應 有點 不至地而 復起曰點 有報 ……(『端宗實錄』 권 10, 2년 3월 辛酉).
'略抄陣書'를 '陣書에서 추려 정리한 것'이라고 번역한 경우가 있는데, 이는 명백한 오역이다. 뒤에 언급되는 '略抄陣書'의 부대편성 원칙은 본문에서 설명한 바와 같이 『陣書』의 부대편성 원칙과 전혀 다르다. 그러므로 '略抄陣書'는 '陣書에서 추려 정리한 것'이 아니라, 지방군의 진법 훈련을 목적으로 만든 『略抄陣書』라는 이름의 별도의 책자를 뜻하는 것으로 보아야 한다. 번역문 중 [ ] 안에 있는 내용은 『端宗實錄』 원문에 細字로 기록한 부분이다.

207) 大將有五衛 每衛各有五部(共二十五部) 每部各四統(共一百統 騎兵二統 一爲戰 一爲駐 步兵二統一爲戰 一爲駐 兵少而一統之人數雖不滿隊 四統之名不可闕 兵多而 一統之人數雖過隊旅 四統之名不可加 五人爲伍 二十五人爲隊 一百二十五人爲旅 若欲使中衛之兵多於各衛 中部之兵多於各部 皆在一時之將略……(『文宗實錄』 권 8, 1년 6월 丙戌).

회 줄여 매달 초 2일과 22일에 습진토록 규정함으로써 같은 날에 일제히 습진하게 되었다.

이 뒤 지방에서의 습진에 참여하는 군사의 범위와 장소 및 날짜는 세조 때 진관체제를 편성하는 과정에서 변경되어 『경국대전』의 규정으로 정착되었다. 먼저, 1455년(세조 원년) 9월 전국을 군익체제로 편성하면서 매년 2월 18일과 10월 18일에는 중익中翼의 중심 고을에서, 11월 22일과 1월 22일에는 소속 익의 중심 고을에서 습진하고, 양계와 바닷가 여러 고을의 군사는 자신이 거주하는 고을에서 습진토록 하였다. 습진에 참가하는 군사는 각 고을에 거주하는 별군, 시위군, 영진군과 갑사, 별시위別侍衛, 총통위銃筒衛, 근장近仗, 섭육십攝六十, 방패防牌, 각 포浦의 군사 즉 수군水軍까지로, 하번 경군사의 범위를 분명히 한 외에 수성군이 빠지고 수군도 하번일 때에는 거주하는 고을에서 도절제사가 관할하는 습진에 참여토록 되었음이 주목된다.[208]

전국이 진관체제로 편성된 뒤에는 지방 병력이 모여 습진하는 장소로서 중익과 각익의 중심 고을을 거진巨鎭과 제진諸鎭으로 대체하여 1월과 2월, 10월과 11월 중에 도절제사가 날을 정하여 거진과 그 진관 안의 여러 고을에서 돌아가면서 진관에 속한 군사들을 모아 습진토록 하였다.[209] 같은 날

208) 兵曹啓……一.每二月十八日 十月十八日 聚中翼習陣 兼點衣甲 十一月二十二日 正月二十二日 各於其翼爲首官習陣 一. 兩界 · 沿海諸邑守禦最緊軍士 不可輕離本邑 中翼習陣時 親到其邑習陣 一.甲士 · 別侍衛 · 銃筒衛 · 近仗 · 攝六十 · 防牌 · 別軍 · 侍衛 · 諸營 · 諸鎭 · 諸浦軍士及司饔 · 司僕忠扈衛 · 尙衣院等諸員 · 鷹師 皆屬 於翼當番則立番 屬散人及已抄諸邑驍勇鄕吏 · 守城軍 · 雜色軍亦屬於翼 緊關事變外 司饔以下軍 除習陣(『世祖實錄』 권 2, 1년 9월 癸未)

여기서 各翼別 習陣의 경우에만 首官習陣으로 明示하였지만, 中翼習陣의 中翼도 首官을 말하는 것으로 생각된다. 이는 鎭管體制를 편성한 뒤 習陣事目에 '諸邑 常聚主鎭習陣 則程有遠近勞逸不均'(註 216)이라 한 데서 유추할 수 있다. 이 主鎭은 中翼의 首官을 대체한 巨鎭을 말하기 때문이다.

209) 兵曹啓 諸道巨鎭習陣事目 今諸道革中左右翼 設巨鎭 其習陣舊期 正月二十二日 · 十一月二十二日 諸令諸道都節制使 每於農隙 正月二月中 · 十月十一月中定日 移文諸

에 여러 읍의 군사가 모두 습진하면 도절제사가 각 진관의 습진을 다 검찰할 수 없음은 명확한 일로서, 반드시 같은 날에 습진하지 않아도 되도록 시정한 것이다. 이때에는 충순위忠順衛가 새로 습진에 참가하게 되었고, 수성군은 역시 제외되었다. 한편, 영과 진에 입번立番 하는 군사들은 계속하여 1448년의 규정에 따라 2월과 10월을 제외한 나머지 달의 2일과 22일에 습진하도록 규정되었음을 『병정(兵政)』의 규정에서 확인할 수 있다.[210)]

지방에서의 습진은 이상의 과정을 거쳐 『경국대전』에 규정됨으로써 정착되었다. 『경국대전』의 지방군 습진에 대한 주요규정은 다음과 같다.

> ○ 제진(諸鎭)은 매월 16일에 각자 습진하되 농사철에는 정지하며, 잡색군(雜色軍)은 제외한다.
>
> ○ 2월과 10월에 거진에 소속된 제진의 군사는 1~2일 또는 10여일에 이르는 식량을 준비하여 진을 바꾸어 습진하며, 잡색군은 제외한다.

鎭 傳諭所屬諸邑 徵聚習陣 諸鎭亦不必同日習陣 一. 諸邑常聚主鎭習陣 則程有遠近勞逸不均 請自今 或於主鎭 或於所管諸邑互相徵聚習陣 一. 甲士 · 別侍衛 · 忠順衛 · 近仗 · 攝六十 · 防牌 · 別軍 · 侍衛牌 · 諸營 · 諸鎭 · 諸浦軍士及司僕……等亦屬於鎭 除有大事變外司僕以下軍勿令習陣……從之(『世祖實錄』 권 11, 4년 2월 乙卯).

210) 主營鎭習陣時 不待虎符 徵兵習陣 每年 二月 · 十月 主營鎭驗左符 轉徵所屬諸營鎭兵并雜色軍習陣 餘月每初 二日 · 二十二日 諸營鎭不符左符 除雜色軍各自習陣 都節制使 · 處置使 巡視諸營鎭習陣(『兵政』 符驗).
여기서 主營鎭이 主鎭(兵 · 水營), 諸營鎭이 有軍諸鎭을 말하는 것임은 전후시기의 習陣 규정과 비교해보 면 쉽게 알 수 있다. 諸營鎭에는 陸軍의 有軍諸鎭 외에 水軍의 諸浦도 포함되어 있다. 『兵政』은 世祖 5년 10월에 완성되어서 곧 간행된 것으로 추측된다(許善道, 「『兵政』(影印 및 解題)」, 『韓國學論叢』 4, 1982, 235~236쪽). 雜色軍의 習陣은 軍翼體制 편성시 및 鎭管體制 편성 후의 習陣 규정에 모두 제외되어 있고 成宗初에도 엄격히 금하였는데 여기에 포함되어 있는 이유는 알 수 없다. 단,『兵政』은 뒤에 改定되었을 가능성이 있다. 그 근거의 하나로, 成宗初 에 '兵政習陣條 每月初二日 · 十六日習陣 註云 諸鎭各自習陣 除雜色軍 每年二月十月 巨鎭所屬諸鎭兵裏一二日 或至十餘日糧 換鎭習陣'(『成宗實錄』 권 3, 1년 2월 己亥)이라 하였는데, 『韓國學論叢』 4輯에 영인된 『兵政』에는 習陣 조항이 없고 진을 바꿔 습진하는 '換鎭習陣'의 내용도 보이지 않는 것을 들 수 있다. '兵政習陣條'의 내용은 『經國大典』의 규정과 유사하다.

○ 절도사(병 · 수사)는 때와 장소를 정하지 아니하고 제진의 습진과 화포 발사 훈련을 순시하며, 일체의 군무에 능하지 못한 진장은 곧 아뢴다.[211]

○ 대열이나 강무(講武), 순행(巡幸) 등으로 군사가 징발되는 곳의 습진은 정지한다.[212]

매월 16일 각자 습진하는 제진은 유방군이 두어지는 유군제진을 말하며,[213] 습진 대상자는 입번하는 군사이다. 유군제진의 초 2일 습진과 거진 진관 군사의 진을 바꾸어 시행하는 습진은 1470년(성종 원년)에 잠시 폐지한 일이 있는데,[214] 『경국대전』에서는 진을 바꾸어 시행하는 습진만 부활되었음을 볼 수 있다. 각자 습진하는 기간은 세종 때와 같이 3일 정도였을 것으로 생각된다.

2) 무기의 제조 및 정비

무기의 제조는 고려말부터 이미 도별로 이루어지고 있었고, 달마다 제작해야 할 수량도 정해져 있었다.[215] 그리고, 태조 때에는 도절제사가 도내의 무기 제작을 감독하고 있었다.[216] 지방에서의 무기 제조는 태조 말엽에 각도의 병영과 진이 설치된 뒤 병영과 진 및 계수관을 중심으로 이루어지게 되었다.[217] 병영의 경우 1398년(태조 7) 9월에 군기타조공장軍

---

211) 이상 『經國大典』 兵典 敎閱.

212) 『經國大典』 兵典 符信. 巡幸은 국왕의 巡狩를 뜻한다.

213) 諸陣이 有軍諸陣을 뜻하는 경우는 諸邑과 구별하여 쓰인 때 외에도 『經國大典』 兵典 敎閱 조항에 火砲의 放習에 대해서 '外則諸鎭將習放水陸軍每十人 各擇一人 每鎭立番時 習放後 主將開具支用火藥之數啓聞'이라 한 데서도 볼 수 있다.

214) 『成宗實錄』 권 3, 1년 2월 癸酉. 註 210) 참조.

215) 『太祖實錄』 권 1, 1년 9월 乙亥.

216) ……又諸道節制使 監督道內所鑄兵器 無或不謹 其講武備也盡矣(鄭道傳, 『朝鮮徑國典』 下, 工典, 兵器).

217) 『太祖實錄』 권 3, 2년 1월 甲申 ; 같은 책 권 14, 7년 9월 丁丑 ; 같은 책 권 15, 8년 7

器打造工匠 37명을 배정한 바 있으므로 진과 계수관에도 역시 공장이 두어졌을 것으로 추측된다. 제조할 무기의 수량은 각각 월과량月課量으로 배당되었고, 이 밖에 국왕의 탄일誕日과 정조正朝, 동지 등의 명절에 왕실에 만들어 바쳤다. 병영의 월과량으로 배당된 군기는 수령관이 두어졌을 때에는 수령관이, 그렇지 않으면 유영진무留營鎭撫가 관장하였다.218)

지방에서의 무기 제조에 대한 규정은 세종 때부터 크게 정비되었다. 세종 때부터 지방에서 화약 무기도 만들게 된 것이 무기 제조 규정을 새롭게 정비하게 된 계기였다. 1437년(세종 19)에는 각종 화총통火銃筒과 활, 갑옷, 기치旗幟를 1건씩 각도에 내려 보내 일정하지 않던 군기軍器의 체세를 통일하였고, 1450년(문종 즉위년)에는 경기를 제외한 각도에 도회소를 정하고 다시 갑주甲冑, 궁전弓箭, 궁대弓袋, 나위羅韜 등을 새로 내려 보낸 모형에 따라 제조토록 하였다.219) 이어서 1466년(세조 12)에는 전국 각 고을에서 모두 군기를 제작토록 하고 그 종류와 수량을 상세히 정하여 무기류는 1년에 1번, 깃발 종류는 2년에 1번 만들어 올리도록 하고, 올리고서 남는 군기는 거진에 저장토록 되었다.220) 이어서 2년 뒤에는 거진에만 저장하던 무기를 거진에서 모두 표를 붙인 뒤 제조한 제진에서 각각 저장토록 함으로써221) 지방에서의 무기 제조 및 보관에 대한 규정이 정착되었다.

그런데 각도에서의 무기 제작은 세종~단종 때에는 관찰사가 감독하거나 따로 감련관監鍊官을 파견하여서 감독토록 하고 있었다.222) 따라서, 세조

월 乙丑.

218) 註 164).

219) 許善道, 앞의 「麗末鮮初 火器의 傳來와 發達(中)」, 1967, 50쪽 및 87쪽.

220) 『世祖實錄』 권 39, 12년 7월 辛巳.

221) 『世祖實錄』 권 45, 14년 2월 癸卯.

222) 端宗 1년 6월에 文宗 때 정해진 都會所 별로 제작할 軍器量을 정하였는데, 이때에도 '令觀察使考軍器監常定式例 分定諸邑及都會'라고 하여 監司가 軍器의 제작을 살피고 있었음을 알 수 있다.(『端宗實錄』 권 6, 1년 6월 甲午).

때에 와서야 도절제사가 다시 도내의 무기 제작을 전반적으로 감독하게 되고, 그 동안은 병영과 진에서의 무기 제작만 책임졌던 것으로 보인다.

그 반면에 지방군의 무기와 갑주, 군마軍馬 등 군장에 대한 점검과 영, 진 및 각 고을이 보관하는 무기에 대한 점검은 계속하여 도절제사의 임무였다. 조선이 건국한 직후에도 아직 왜구가 심한 상태여서 태조가 즉위하자 곧 수군과 육군의 전투장비를 모두 엄밀히 정비토록 한 일이 있는데, 이 뒤로도 자주 사신使臣이나 경차관敬差官을 파견하여 무기의 정비 상태를 점검하여 무기가 정비되어 있지 않으면 병마도절제사, 수군도절제사를 논죄하곤 하였다. 수령이 각 고을의 무기를 점검하고 이를 도절제사가 보고받아 병조에 이문移文토록 처음 체계화한 것이 1438년(세종 20)이며,[223] 1446년(세종 28)에는 진군은 절제사나 첨절제사, 잡색군은 수령이 그 무기를 점검하고 이를 도절제사와 관찰사가 감독토록 하는 한편 매년 봄 · 가을로 병조 낭청과 삼군진무소 진무를 파견하여 조사해서 무기가 부실하면 수령, 도절제사, 관찰사를 논죄토록 함으로써 군장고열법軍裝考閱法도 정하여졌다.[224] 그런데 지방군의 군장 점열이 지역마다 다른 시기에 시행되는 까닭에 군사들이 서로 옆의 고을에서 빌려와 점열을 받는 일이 생김에 따라 이를 방지하기 위해 1451년(문종 원년)에 중앙군의 군기 점고 규정에 의거해서 매년 9월 16일 잡색군을 제외한 각종 군사에게 갑옷을 입고 무기를 갖추어 각 고을 거주 군사는 고을별로, 당번 영진군과 기선군騎船軍 즉 수군은 영 · 진 · 포별로 모이게 한 뒤 동시에 점열토록 규정함으로써 군장점열법도 완비되었다.[225]

『경국대전』에는 무기의 제조에 대하여 제진(각 고을)이 무기를 횡간橫看에 의하여 정치하게 제조하고, 전에 만든 것은 항상 수선하며, 군사가

223) 『世宗實錄』 권 81, 20년 10월 丙子.
224) 『世宗實錄』 권 111, 28년 1월 甲申.
225) 『文宗實錄』 권 10, 1년 11월 辛丑.

소유하는 무기는 수령과 병 · 수사가 항상 검사하도록 규정하고, 각 고을과 각 진의 무기에는 주州 · 진鎭의 이름을 낙인烙印하도록 하였다.[226] 여기서 횡간이란 바로 1466년(세조 12)에 각 고을별로 매년 또는 2년마다 제작하여 올려보내야 할 무기의 종류와 수량을 규정한 것을 말한다. 군사들의 군장은 습진 때마다 점검하였다.[227]

3) 군사시설의 수축

조선시대의 가장 중요한 군사 시설은 역시 성城으로, 조선초기에도 많은 성을 쌓았다. 행성을 쌓거나 산성, 읍성 등을 일시에 쌓을 때에는 성 터를 살펴서 정하는 일 자체가 매우 중요하고 또 성곽 공사에 많은 인력이 동원되어야 하는 까닭에 별도로 대신을 도체찰사나 도순무사都巡撫使 등으로 임명하여 성 터를 정하고 공사를 감독케 하는 것이 일반적이었고, 도절제사는 그 지휘를 받았다. 그렇지만 진성이나 읍성을 따로따로 쌓을 때, 그리고 특히 이미 쌓은 성을 수축할 때는 대개 성 터도 정해져 있고 인력 동원 규모도 그리 크지 않으므로 도절제사에게 맡기기도 하였다.[228] 앞서 본 대로 세조는 여기서 한 걸음 더 나아가 읍성의 축조는 도절제사의 책임이라고 한 것인데, 읍성의 축조가 강조된 것은 당시 남방의 경우 지방에 대한 중앙 정부의 행정력이 더욱 강화되면서 산성보다도 읍성이 중요시되고 있었고, 거의 모든 군현이 이미 읍성을 갖추기에 이르렀기

---

226) 『經國大典』 兵典 軍器.

227) 『成宗實錄』 권 271, 23년 11월 癸酉.

228) 그 예로 다음의 경우를 들 수 있다.

○ 遣戶曹參議朴坤于下三道 畢築城子 命黃喜……議監督事件 喜等以爲……且築城曾無限定 旣爲每年之事 城基則令巡撫使監定 造築則除遣巡撫使 令其道及監司(監司及) 都節制使監督 從之(『世宗實錄』 권 53, 13년 9월 丙戌).

○ 召領議政黃喜 右議政盧閈議曰 各官築城時 差遣都巡撫使 限畢功監督何如 對曰 除都巡撫使 專使(都)節制使監督 且令監司糾察(『世宗實錄』 권 69, 17년 8월 甲子).

때문에[229] 읍성을 통해 지방민을 보호하는 한편 전보다도 집약적으로 그들을 파악하게 되었다는 상황 변화와 관련이 있다고 생각된다.

일단 완성된 성의 관리와 보수는 1차적으로는 관할 수령에게, 그 다음으로는 병사와 감사에게 책임이 있었다. 『경국대전』에도 여러 진성과 읍성, 산성, 행성 등은 병사가 무너진 곳을 돌아다니며 살핀 뒤 수축할 곳을 해마다 기록하여 아뢰고, 만일 성이 허물어졌는데도 곧 수축하지 않거나 수축하였더라도 견고하지 못하면 해당 수령을 파출罷黜하도록 규정되어 있다.[230]

성 이외의 중요한 군사 시설로서는 군사 통신을 위한 연대烟臺와 봉수烽燧가 있었다. 봉수가 적변賊變을 알리기 위한 통신시설일 뿐인데 비하여 연대는 연변沿邊의 봉수에 보벽堡壁을 쌓고 화포 등의 무기를 비치하여 적변을 알리는 한편 요새의 구실도 함께 하는 것으로서, 1426년(세종 8)부터 양계와 하삼도의 군사적으로 중요한 곳에 축조하였다. 이 연대와 봉수를 축조하고 수축하는 것도 역시 병사가 관장하였다.[231]

그런데 성종 때가 되어서는 성을 수축하거나 조축하는 것은 감사의 임무로 간주되고 있었다.[232] 이는 성을 쌓기 위해서는 많은 인력을 동원하여야 하고 지방에서의 많은 노동력을 동원하는 일은 사실상 감사에게 위임되어 있는 것으로 여기고 있었기 때문일 것이나, 또한 감사가 병사를 예겸하게 된 것과도 관련이 있지 않을까 추측된다.

4) 임전 및 치안을 위한 직무

이제까지 언급한 지방군의 무예훈련과 습진, 무기의 제작과 수선, 군사들의 군장 점검, 성보城堡 및 연대, 봉수 등의 축조와 수축 등이 병사의

229) 井上秀雄, 「『慶尚道續撰地理志』の城郭觀」, 『朝鮮學報』 99, 100, 1981, 33~34쪽.

230) 『經國大典』 兵典 城堡.

231) 許善道, 「近世朝鮮前期의 軍事裝備와 施設」, 『韓國軍制史』(近世朝鮮前期篇), 1968, 493~494쪽.

232) 『成宗實錄』 권 77, 8년 윤2월 己酉.

평상시의 직무로서 중요한 것들이었다. 이러한 일들이 모두 전시戰時에 대비한 것일 뿐 아니라, 도절제사 · 병사를 설치한 목적도 원래 도별로 고위 무장을 파견하여 외적을 효과적으로 막으려는 데에 있었음은 물론이다. 도의 주장인 병사가 최고도의 능력을 발휘하는 것은 바로 전투에 대비한 군사적 제반 조치와 전투가 발생했을 때의 군사적 조치 및 군사의 지휘에서인 것이다. 따라서 병사에게는 유사시에 대처할 수 있도록 상당한 권한이 주어졌으며, 이는 '도성 밖의 일은 장군이 통제한다(閫外之事將軍制之)'라는 말로 표현되곤 했다.

외적이 대규모로 침입하여 국가의 운영이 문제될 정도라면 국가의 전병력을 동원하는 별도의 지휘체계가 형성되겠지만, 조선초기에 많이 발생한 여진족이나 왜구의 소규모 침입에 대해서는 병사가 우선 적의 규모에 따라 군사를 징발하여 즉각 대응해야 했다. 침입한 적의 규모에 비해 지나치게 많은 군사를 동원하거나 침입이 일어나지 않았음에도 군사를 동원하는 일이 없도록 적변에 대처한 군사의 징발에 대해서 이미 1397년(태조 6)에 엄밀한 규정을 둔 바 있고, 실제로 적의 침입이 없었는데도 군사를 징발한 도절제사가 처벌된 경우도 볼 수 있다.[233]

도절제사는 1398년부터 상설된 영진군을, 병마절도사로 직함이 바뀐 뒤로는 영 · 진의 유방군을 지휘하여 국방에 임하게 되었다. 그러나 유방군의 경우 그 수가 가장 많은 경상좌 · 우도 병영도 당번 군사는 1여(旅: 125명)에 불과한 까닭에 웬만한 적의 침입이 있으면 역시 소관 군사도 소속 각 고을의 군사를 동원해야 했다. 이러한 까닭에 평상시의 군사력 이동은 반드시 왕의 윤허를 받아 시행해야 했지만 유사시에는 세종이 '만으로 헤아리는 군사를 움직인다면 아뢰지 않으면 안되나, 그 나머지 적변에

---

233) 罷平安道都節制使曹恰職 義禁府請恰失錯敎旨 無賊變而誤徵馬軍之罪 以合(恰)原從功臣 只罷其職(『太宗實錄』 권 35, 18년 5월 甲寅).

대한 대응은 꼭 아뢸 필요는 없다'[234]고 한 것과 같이 병사에게는 임기응변臨機應變하여 군사 조치를 취할 권한이 부여되었다.[235] 『경국대전』에 병사가 적변에 대응할 때에는 중앙으로부터 발병부發兵符가 오기를 기다리지 말고 먼저 군사를 동원한 뒤 아뢰도록 한 것은 이 권한을 법제화한 것이었다.[236]

그런데 병사의 직무에서 이보다도 더 고도의 능력을 요구하는 것이 적의 침입에 대비하여 적절한 예비조치를 취하는 일이었다. 이는 특히 여진족의 침입 가능성이 상존하는 양계 지역에서 매우 중요시되었으며, 따라서 양계의 병사로는 특히 무재武才와 아울러 지략이 뛰어난 사람이 요구되었다. 하삼도에서는 국방의 중심이 육군보다도 수군에 두어져 수군이 육군보다 훨씬 많았는데,[237] 병사가 수군을 직접 지휘하는 것은 아니지만 수사가 군사적 조치를 취할 때 '병사의 지휘를 받는다'고 말해질 정도여서[238] 병사가 도의 국방에 큰 책임을 지고 있었음을 알 수 있다. 병사가 도의 주장으로서 취하는 조치는 크게는 진이나 포, 구자의 설치와 이전, 성보의 축조, 수축 및 진장의 설치와 폐지에서 작게는 군사 및 화포 등 무기의 배치에 이르는 것으로서 대개 감사와 함께 의논하여 보고한 뒤 중신회의重臣會議를 거쳐 왕의 윤허를 얻어서 시행하였지만, 병사의 의견에 큰 비중이 두어지고 있었다. 이러한 군사적 예비조치는 감사에게 군사 업무의

---

234) 『世宗實錄』 권 73, 18년 8월 戊寅.

235) 上曰 各道兵馬都節制使 已受命專制一方 如有緩急 道內軍馬 宜當臨機進退(『世宗實錄』 권 72, 18년 5월 己丑).

236) 若應變 · 捕盜及惡獸害人畜 諸邑常設檻 穽機械捕獲 則不待符 先發後聞(『經國大典』 兵典 符信).

237) 『世宗實錄』「地理志」 道別 總論에 의해 계산하면 下三道의 水軍은 총 35,858명, 營鎭軍은 총 8,314이며, 여기에 水軍은 2교대, 營鎭軍은 보통 4교대였음을 감안하면 전투력에서 큰 차이가 있었음을 알 수 있다.

238) 兵曹判書盧公弼啓 今諸道可疑處 使水使搜捕 方略處置 當稟諸兵使 兵使元仲秬 本無望人……(『燕山君日記』 권 22, 2년 3월 己酉).

감독권 내지 감찰권이 주어져 있었기 때문에 병사가 감사와 함께 의논하여 입안하고 시행하였으며, 수군과 관계되는 경우에는 수사와도 함께 의논하였다.

병사는 왕명을 받은 장수로서 국방의 임무를 충실히 수행할 수 있도록 법을 어긴 휘하의 관직자를 직접 처벌할 수 있는 권한을 부여받았다. 특히 함길도의 경우는 적변이 자주 일어나는 까닭에 도절제사가 공신의 자손이라도 직접 처벌할 수 있도록 한 바 있다.[239] 전시戰時에는 물론 이러한 한계 없이 살생여탈권 자체가 병사에게 주어졌다.[240] 이렇게 큰 권한이 주어진 만큼 군사적 예비조치, 임전시의 여러 조치 등을 적절히 취하지 못하여서 적의 침입을 받아 큰 피해를 내면 해당 지역의 진장은 물론이고 병사 및 그와 함께 군사 조치에 참여하는 우후, 평사가 논죄되기 마련이었다.

병사의 직무에서 전투에 임할 때의 경우와 같은 범주에 들어가는 것으로 맹수나 도적의 포획, 내란의 예방 및 방지 등 치안과 관계되는 일들이 있다. 병사는 호랑이와 같은 맹수나 도적이 있을 경우 역시 먼저 군사를 징발하여 조치를 취하고 나서 아뢰도록 『경국대전』에 규정되어 있다.[241] 이 규정에 근거하여 성종은 호랑이를 잡겠다고 아뢴 충청병사를 꾸짖으면서 이러한 경우의 군사 징발은 '병사의 상사常事'인데 그것을 아뢰어 요청하니 이는 직무를 대만히 한 것이라고 하였던 것이다.[242] 『경국대전』에는 아울러 목장 안에 들어온 짐승을 곧 사로잡지 않아서 소나 말이 5마리 이상 죽을 경우에는 병사를 장杖 90에 처하도록 규정되어 있다.[243]

239) 『世宗實錄』 권 83, 21년 2월 甲子.

240) 敎平安道都節制使曰 將軍在閫外 非唯坐擊刺之法・三令五申也 至於殺生予奪之權亦未嘗不專制也(『世宗實錄』 권 77, 19년 7월 癸丑).

241) 註 236).

242) 『成宗實錄』 권 23, 3년 10월 壬午.

243) 『經國大典』 兵典 牧場.

내란의 방지는 병사의 직무라기보다 중요한 기능이라고 할 수 있다. 병사의 자격요건으로서 무재와 함께 덕망이 중시되었던 것은 이러한 이유에서였다. 사병이 혁파된 이후 도절제사 · 병사는 도의 주장으로서 큰 병권兵權을 장악하게 되어 중앙 권력에도 영향을 미칠 만하게 된 것도 이와 관련될 것이다. 즉, 병사는 중앙 권력과의 관계에 따라서는 내란을 일으킬 수도 있는 요소로서 위험시될 만하였으며, 이로부터 왕과 친밀한 관계에 있는 사람이 병사로 많이 임명되었던 것도 주로 지방에서 내란이 일어나는 것을 방지하는 한편 내란이 일어날만한 소지를 없애려는 의도에서였을 것임을 짐작할 수 있다.

지역별로 볼 때 늘 여진족의 침입에 대비하고 있던 양계의 병사가 가장 강력한 군사력을 장악하고 있었다. 또, 유사시에는 중앙에 보고하기 전에 군사적 조치를 펼칠 수 있는 권한이 병사에게 부여되어 있었으므로 적변이 잦은 양계에서는 병사가 임의로 군사를 동원할 수 있는 여지도 많았다. 따라서 양계에 임명된 병사는 특히 중앙 권력과 긴밀한 관계에 있게 마련이었다. 이는 태종이나 세조와 같이 비상한 방법으로 즉위한 왕이 재위하는 동안 왕의 옛 친구라고 일컬을 만한 사람이나 왕이 직접 발탁한 사람이 대개 양계의 병사로 임명되었던 것에서도 알 수 있지만, 이징옥李澄玉의 난에서 더욱 확실히 파악할 수 있으리라고 생각된다.

이징옥은 김종서金宗瑞가 함길도 도절제사로 있는 동안 계속 그의 밑에서 국경지역의 진장을 지냈었다. 김종서의 천거를 통해 함길도 도절제사로 임명된 이징옥은 1450년(문종 즉위년)부터 1453년(단종 원년)까지 김종서가 중앙 권력의 핵심적 위치에 있는 동안 계속 도절제사로 재직하다가, 세조가 김종서 등을 죽이고 정권을 장악한 뒤 정변의 소식이 채 함길도까지 전해지기 전에 파직되고 말았다.[244] 그때서야 이징옥은 정세 변동의

244) 『端宗實錄』 권 8, 1년 10월 癸巳.

실상을 알고 반란을 일으켰던 것인데,[245] 여기서 병사와 중앙 권력의 상관관계를 잘 볼 수 있다. 즉 김종서가 중앙 권력의 핵심부에 위치하고 있는 동안 이징옥은 그 군사적 배경으로서 내란을 방지하는 기능을 하였지만, 반대세력인 세조가 정권을 장악하자 오히려 내란을 일으킬 가능성이 가장 높은 인물로 바뀌게 되어 곧 파직되었고, 실제로 이징옥은 결과적으로 반란을 일으켰던 것이다.

조선전기에서 그 규모와 영향이 가장 컸던 내란은 1467년(세조 13)에 함길도에서 일어난 이시애李施愛의 난이었다. 이 내란 자체가 병사인 강효문康孝文이 '혼자서 한 지방을 지휘하면서 군사와 백성을 보살피지 않았다(不恤軍民)'는 데 있다고 지적되었지만,[246] 반란이 평정된 뒤 함길도를 남북으로 나누어 각각 병사와 감사를 두었다가 남도의 감사는 혁파하고 병사는 계속 설치하였는데, 그 주된 목적은 내란 재발을 방지하는데 있었던 것으로 보인다. 함길도의 지형이 남북으로 길게 뻗친 까닭에 북쪽에서 6진을 중심으로 국방에 임하는 북병사 혼자로서는 남쪽의 도민들까지 파악하기가 어려웠기 때문이다. 성종~연산군 연간에 남병사가 국방상 긴요치 않으므로 혁파하자는 논의가 나올 때마다 결국은 세조의 '크고 멀리 내다본' 뜻에 의해 설치되었다는 이유로 혁파하지 않았는데, 실제로 이시애의 난이 일어난 곳도 길주였고, 남병사 밑에 결국은 우후와 평사를 두지 않게 된 것까지 고려할 때, 그 주된 기능은 역시 내란의 방지였다고 하겠다.

이는 함길도의 특수한 사정 때문이라고 볼 수도 있다. 그렇지만 지역적으로 정도의 차이는 있더라도 어느 도의 병사나 내란을 방지하는 기능을 갖고 있었다고 생각된다. 진영체제가 편성됨으로써 병사가 하번의 경군사와 지방군을 전반적으로 파악하게 되었는데, 이는 병사의 권한을 증대시키는 계기가 되는 한편 병사가 내란을 방지하는 기능을 발휘할 때 중요한

245) 『端宗實錄』 권 8, 1년 10월 戊申.

246) 『世祖實錄』 권 43, 13년 9월 丙寅.

제도적 장치가 되었을 것이다. 일단 내란이 일어나면 병사는 적변이 일어났을 때와 같이 대응해야 했음은 말할 필요도 없다.

2. 지방군의 파악과 징발

1) 군적의 작성

조선시대에는 16~60세의 남자로서 관직에 오르거나 향리·노비 등으로 신분에 따른 역役을 지지 않는 사람은 모두 군역軍役을 지는 것이 원칙이었고[247] 군역은 또한 국역國役의 기간을 이루고 있어서[248] 국가가 국민을 지배하는데 매우 중요한 위치를 차지하고 있었다. 군역을 지는 사람은 모두 군적軍籍에 실려야 했으므로 군적은 국민을 파악하여 유사시에는 군사활동을 위해 동원하고 평시에는 국역을 부과하기 위한 기초자료가 되었다.

조선초기 지방에서는 세종 때까지는 중앙군으로 종사하는 군정軍丁과 그 봉족奉足은 제외되고 시위군, 영진군, 수군 등의 군정과 봉족을 그 지방의 군액軍額으로 파악하여 군적에 기록하고 있었으나, 1440년(세종 22)에 갑사甲士를 거주지의 영·진별로 군적에 이름을 올리게 하면서 변화가 일어나기 시작하였다.[249] 그리하여 1451년(문종 원년)에 하번 지방군을 모두 지방별로 거주지의 군적에 이름을 올리게 됨으로써 지방에 거주하는 중앙군과 지방군을 일원적으로 파악하게 되었고,[250] 1455년(세조 원년)

---

247) 千寬宇,「五衛와 朝鮮初期의 國防體制」,『近代朝鮮史研究』, 1979, 142~143쪽.

248) 金錫亨,「李朝初期 國役編成의 基柢」,『震檀學報』14, 1941, 3쪽.

249) 閔賢九, 앞의 책, 1983, 67~68쪽.

250) 兵曹啓 諸道侍衛·營鎭軍·船軍·守城等軍 每年春秋錄籍 報于本曹 本曹總計上聞 別侍衛·甲士·銃筒衛·近仗·防牌·攝六十等軍士 曾不錄籍 不知幾人在於某官 脫有徵兵 則倉卒之間 考閱實難請自今 令漢城府·開城府·各道都節制使 具錄名數及居住處 移牒本曹 磨勘上聞 從之(『文宗實錄』권 5, 1년 12월 乙丑).

전국을 군익체제軍翼體制로 편성하면서부터는 사옹司饔, 사복司僕, 충호위忠扈衛, 상의원尙衣院, 응사鷹師 등 잡직雜織에 종사하는 사람들과 날쌔고 용맹한 향리, 잡색군까지 모두 각 익翼에 소속시키고 그 군적은 중익, 병영, 병조에 비치하는 한편 중익—병영—병조의 계통을 밟아 번상이 이루어지도록 체계화되었다.[251] 이러한 체제는 진관체제鎭管體制가 편성된 뒤에도 제진諸鎭—거진巨鎭—병영—병조의 계통으로 다시 규정되었으나, 중익이 거진으로 대체되었을 뿐 큰 변화는 없었다. 이로써 세조 때에는 내금위內禁衛와 겸사복兼司僕 등의 장번長番이어서 교대하지 않고 계속 근무하는 경군사를 제외한 모든 군사와 지방민이 군적에 의해 파악되기에 이른 것이다. 평시에는 습진에 참여하지 않는 사옹, 사복, 충호위, 상의원의 제원諸員과 응사, 날쌔고 용맹한 향리, 잡색군 등은 정규 군사가 아니면서도 역시 군적에 의해 파악되고 있었기 때문이다.

병사는 유사시에 군적에 오른 군사들을 동원하여 적변 등에 대응하여야 했으므로 당연히 도의 군적을 관장하였다. 그러나 각도 군적의 작성은 처음에는 도절제사의 소관이 아니었다. 조선시대에 처음 지방별로 군적이 작성된 것은 1393년(태조 2)이다. 이때에는 도절제사와는 별도로 왜구를 막기 위해 임시로 파견되어 있던 중앙군의 절제사, 그리고 이들이 파견되지 않은 도에서는 안렴사가 군적 작성을 담당하였다.[252] 당시는 아

---

251) 一. 諸邑軍士番上 中翼節制使點閱報都節制使 都節制使勿更點 移牒兵曹 一. 翼屬軍士軍案 三件作成 一件藏中翼節制使 一件都節制使 一件兵曹(『世祖實錄』 권 2, 1년 9월 癸未). 翼屬軍士의 내용에 대해서는 註 250) 참조.

252) 各道上軍籍 先是 遣南誾 · 朴威 · 陳乙瑞等八節制使 以備倭寇 寇退 乃命南誾于慶尙道 朴威于楊廣道 陳乙瑞于全羅道 點軍成籍 其餘諸道 令按廉使點之 至是成籍以上 京畿左 · 右 · 楊廣 · 慶尙 · 全羅 · 西海 · 交州 · 江陵凡八道馬步兵及騎船軍摠二萬八百餘人 子弟及 鄕 · 驛吏諸有役者十萬五百餘人(『太祖實錄』 권 3, 2년 5월 庚午).
閔賢九, 前揭書, 1983, 181쪽, 註 33)에서는 南誾 등을 都節制使로 보고 있으나, 이들은 이해 3월 楊廣道에 義安伯 和, 朴威, 崔雲海, 慶尙道에 李濟, 南誾, 李之蘭, 全羅道에 太宗, 陳乙瑞등을 파견하여 왜구를 막게 한 8節制使 중의 3人으로(『太祖實錄』 권 3, 2년 3월 癸亥), 왜구가 물러가서 일단 돌아왔다가 왜구가 침입하자 다시 파견하

직 국가의 초창기인 데다가 왜구도 잦았으므로 도절제사가 군적을 작성할 여가가 없었기 때문에 임시로 파견된 절제사나 직접적 국방 책임자는 아닌 안렴사에게 그 임무가 맡겨진 것으로 생각된다.

군적을 언제부터 도절제사가 맡아서 작성하였는지는 분명하지 않다. 태종 초엽까지도 군적을 고쳐 정리하는 일은 각 고을의 수령과 감사를 통하여 이루어졌고, 따라서 도별 군적의 작성은 아직 감사의 직무였다. 그러나 세종 초엽에는 이미 도절제사가 군적 작성을 맡고 있는 것으로 보아[253] 태종 중엽 이후부터 도별 군적 작성이 도절제사의 직무로 되었을 것으로 추측된다.[254] 다만 세조 때 봉족제奉足制를 바꾸어 보법保法을 실시하면서 군정작보규정軍丁作保規定을 개정하여 전국의 군적을 고칠 때에는 그 사업이 방대한 까닭에 따로 군적사軍籍使 등을 파견하였다.[255]

군적은 군안軍案이라고도 하였으며, 처음에는 호적戶籍과 마찬가지로 3년마다 1번씩 고쳐 작성하였다. 그러나 곧 서리胥吏 등의 농간이 문제되어 1428년(세종 10)부터 6년마다 고쳐 작성하도록 바뀌었다. 이때 군정軍丁의 나이가 60세가 되거나 질병 또는 사고를 당해 면역되어 궐원闕員이 생기면 수령이 즉시 채워 넣어서 도절제사에게 보고하고, 도절제사는 궐원된 군정을 군적의 정안正案에 표기하는 한편 군정이 바뀐 내용을 초안草案

였던 것이며, 각도에 파견된 都節制使는 아니었다.

한편 西北面은 太祖 2년 7월 都巡問使에게 義州道 軍籍을 改修토록 한 것으로 보아(『太祖實錄』 권 4, 2년 7월 乙巳), 이미 軍翼道별로 軍籍이 작성된 것으로 추측된다.

253) ○ 慶尙道右道都節制使啓 道內諸邑軍丁逃亡物故者敎多 請改軍籍 從之『世宗實錄』 권 5, 1년 10월 丙戌

○ 全羅道兵馬都節制使據濟州都安撫使呈啓 道內軍丁並無軍籍 難以憑考 請以農隙成軍籍 從之(『世宗實錄』 권 13, 3년 8월 乙未).

254) 太宗 8년 7월 都節制使를 下婢差遣하기 시작한 뒤 곧이어 각도의 城子補修, 水陸諸邑軍丁의 奉足, 지방군의 武藝訓鍊, 界首官의 月課軍器 등 都節制使의 직무에 관계되는 규정들을 마련함과 아울러 戶籍을 3년마다 1번씩 成籍토록 하였는데, 이때 軍籍 작성을 都節制使가 맡게 되지 않았나 생각된다.

255) 한 예로 世祖 11년의 軍籍 改篇을 들 수 있다(『世祖實錄』 권 36, 11년 1월 戊辰).

으로 기록하여 두었다가 6년마다 정안에 게재토록 함으로써 군적을 고쳐 작성하는 규정이 정하여졌다.[256] 이렇게 하여 6년마다 고쳐 만들어지는 각도의 군적을 병조에 올리면 병조가 그것을 초안으로 삼아 정리하여 전국의 군적을 작성함으로써 군적 개정 작업이 끝나는 것이다.[257] 병사는 6년마다 군적을 고쳐 작성하는 일 외에 매년 봄 · 가을로 도내의 각 고을별, 병종兵種별 군사수를 조사하여 병조를 통해서 아뢰었다.[258]

『경국대전』에도 군적은 6년마다 작성하도록 규정되어 있다. 서울은 오부五部가, 지방은 각도의 병 · 수사가, 제주濟州는 제주절제사(濟州節制使:제주목사)가 작성하여 병조에 보내도록 하고, 작성된 군적은 병조와 감영 및 병 · 수영, 거진, 제진에 각각 1건씩 보관토록 하였다.[259] 각 고을 군적의 작성 책임자는 물론 수령이었고, 실무자는 향리였다. 병영의 군적 작성 실무자는 영진무營鎭撫였다. 각 목장의 목자牧子도 병사가 3년마다 장부를 작성하였다.[260]

2) 군사의 징발

병사는 도내의 군사력을 군적을 통해서 파악하는 한편, 전시戰時에 또는 대열大閱이나 습진習陣 등을 위하여 이들을 징발하는 책임자였다. 병사가 군사를 징발할 때에는 병부兵符와 호부虎符, 밀부密符 등을 썼으며, 그 용도는 각각 달랐다. 병부 등은 한편으로는 그것을 관장케 함으로써 발병

---

256) 兵曹啓 各品陳言一欵 前此每三年一改軍籍 但修改年老有故者而已 若船軍之慣船上侍衛 · 鎭牌之能射御者 苟無其故 皆仍本役 今也不然……命政府諸曹同議 僉曰 有故者 隨卽充定 報于都節制使標記正案 又錄草案 待六年 載諸正案 從之『世宗實錄』권 40, 10년 윤 4월 己丑).

257) 御經筵 掌令李惟淸曰……大抵軍案 本道每六年成草案 上兵曹 曹吏磨鍊成籍(『燕山君日記』권 5, 1년 5월 丁未).

258) 註 250).

259)『經國大典』兵典 成籍.

260) 앞의 주와 같음.

권發兵權을 주었음을 뜻하였지만, 한편으로는 중앙 권력의 안전을 위해 발병권을 규제하는 것이기도 하였다. 그러면 호부와 병부, 군부에 대하여 살피면서 병사가 군사를 징발하는 과정을 보기로 한다.

호부는 발병호부發兵虎符라고 하였으며, 도절제사와 감사를 통해 도내 군사를 징발할 수 있도록 1403년(태종 3)에 체제를 처음 마련하였다가 1462년(세조 8)에 폐지하였다. 호부는 가운데에 호랑이를 새기고 좌·우에 양陽·음陰 두 자를 새겨 육갑六甲으로 번호를 매겨서 양부(陽符:左符)를 왕부王府에 보관하고 음부(陰符:右符)를 각도의 감사와 병마·수군도절제사에게 주었다.[261] 호부의 양부를 출납하는 권한은 처음에는 상서사尙瑞司에 있었으나, 1418년(세종 즉위년)부터 병조로 이관되었다.[262] 이 뒤로 상서사에서는 호부의 양부를 보관만 한 것으로 보이며, 후대에 제정된 병부도 병조에서 출납한 것으로 보인다.

병부의 사용은 진법陣法이 개편되는 1451년(문종 원년)부터 나타난다. 감사와 병·수사에게 주어진 것을 모두 발병부發兵符라고 하였는데, 도내 군사를 징발할 경우 다시 육군에 사용하는 발병부와 수군에 사용하는 발수군부發水軍符 및 수군부水軍符로 구분되어 있었다. 발병부는 표면에 '발병發兵'이라는 글자를 새기고 이면에는 어느 도 관찰사, 병·수사 또는 진의 명칭을 표시하였으며, 호부와 마찬가지로 좌부(양부)와 우부(음부)로 나누어서 좌부는 궁중에 소장하고 우부는 해당 영이나 진에 내려주어 중앙에서 군사를 징발할 때에는 교서敎書와 함께 내려 보내서 군사들을 동원하였다.[263]

---

261) 議政府進各道發兵虎符 其制 以木爲之 比馬牌差大 刻虎於中 而刻陰陽(陽陰)二字於左右 以六甲以表剖之 陽藏于王府 陰授各道觀察使·(都) 節制使以遣之 如有發兵事 遣陽符 與陰合然後發之 太上王始制而未行 今欲行之也(『太宗實錄』 권 6, 3년 7월 丁酉).
水軍都節制使에게는 1416년(太宗 16)부터 虎符가 발급되었다(『太宗實錄』 권 31, 16년 3월 癸卯).

262) 『世宗實錄』 권 1, 즉위년 9월 癸丑.

263) 發兵符 體圓 一面書發兵 一面書某觀察使·節度使 諸鎭則鎭號 中分 右符頒于觀察使·

병부의 우부(음부)는 처음에는 도절제사와 감사에게만 발급하다가 1457년(세조 3) 12월 진관체제가 편성된 직후에 유사시에 신속히 병력을 동원할 수 있도록 여러 고을에도 모두 발급하였다.[264] 이어서 다음 해 6월 도절제사와 감사에게도 여러 고을 병부의 좌부(양부)를 주어 지방에서 습진할 때에는 독자적으로 각 고을 군사를 징발할 수 있게 하였다. 이전까지는 습진할 때 도절제사가 각 고을에 공문을 보내 군사들을 동원하였는데, 이제는 도절제사가 거진과 제진 병부의 좌부를 군관에게 주어 거진으로 보내면 거진장巨鎭將은 소장하고 있던 우부와 부합符合해 본 뒤 다시 각 고을(제진) 병부의 좌부를 각 고을에 보내고, 각 고을 수령은 병부를 맞추어서 거진으로 돌려보내면 거진장이 다시 그것을 군관에게 주어서 도절제사에게 보내는 절차를 밟아 군사를 징발하게 되었다.[265] 『경국대전』에 '습진할 때에는 병부를 기다리지 않고 병사들을 징발한다(習陣時 不待符而徵兵)'라 한 것은[266] 중앙에서 보내는 병부의 좌부 없이 병사가 군사들을 징발한다는 말일 뿐 그 실제는 위와 같이 복잡한 절차를 거쳐야 했다.

원래 병부는 각 영과 진의 군사를 징발할 때 사용하고 감사, 도절제사, 처치사를 통해 도내 군사를 징발할 때에는 호부를 사용하였었는데, 감사와 도절제사, 처치사가 각 진 · 포 병부의 좌부를 갖게 됨에 따라 1462년에 호부는 모두 거두어들이고 병부만 사용하게 되었다.[267] 호부와 병부

節度使及諸鎭 左符藏 于大內 若徵兵則降左符及教書 合驗然後應徵

○ 觀察使 · 節度使亦各受諸鎭左符 承教書則送左符于諸鎭發兵(『經國大典』 兵典 符信).

264)『世祖實錄』권 10, 3년 12월 庚子.

265) 兵曹據慶尙道觀察使啓本啓……今諸邑已受發兵陰符 請送賜符于諸道(都)節制使及觀察使 每當習陣時(都)節制使 以陽符授軍官送主鎭將 與所受陰符合 遂送于所屬諸邑 相封還主鎭 主鎭將帥(授)軍官以送 定日聚鎭習陣 他道亦依此例 從之(『世祖實錄』 권 13, 4년 6월 癸酉). 여기서의 主鎭은 巨鎭을 말한다.

266)『經國大典』 兵典 符信.

267)『世祖實錄』 권 29, 8년 10월 壬申.

發兵符가 곧 虎符를 대체함으로써 世祖 4년 9월 虎符를 폐지한 것이라는 견해가 있

가 함께 사용되던 때에는 감사와 도절제사, 처치사가 중앙에서 보낸 호부 좌부를 받으면 갖고 있던 각 진 · 포의 병부 좌부를 각 진 · 포에 보내서 군사들을 징발하였다.[268)]

수군의 병부는 1458년(세조 4) 8월 처음 발급되었으며, 육군의 병부와 구분하여 '군부軍符'로 불렀다. 이 군부는 다시 발수군부發水軍符와 수군부水軍符로 구분되었다. 발수군부는 상번 수군을 징발하기 위한 것으로서 표면에 '발수군發水軍' 3자, 이면에 포의 이름을 새겼고, 양부는 감사와 처치사가, 음부는 각 포의 만호나 첨절제사가 지녔다. 수군부는 하번 수군 곧 각 고을에 거주하는 수군을 징발하기 위한 것으로서, 발병부에 '수군水軍' 두 자를 전서篆書로 낙인烙印하여 사용하였으며, 양부는 감사와 도절제사, 처치사가, 음부는 각 고을의 수령이 지니게 하였다.[269)] 수군도 하번일 때에는 거주하는 곳에서 병사가 주관하는 습진에 참여하여야 했으므로 병사도 수군부의 양부를 갖게 된 것이며, 발수군부와 수군부가 구분된 주요 이유는 여기에 있었다.

이제 중앙에서 지방군을 징발하는 절차를 알기 쉽게 그림으로 나타내면 다음의 <그림 4>와 같다.

으나(張炳仁, 앞 글, 1984, 194쪽), 실제는 虎符와 兵符가 약 10년간 並用되었다.

268) 若虎符用於監司 · 都節制使 · 處置使 發兵符 · 發軍符用於諸營鎭 發兵符發陸軍 發軍符發水軍(『兵政』 符驗).

269) 兵曹啓 諸浦兵符條件 一. 陸軍則諸邑已受發兵陰符 獨水軍無符 今宜造陰陽符 一面書刻浦名 一面書發水軍三字 分授陰符于諸浦萬戶及僉節制使 陽符于觀察使 · 處置使 徵番上船軍時相合用之 又作 發兵陽符 一面篆烙水軍二字 送于處置使 發下番船軍于諸邑 則與諸邑曾受陰符相合用之 并送賜符于觀察使 · (都)節制使 凡徵兵事 須相合用之 軍數則必考署合經印開……(『世祖實錄』 권 13, 4년 8월 己卯).

<그림 4> 지방군의 징발 절차

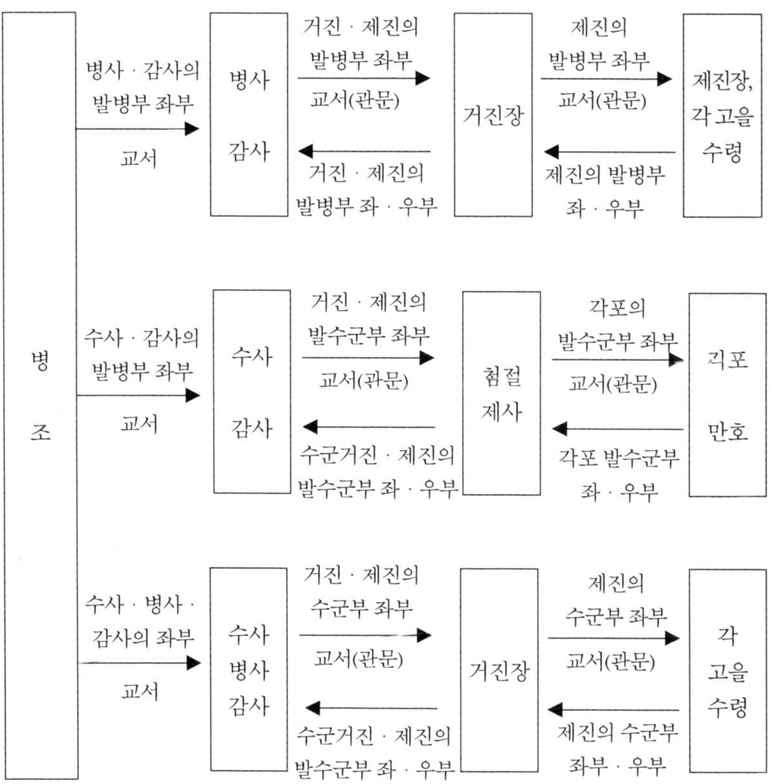

병부를 지니는 병 · 수사 및 감사, 진장 등의 출사出使 · 유고有故 때의 병부 처리에 대해서도 1458년(세조 4) 8월에 아울러 규정되었다. 이 규정은 거의 그대로 『병정』과 『경국대전』에 수록되었는데, 『경국대전』에 규정된 내용은 다음과 같다.

> ○ 제진의 진장은 출사할 때 항상 병부를 차고 가며, 만약 공무로 출사하는 일정이 3일을 넘거나 상(喪)을 당하거나 휴가를 얻거나 사망하였을 때에는 판관[판관이 없으면 교관]이나 구전군관에게 주어서

거진에 교부하며, 거진은 그것을 받아서 절도사에게 교부하며[절도사가 유고일 때에는 우후에게, 우후도 유고일 때에는 구전군관에게, 평사가 있는 도에서는 평사에게 교부한다.] 절도사는 사유를 갖추어 아뢰고, 제진의 진장에게 돌려 준 뒤에도 역시 아뢴다.

○ 절도사가 유고인 때에는 우후가 받아서 보관하고 아뢰며[우후도 유고인 때에는 부근 수령이나 구전군관이 보관하고, 평사가 있는 도에서는 평사가 보관한 뒤 병조에 보고하여 아뢴다], 절도사가 돌려받은 뒤 역시 스스로 아뢴다.[270)]

『경국대전』에는 감사가 유고일 때에 대한 규정은 없는데, 『병정』 등에 의하면 수령관(도사)이 전해 받아서 보관한 뒤 아뢰고, 돌려받은 뒤 감사가 역시 스스로 아뢰며, 수령관도 유고일 때에는 부근 수령이 보관하도록 되어 있다.[271)]

병 · 수사나 감사의 교대에 따른 호부 및 병부를 주고받는 절차에 대한 규정도 역시 까다로웠다. 호부를 주고받는 절차는 1411년(태종 11)에 새 감사와 병마 · 수군도절제사는 반드시 의정부에서 왕명을 받아 공문을 보낸 뒤에 호부를 전달받고, 그 자호(字號: 六甲으로 된 호부의 번호)와 전달받은 곳, 날짜를 갖추어 보고하도록 정하였다.[272)] 병부를 주고받는 절차도 호부를 주고받는 절차에 따라 시행하였으며, 각 고을의 수령, 각 진 · 포의 첨절제사 · 만호 등도 병부를 전달받은 뒤 병 · 수사나 관찰사를 통하여 중앙에 보고하여야 했다.[273)]

이상에서 본 바와 같이 도내 육군의 징발은 병사의 책임 아래서 이루어지고 있었으며, 병사가 병력을 징발하는 계통의 축이었다. 육군 병부의 이동을 병사는 확실히 파악하고 있어야 했고, 각종 사유로 수령, 진장 등

---

270) 『經國大典』 兵典 符信. 번역문 중 [ ] 안의 내용은 細字로 된 註임.
271) 『兵政』 符驗 및 『世祖實錄』 권 13, 4년 8월 己卯.
272) 『太宗實錄』 권 22, 11년 11월 乙亥.
273) 『世祖實錄』 권 38, 12년 1월 丙寅.

이 병부를 소지할 수 없을때에는 최종적으로 그 병부가 병사에게 전달되어야만 했다. 이는 곧 병사가 도내 육군의 징발권자이자 징발책임자임을 나타내는 것이라 하겠다.

밀부의 교부는 1466년(세조 12)에 처음 나타나는데,[274] 호부가 폐지됨에 따라 그 대신 마련된 것으로 추측된다. 정변 등으로 왕권을 위협하는 만약의 사태가 일어나면 병사 등을 통해서 지방군을 동원하기 위해 밀부를 만든 것으로 보이며, [275] 국왕이 바뀌면 밀부를 개조하여 새로 발급한 것[276]은 밀부의 이러한 특성 때문으로 생각된다.

밀부는 병 · 수사에게만 발급하다가 1469년(예종 원년) 9월부터 감사에게도 주게 되었다. 그런데 이때의 감사에게 밀부를 주자는 논의는 병사의 징병 권한에 대해 시사하는 바가 있다.

> 좌부승지 한계순(韓繼純)이 아뢰었다. "옛 법에는 관찰사 · 절도사에게 모두 밀부(密符)를 주었었는데, 요즘은 관찰사가 병마(兵馬)를 맡지 않으므로 단지 절도사에게만 밀부를 줍니다. 이제 그 법을 다시 세워서 밀부를 관찰사와 절도사에게 다 주는 것이 어떠합니까?"
>
> 임금이 말하였다. "관찰사와 절도사에게 다 밀부를 주면 병권(兵權)이 한 곳으로 돌아가지 않고, 절도사에게만 주면 혹 뜻밖의 변이 있을 때 관찰사에게 밀부가 없으니 어떻게 처치하겠는가?"
>
> 도승지 권감(權瑊)이 아뢰었다. "관찰사는 병마를 맡지 않으므로 밀부를 내려 주지 않는 것이 편하나, 혹 변이 생기면 관찰사가 어떻게 밀부가 없다 하여 앉아서 보고만 있을 수 있겠습니까? 만약 관찰사에게도 준다면, 병마의 직책을 겸대(兼帶)하여야 될 것입니다."
>
> 원상(院相)에게 명하여 의논하게 하였다. 신숙주(申叔舟) · 한명회

---

274) 『世祖實錄』 권 38, 12년 1월 丙寅.

275) 諭忠淸道兵馬節度使李仲英曰 爾受委一方 體任匪輕 凡發兵應變 委民制敵 一應常事自有舊章 慮或有豫子與獨 斷處置使 則非密符 莫可施爲 故賜押第二十三符 爾其受之 『睿宗實錄』권 4, 1년 윤 2월 壬午).

276) 『成宗實錄』 권 2, 1년 1월 戊子 ; 『燕山君日記』 권 4, 1년 4월 庚戌.

(韓明澮) · 구치관(具致寬) · 최항(崔恒) · 홍윤성(洪允成) · 조석문(曹錫文) · 김질(金礩) · 윤자운(尹子雲) · 김국광(金國光) 등이 의논하여 아뢰었다. "모두 밀부를 주는 것이 마땅합니다." 그대로 따랐다.[277)]

이때는 밀부를 처음 발급한 1466년에서 3년 지난 때로, 한계순의 이른바 '옛 법에 관찰사와 절도사에게 모두 주었다'는 밀부는 사실은 호부를 말하는 것으로 보인다. 1466년부터 관찰사가 병마직함을 겸대하지 못하여 병사가 도내 군사를 전담하여 지휘해 왔으나, 호부를 관찰사에게도 주었던 것을 근거로 관찰사에게도 밀부를 주자는 주장이 제기되고, 관찰사가 밀부를 받을 수 있으려면 병마직함을 겸대해야 한다는 논의로 이어졌던 것이다. 그러나 이때 관찰사가 병마직함을 겸대하는 조치는 취해지지 않은 채 밀부만 발급하도록 결정되었다.

1372년(성종 3) 관찰사의 겸병사제가 실시된 뒤 관찰사는 이제 도내 군사의 징발권도 아울러 갖게 되었다고 볼 수도 있다. 그러나 예를 들어 대열을 위해 군사를 징발하는 경우 병사가 있는 도에서는 겸병사인 감사를 통해 군사를 징발한 경우가 거의 없으므로 병력 징발은 병사의 고유 업무로 되어 있었다고 할 수 있다. 병사가 있는 도의 관찰사가 병부를 받은 것도 밀부나 마찬가지로 주로 만약의 사태에 대비한 조치였다. 성종은 관찰사가 받은 병부의 우부가 '문구文具'로 되었다고 걱정하면서 관찰사도 반드시 병부를 부합해 본 뒤 징병에 응하라고 지시한 일이 있는데,[278)] 이는 겸병사만 있는 도의 경우를 말하는 것으로 보인다. 병사가 있는 도의 관

---

277) 左副承旨韓繼純啓曰 舊法 觀察使 · 節度使並授密符 近者 觀察使不管兵馬 故只授密符於節度使 今復立密符 觀察使 · 節度使皆授之何如 上曰 觀察使 · 節度使皆授密符 則兵權不一 若只授節度使 儻有不虞之變 則觀察使無密符 何以處之 都承旨權瑊啓曰 觀察使不管兵馬 不賜爲便……若並授觀察使 則職帶兵馬而後可也 命議院相 申叔舟……等議啓 宜並授密符 從之(『睿宗實錄』 권 7, 1년 9월 辛巳).

278) 『成宗實錄』 권 84, 8년 9월 乙卯.

찰사는 징병을 담당하는 일이 드물어 병부를 사용하는 일이 별로 없어서 겸병사만 있는 도의 관찰사까지도 병부를 부합해 보지도 않고 군사를 징발하는 일이 생긴 것으로 생각된다.[279] 또 이미 1460년(세조 4)에 여러 포수군의 발병부 즉 발수군부는 수사와 감사가 갖도록 되어 있음에도 이를 성종 초엽까지 감사가 아니라 병사가 갖고 있는 경우가 나타나는 것도[280] 감사가 도내 군사의 징발을 담당하는 일이 드물었기 때문일 것이다.

3. 외관의 군사업무에 대한 감독과 규찰

수령의 군사업무에 대한 병사의 감독 · 규찰권은 이미 1397년(태조 6)에 규정한 바 있음을 앞서 보았다. 그 내용은 유사시에 병사가 도내 각읍의 군사를 징발할 때 군사를 곧 보내지 않거나 군사의 군기軍器와 의갑衣甲이 견실하지 못하거나, 노약한 군인을 뽑아 보내는 경우에는 수령과 총패, 두목을 도절제사가 율律을 확인하여 처벌한 뒤 감사에게 알리도록 한 것이었다. 이로부터 병사는 수령의 범법행위에 대해 처벌 근거를 확인하여 처벌할 권한까지 갖고 있었음을 알 수 있다. 병사가 감독하는 수령의 군사업무의 내용은 병사의 직무가 확대, 정비되면서 함께 확대되어 갔다. 군사의 부예훈련, 습진習陣, 무기의 제작과 정비, 읍성 · 산성 등 성보城堡의 수축, 군적의 작성, 군사의 징발 등에 이르는 여러 업무를 앞에서 부분적으로 언급해 온 바와 같이 수령이 담당하고 이를 병사가 감독하였던 것이다.

---

279) 司諫李世弼啓曰 發兵重事 必遣朝官頒教書而後應徵 例也 前者閱武時 以黃海隊卒困於聖使之行 特不徵之 而本道觀察使李孟賢 擅自調發 於軍法何……『成宗實錄』권 112, 10년 윤 10월 丙寅).
당시 황해도 관찰사는 발병부 좌부를 보내지도 않았는데 열무한다는 소문만 듣고 도내 군사를 징발했던 것이다.

280)『成宗實錄』권 89, 9년 2월 癸卯.

그러나 처음에는 도절제사가 수령의 포폄에 참여할 수 없어서 수령이 군사업무를 소홀히 하기 쉬웠다. 이에 따라 도절제사가 군기 정비와 같은 수령의 군사업무를 검찰하면 그것을 감사의 포폄 내용에 반영시키자는 건의가 이미 태종 때에 나왔으나[281] 쉽게 시행되지 못하였다. 병사가 수령의 포폄에 참여하게 된 계기는 양계의 특수한 사정에서 비롯되었다. 1439년(세종 21)에 잠정적인 조치로서 평안도와 함길도의 도절제사는 두 도에 사민하여 들어와 거주하게 된 사람들이 안정을 찾을 때까지라는 조건 아래 국경지역 각 고을의 수령을 관찰사와 함께 의논하여 포폄하도록 한 것이 그 출발점이다.[282] 감사가 수령의 포폄을 주관하여 등급을 매기고, 도절제사는 수령의 군사업무를 평가하여 참여하는 형식을 취하도록 한 것인데,[283] 이 조치가 바탕이 되어 뒤에 전국의 병사가 수령의 포폄에 참여하게 되었다.

『경국대전』에는 수령의 포폄은 관찰사가 등급을 매겨 아뢰되 병사와 동의同議하도록 규정되어 있다.[284] 병사가 수령의 포폄에 참여하기 시작한 때는 1470년(성종 원년) 7월 도목정都目政에 『경국대전』의 이전吏典과 병전兵典의 관제를 준용하도록 하면서부터인 것으로 추측된다.[285] 그 방증으로서 다음 해 5월 한 때 시행하였으나 『경국대전』에 실리지 않은 것으로서 전과 마찬가지로 받들어 시행할 규정을 든 가운데 수령이 임무를 교체할 때 군기軍器의 수와 성이 무너지지 않고 굳건한지의 여부 등 군사업무에 해당되는 내용은 병사가 해유解由를 발급토록 한 규정이 있음을 들 수 있다.[286] 포폄에는 참여하지 못하면서 해유만 발급해 준다는 것은

281) 『太宗實錄』 권 32, 16년 8월 己卯.

282) 『世宗實錄』 권 83, 21년 2월 庚子.

283) 『世宗實錄』 권 104, 26년 6월 戊子.

284) 〔褒貶〕……外官則察使使 每六月十五日·十二月十五日等第啓聞……守令則觀察使與兵馬節度使同議(『經國大典』 吏典).

285) 『成宗實錄』 권 6, 1년 7월 戊寅.

286) 禮曹啓 曾下校正廳單字 一時遵行 不載大典條件 開坐以啓 請令該曹 仍用奉行 從

생각할 수 없기 때문이다.

병사는 아울러 수령의 군사상의 범법행위를 규찰하여 형벌을 가할 권한도 갖고 있었다. 원칙적으로 외관外官의 범법행위를 규찰하는 것은 감사의 직무이나, 『경국대전』에도 '장수로서 명을 받아 경외로 나간 자는 당상관과 의친議親, 공신 외에는 장杖 이하는 직접 처벌한다'고 하고 또 '절도사가 관할하는 자는 군사 업무 외의 범법행위로서 장 이상은 절도사가 관찰사에게 공문을 발송하여 재판하여서 처벌토록 한다'고 되어 있다.[287] 이에 따라서 병사가 수령의 군사업무 외의 사소한 범법행위를 재판하고 처벌하여 형벌을 가하는 일도 많았다. 이것이 문제가 되어 1475년(성종 6)에 병사는 수령의 군사업무상의 범법행위만 재판, 처벌하고, 군사업무 이외의 범법행위는 관여하지 못하도록 제한하기에 이르렀다. 아울러 병사가 직접 처벌한 범법행위의 내용도 감사의 감옥례監獄例에 의거하여 사철의 마지막 달 즉 3월, 6월, 9월, 12월에 갖추어 기록하여서 아뢰도록 규정되었다.[288]

한편 병사가 직접 지휘하여 국방에 임하는 진장 즉 유군거진有軍巨鎭 또는 유군제진有軍諸鎭의 절제사, 첨절제사와 구자의 만호와 권관 그리고 막료들에 대한 권한은 수령에 대해서보다 당연히 더욱 강력하였다. 병사는 처음부터 진장에 대한 포폄을 담당하였을 것으로 생각된다. 1409년(태종 9)에 당시 수군도절제사를 겸하고 있던 풍해도 도절제사가 도내의 수군 만호 · 천호에 대한 포폄을 담당하겠다고 청하여 허락받고 있는 것으로

之……一. 啼泣守令遞任時 軍器及城子完固與否 一應軍務 節度使考察 解由成給 兵曹書訖 給祿(『成宗實錄』 권 10, 2년 5월 丁酉).

287) 『經國大典』 兵典 用刑 및 刑典 推斷.
議親은 범법자를 처벌할 때 참작하는 8가지(八議)가운데 하나로, 왕의 族親은 처벌하기 전에 王에게 奏請하여 논의함을 말하며, 그 범위는 王의 袒免以上親, 王大妃 · 大王大妃의 緦麻以上親, 王妃의 小功以上親, 世子嬪의 大功以上親이다.

288) 『成宗實錄』 권 58, 6년 8월 乙未.

보아[289] 이전에 이미 도절제사의 진장에 대한 포폄이 제도화되었을 것으로 생각된다. 『경국대전』에는 서반 외관은 병사와 수사가 등급을 정하여 아뢰되 육진장陸鎭將과 여수, 대정 및 서반 토관은 병사가 관찰사와 동의하여서, 우후와 평사는 관할하는 절도사가 단독으로 등급을 정하도록 규정하였다.[290] 감사가 진장 등에 대한 포폄에 참여하기 시작한 때도 역시 분명치 않으나, 병사가 수령의 포폄에 참여하게 되는 때와 동시일 것으로, 즉 1470년 7월일 것으로 생각된다. 우후와 평사의 포폄은 각각 그 전신인 도절제사도진무를 1462년(세조 8)부터, 그리고 도사를 1461년(세조 7)부터 도절제사가 포폄하도록 제도화되었다. 이어서 1466년 직함이 바뀐 후 병사가 그 휘하의 우후와 평사에 대한 포폄을 맡게 되었다.[291]

이상 서술한 바와 같이 병사는 도내 국방과 군사업무의 총책임자로서 직접 지휘하는 진장은 물론이고 각 고을의 수령에 대해서도 군사업무에 관한 한 포폄, 규찰, 용형用刑 등의 임무와 권한을 갖고 있었다. 하삼도에서 육군과 수군의 병권이 분립된 뒤에도 때로는 병사가 수사와 함께 수군 만호의 인물됨을 고찰토록 하고 있음이 나타나는데,[292] 비록 일시적인 조치이지만 이는 병사가 도내 군사업무를 총괄하는 위치에 있었기 때문에 가능하였던 것으로 이해된다.

이제까지 병사의 직무와 기능을 살피면서 병사가 도내 국방의 총책임자로서 도내에 거주하는 지방군과 중앙군 등을 파악하는 한편 입번立番하는 군사들을 지휘하여 국방에 임하고, 도내 동·서반 외관의 군사업무를

---

289) 『太宗實錄』 권 18, 9년 9월 庚寅.

290) 〔褒貶〕 外官 節度使等第啓聞 守令外 陸鎭將·旅帥·遂正·土官西班 則兵馬節度使 水鎭將則水軍節度使並 與觀察使同議 虞條·評事 則各其節度使 濟州三邑 則節制使等第報主鎭(『經國大典』 兵典).

291) 『世祖實錄』 권 28, 8년 7월 壬寅 ; 같은 책 권 26, 7년 12월 乙酉.

292) 全羅道節度使許綜(琮)慶尙右道節度使李克均賚去事目……一. 審視沿江諸鎭城子及烽燧臺完固與否 船軍赴防多少 萬戶人器當否 與水軍節度使共議馳啓(『睿宗實錄』 권 6, 1년 6월 戊午).

감독, 규찰하였음을 보았다. 그렇다면 이러한 병사의 직무가 국가의 군사 행정 전반을 관할하는 병조와 어떻게 연관되는가가 문제로 되지 않을 수 없다. 병사는 한 도의 군사를 독자적으로 처리하는 주장이었고, 병조에 딸린 아문衙門도 아니었다. 그러나 국가 전체로 볼 때 병사는 도를 단위로 중앙과 지방의 군사업무를 연결하는 중간적 위치에 있음이 분명하다. 이는 병사 휘하의 진장, 수령 등이 군사업무로 중앙에 보고할 때는 병사가 그들에게서 첩정牒呈을 받아 변보邊報에 해당하는 것은 역마를 사용하여 치보馳報하고 일반 군사업무는 병조에 공문을 작성하여 보내거나 국왕에게 아뢰는 데서도 알 수 있지만,[293] 특히 병조와의 직무상의 관계에서 분명히 알 수 있다.

병사의 여러 직무는 사실상 병조가 관할하고 있었다. 앞서 병조가 병사의 여러 직무를 관할한다는 이유로 병조판서와 병사가 상피相避하여야 하는 것을 보았지만, 또한 이러한 까닭으로 병사가 군사업무로 병조에 공문을 보낼 때에는 첩정을 사용하였다.[294] 병사가 시행하는 군사상의 여러 조치는 모두 병조에 공문을 작성하여 보내서 중앙의 재가를 얻어서 시행하였고, 병사가 통상적으로 관할하는 업무인 군적 작성이나 진장 이하 서반 외관에 대한 포폄, 군사훈련과 습진, 무기의 제작 및 군사들의 군장 점검 등을 모두 병조가 검찰하였다. 또 외적의 침입은 물론이고 여진인, 중국인, 일본인 등의 왕래도 통상通商을 위한 것이 아니면 병사가 역시 병조에 보고하여야 했다.[295] 이와 같이 병사는 군사업무에 관한 한 병조로부

---

293) 일부 예를 들면 다음과 같다.

○ 全羅道兵馬都節制使據濟州都按撫使呈啓 道內軍丁 並無軍籍 難以憑考 請二農隙成軍籍 從之(『世宗實錄』 권 13, 3년 8월 乙未).

○ 平安道兵馬都制使據江界兵馬節制使呈馳啓 今四月十七日 小甫里口子 對望越邊 兀良哈沈指揮 率軍人十三名 將牛馬幷十三頭匹來 說吾等在於建州衛……(『世宗實錄』 권 24, 6년 4월 辛未).

294) 外官於奉命使臣 中外諸將於兵曹 並用牒呈 都摠府用關(『經國大典』 禮典 用文字式).

295) 兵曹啓 續六典內 一船賊變事 都觀察使 · 都節制使 · 水軍都節制使 各自傳報 驛路有

터 직접적인 감독을 받고 있었으며, 따라서 병조는 병사의 실질적인 상부 기관이었다.

병사가 중앙에 보고하지 않고 수행하는 업무란 앞서 말한 통상적인 직무 외에는 외적의 침입이나 그에 대한 대응 등에 따른 군사적 조치 등에 국한되어 있었다. 그리고 이러한 임기응변의 조치를 취한 다음에도 역시 국왕에게 아뢰어야 했다. 그러므로 '도성 밖의 일은 장군이 지휘한다' 라고 하여 병사가 도내의 군사를 전담하여 지휘할 수 있었다고는 하나, 중앙의 권력구조에 위협이 되지 않도록 장치가 마련되어 있었던 것이며, 겸병사제兼兵使制도 그러한 측면에서 파악할 수 있겠다. 한편 병사가 군사업무 이외의 일로 병조에 보낼 공문을 작성할 때에는 평관平關을 사용하였고,[296] 겸병사인 관찰사 역시 병조에 대하여 민사民事는 평관, 군사軍事는 첩정을 사용하였다.[297] 이는 단병사이든, 겸병사이든 군사업무상으로는 병조와 분명히 상하관계에 있었음을 나타낸다고 하겠다. 결국 병사는 병조의 감독을 받으면서 도별로 군사업무를 총괄하며 국방을 담당하도록 두어진 관직이었다.

弊 自今 令水軍都節制使傳報 若行船時 則都節制使傳報 倭使及商船則都觀察使移文禮曹 今平安 · 咸吉道唐人 · 野人往來事變 則都觀察使與都節制使兩行傳報 亦爲有弊 自今 唐人 · 野人往來及事變 則都節制使傳報 賚進上野人及發還唐人 則都觀察使傳報 從之(『世宗實錄』 권 44, 11년 4월 戊戌).

296) 그 예로서 다음의 경우를 들 수 있다.

兵曹據平安道(都)節制使關啓 今旣新設寧邊土官 請本道各翼鎭撫 · 知印 · 百戶 · 令史等都目遷轉者 平壤 · 寧邊道 則屬于平壤府土官……(『世宗實錄』 권 48, 12년 5월 甲子).

297) 註 95).

맺음말

전근대사회에서 지방군사제도는 기본적으로 국방을 위해 기능하며, 다른 한편으로는 중앙 권력의 보호 기능도 하였다. 따라서 지방군사제도는 국제적 환경과 아울러 국내 사회 내부의 조건 변화에도 영향을 받으며 새롭게 제도적 틀을 갖추고 또 변천하기 마련이었다. 이 책에서는 이러한 관점에서 고려말엽부터 조선초기에 이르는 동안 이루어진 도 단위 지방군사제도의 형성과 그것을 계승하여 병마절도사제가 갖추어지는 과정을 살펴보았다.

13세기 후반 대몽항쟁 기간이 끝나고 원의 정치적 영향 아래 들게 된 무렵까지 고려는 양계 지역을 제외하고는 도道를 단위로 하는 군사제도를 갖추어 운영한 일이 없었다. 남쪽으로부터 외적이 침입해온 일을 경험한 적이 없었기에 주현군州縣軍이라는 이름의 지방군 조직을 갖추기는 하였으나, 그것을 도 단위로 체계를 갖추어 운영할 필요까지는 없었던 것이다. 그러나 이미 대몽항쟁이 전개되는 동안에 왜구倭寇가 발생함으로써 도 단위 군사제도를 갖출 필요성이 생겨나게 되었다.

도를 단위로 지방의 군사력을 운영하는 초보적인 양상은 1227년(고종 14)에 왜구 에 대처하여 전라도에 순문사巡問使를 파견한 뒤 1243년(고종 30)에는 경상주도慶尙州道와 전라주도全羅州道, 충청주도忠淸州道에 동시에 각각 순문사를 파견하는 등 필요에 따라 임시적 사행使行을 파견하여 국방의 임무를 수행토록 하는 방식으로 시작되었다. 이어서 충렬왕 즉위 후 1274년과 1281년 두 차례 몽골의 압박 아래 고려가 군대와 전함, 군량을 제공하여 일본을 정벌한 뒤 도 단위 군사제도를 갖추어 운영해야 할 필요성은 더욱 높아지게 되었다. 이 사이에 고려는 도지휘사都指揮使나 지휘사指揮使를 파견하여 군사 징발과 전함 건조, 군량 조달 등의 여러 군사 업무를 담당토록 하면서 도지휘사사都指揮使司를 설치하고자 시도하여 상설적인 도 단위 군사제도를 갖추고자 한 적이 있으나, 원의 정치적 통제를 받는 상황에 가로막혀 이 시도는 좌절되었다. 그 동안에도 왜구의 침입이 다시 발생하였을 때에는 전처럼 임시적 사행을 파견하여 국방의 임무를 수행토록 하였으나 이때에 이르러 그 명칭은 도순문사都巡問使로 바뀌어 있었다. 이어서 1350년(충정왕 2) 왜구가 본격적으로 침입하기 시작한 뒤로 특히 하삼도에서는 순문사 · 도순문사가 임시적 사행이 아니라 상설적 사행으로 변모하게 되었다.

1301년 무렵의 도지휘사사都指揮使司 설치 기도가 좌절된 뒤 고려의 지방 군사력에 대한 지휘체계는 이에 앞서 설치된 합포진변만호부와 전라진변만호부의 만호가 장악하고 있었다. 이 두 진변만호부의 만호는 도순문사직을 겸하여서, 농민층에서 뽑아 편성하는 진변별초와 진수군의 징발권과 지휘권을 모두 차지하여 지방 군사제도에서 가장 중요한 직책이 되어 있었다. 도순문사제의 본격적 발달은 1차적으로는 이 두 진변만호부의 폐지로부터 가능해졌었다. 그 한편 만호제의 영향 아래 출정군과 아울러 지방군 사령부에도 군령 기구와 군사 행정 실무 기구로 분화되어 진무소鎭撫所와 수령관首領官 또는 녹사錄事가 설치된 것은 군사제도에서의 한 발전이었다. 이와 관련하여 국왕의 신임을 받거나 원과 연결되어 권력을 행사한 주요 인물들이 원수 또는 만호로서 장기간 군사권을 장악하고 그 휘하 장교들과 사적 영속관계를 유지하는 현상이 고착되기에 이르렀다. 14세기 전반은 군사 활동이 별로 이루어지지 않아서 장수들이 큰 세력을 형성하지는 않았으나, 만호제의 이러한 측면은 이 뒤의 군사지휘체계의 성격에 큰 영향을 끼치게 되었다.

1356년(공민왕 5) 처음 반원정책을 추진할 때에는 만호 등의 군사권을 박탈하고 양계 수복을 위한 출정군을 파견하면서 병마사兵馬使 · 병마부사兵馬副使 등으로 지휘체계를 구성하여 옛 제도를 회복하려 했었다. 그러나 5군軍의 기능을 회복하지 못한 상태에서 전란이 계속된 결과, 출정군을 직접 지휘할 장교층을 각 장수 휘하의 지휘체계에 의존할 수밖에 없었다. 즉 여러 명의 장수에 군사력을 소속시켜 파견하고 따로 이를 총지휘하는 직책을 두는 형태로 출정군이 편성되었다. 그 총사령관의 직함은 대개 원수元帥였으며, 그 아래에서 군사를 지휘하는 장수의 직함은 고려의 전통적인 도병마사都兵馬使 · 병마사 등과 13세기에 주로 두어졌던 도지휘사 · 지휘사, 원 제도의 영향을 받은 만호, 이 시기에 새로 나타난 도체찰사都體察使 · 도순찰사都巡察使 · 도순위사都巡慰使 등 통일되어 있지 않았고, 원수부元帥府는 물론이고 각 장수들도 휘하에 진무鎭撫 · 휘하사麾下士로 구성되는 군사 지휘기구를 갖추고 있었다. 이에 따라 1364년(공민왕 13) 남부 5도의 농민층에서 뽑아 2군 6위에 충원된 27,000명의 시위군 군사력도 각 장수 휘하에서 그 사적 지휘체계에 의해 지휘를 받으며 장기간 군사 활동에 동원됨으로써 점차 사병私兵과 유사한 성격을 띠어 가기에 이르렀다.

이러한 사정에서 왕은 자주 총사령관을 교체하고 신임하는 인물을 체핵사體覈使 등의 직책을 주어 파견하여 출정군 장수들을 감독토록 하였으며, 때로는 기존의 총사령관 위에 옥상옥屋上屋의 형태로 총사령관직을 새로 설치하였다가 지휘체계 내부의 갈등으로 전공을 세운 주요 장수들이 희생된 일도 있었다. 이와 같은 경험과 농민 시위군 편성을 바탕으로 하여, 원수의 지위에 오른 여러 장수들이 동원되어 출정군을 편성할 때에는 이를 지휘할 수 있도록 도통사都統使 또는 도총사都摠使를 정점으로 하는 지휘체계를 갖추게 되었다.

공민왕 때에 지방에서 군사 지휘체계가 상설적으로 설치 운영되고 있었던 것은 하삼도와 양계에 국한되었다. 하삼도에서는 진변만호부를 중심으로 형성되어 있던 국방체제를 계승 발전시켜 도순문사 중심의 도 단위 군사제도 운영이 이루어지게 되었다. 하삼도의 도순문사는 공민왕 즉위 후 왜구 침입이 계속됨에 따라 곧 도별 국방책임자로 등장하였다. 그러나 원元의 부마국인 상태에서는 고려에서 군사적 측면에서의 도제의 발달이 자유스러울 수 없었다. 이로부터 벗어나게 된 것이 1356년의 반원정책 추진이었다. 이 정책의 추진에서 핵심 조치 가운데 하나로 합포진변만호부合浦鎭邊萬戶府와 전라진변만호부全羅鎭邊萬戶府가 폐지됨으로써 비로소 경상도와 전라도에 형성되어 있던 만호부萬戶府 — 방호소防護所로 연결되는 국방체제가 계승 확대되어 흔히 하삼도라 부르는 경상도, 전라도, 양광도 세 도의 도순문사가 과거의 방호소 대신 수소戍所로 연결되는 국방체제를 갖추고 이를 통해서 왜구 방어를 수행하게 되었다. 이미 외적에 대한 방어를 직무로 삼게 된 바닷가 고을들의 수령 또한 도순문사의 지휘를 받게 된 위에 이 1356년의 조치가 취해짐으로써 도순문사제都巡問使制가 형성되고 도를 단위로 하는 군사운용이 시작되었던 것이다. 이로부터 하삼도의 도순문사는 진무소鎭撫所와 녹사錄事를 하부기구로 하여 도순문사영을 갖추고 이들 하부 기구를 통해 또는 바닷가 지역 수령들을 통해 진변별초 및 육군과 수군이 분화되어 있지 않은 상태에 있던 수소의 수졸戍卒들을 지휘하여 국방을 담당하였다. 그러나 아직은 도순문사가 도내의 제반 군사업무를 총괄하여 전담하는 정규 군사책임자로 정착되어 있지도 않았고, 수소나 여기에 배치된 수졸도 제대로 기능을 발휘하기에는 많은 취약점을 안고 있는 상황이어서, 왜구 방어에 큰 효과를 볼 수는 없었다.

양계에서는 1356년 이후 국방 체제의 틀이 잡히기 시작하여 1369년(공민왕 18) 익군체제가 짜여짐으로써 군사 지휘체계도 갖추어졌다. 당시 국방에서 가장 중요한 지역이었던 서북면西北面에서는 5개 군익도軍翼道를 단위로 군사력을 파악 동원하여 각 군익도 만호부가 이를 지휘하도록 체계적인 조직이 갖추어졌고, 동북면東北面의 경우 군익도는 편성되지 않았으나 만호부 · 천호소千戶所를 중심으로 군사력을 동원하여 지휘하는 체제가 짜여져 가동된 것이다. 만호부의 지휘는 중앙에서 만호로 임명된 장수가 맡았고, 그 밖에 토호로 임명되는 만호 · 천호가 만호부에 소속되어 있었다. 양계에도 도순문사가 파견된 일이 있으나 상설된 것은 아니었으며, 고려 전기와는 달리 도 단위 군사제도가 운용되고 있지 않았다.

1374년(공민왕 23) 공민왕이 사망하기 직전 파견한 탐라 정벌군에서 하삼도의 상 · 부원수가 해당 도의 군사력을 지휘하도록 된 것을 계기로 우왕 때에는 각 도마다 3 명의 원수가 상설되어 시위군을 중심으로 해당 도의 군사력을 관할하게 되었다. 이는 공민왕이 죽고 우왕이 즉위하면서 일어난 정치적 혼란을 틈타 권문세족을 중심으로 형성된 권력집단이 경제 기반과 정치권력을 확대 강화하는 가운데 일어난 변화였다. 당시 권력집단의 주요 구성원인 재추는 그 수가 크게 늘어나 있었고 그 대부분이 군직의 경력이 있어서 군사력을 지휘할 수 있는 사적 조직을 갖추고 있었다. 이와 같은 배경 위에 1376년(우왕 2) 8도에서 9만 여 명의 시위군을 추가로 파악함으로써 원수가 출정군 지휘를 위한 임시직에서 항상 군사력을 장악 지휘하는 상설직으로 바뀌어 원수제가 형성될 수 있었다.

도순문사 중심의 도별 국방체제가 보다 효율적으로 운용되도록 변화하는 계기를 이룬 것도이 우왕 즉위후의 도순문사가 원수元帥를 겸하도록 하는 조치였다. 도의 군사력을 나누어 관할하는 3원수 가운데 현지에 파견된 원수가 도순문사를 겸하는 양상으로 전개됨으로써 도순문사는 전보다 큰 권위를 갖고 국방을 담당하게 되었다. 도내 목牧·도호부都護府 등에 임명되는 수령이 병마직兵馬職을 겸하게 됨으로써 도를 단위로 도순문사를 정점으로 하는 군령체계를 갖추게 된 것도 중요한 발전이었으며, 하삼도 각각에 도순문사영성都巡問使營城을 비롯하여 바닷가 지역의 읍성邑城 등이 축조되어 요새화하고 전선戰船, 수소戍所가 설치되고 군사력이 배치된 위에 전문적 군사지휘관의 파견이 증가함에 따라 국방에 큰 효과를 볼 수 있었고, 이리저리 떠돌던 지방민들도 점차 정착하게 되었다. 우왕 재위 후반부터 왜구가 크게 줄어드는 것은 기본적으로 고려가 이와 같이 하삼도의 국방을 강화하는 데에 많은 노력을 기울인 결과이며, 이것이 토대가 되어 조선초기에 강력한 중앙집권적 지방 통치가 시행될 수 있었다.

우왕 때에는 각 도의 군사력 외에도 개경 5부 방리군이나 해도海道 수군 등을 관할하도록 각각 원수가 두어지고, 원수 위의 지휘체계로 도통사가 설치되어 있었으며, 도통사 등도 특정 도의 군사력을 관할하고 있었다. 공민왕 때에 시위군을 지휘하기도 했던 군목도 병마사는 군목도가 편성된 현지의 계수관 수령이 겸직하게 됨으로써 시위군을 징발, 번상시키는 한편 현지에서 국방을 담당하는 직책으로 바뀌게 되었다. 각 도의 3원수 가운데 관할 도에 파견되어 국방을 맡는 것은 대개 지위가 가장 낮은 부원수였으며, 상원수도 가끔 파견되고 있었다. 이에 비해 도원수나 도통사 등은 주로 중앙에서 특정도의 번상한 시위군 등을 관장하였고 관할 도에 파견되는 일은 드물었다. 중앙에서 각도 시위군, 개경 5부 방리군 등을 나누어 관장하는 원수들은 도통사의 지휘 아래 개경과 그 주위의 방위를 담당하였다.

우왕 때에도 지방의 군사 지휘체계는 남부·중부·북부 지역이 각각 달랐다. 하삼도와 양계는 시위군 외에 진변별초·수졸·익군 등 국방을 위한 지방 군사력이 편성 운영되고 있었으나, 중부 지역의 서해도와 교주도 · 강릉도에는 시위군 외에 연호군 정도만이 있을 뿐이었고 경기에는 도 단위의 군사 운용이 이루어지지 않는 등의 차이가 있었기 때문이다. 그러면서도 원수제가 등장한 이후 각 도에서 원수에 의한 도 단위의 지방 군사력 지휘가 이루어져서 그 뒷 시기에 지방 군사제도가 정비되는 바탕이 될 수 있었다. 성격은 다소 다르지만 하삼도와 양계의 도순문사는 물론, 유사시에 군사 지휘를 위해 파견하는 도체찰사 등도 모두 원수가 겸직하였던 것이다.

하삼도에서는 도순문사영과 주요요충지에 방어시설을 갖춘 위에 원수가 도순문사를 겸함으로써 휘하 군사력이 증강되고, 계수관에 임명되는 수령으로서 겸하는 원수 또는 병마사 등도 지휘하게 되어 도 단위 군사제도 운영이 한층 정비되었다. 그럼에도 왜구의 규모가 커지고 침입 양상이 변하여 도순문사 휘하의 군사력만으로는 방어하지 못하여 조전원수 등이 파견되고 나아가서는 몇 개 도를 단위로 하는 군사 작전이 수행되기도 하였다. 중부의 서해도, 교주 · 강릉도는 도순문사가 제도로 자리 잡혀 있지 않은 데다가 시위군 외에 이렇다 할 다른 군사력이 없어서 적침이 일어나면 2~3명의 원수가 동시에 파견되고, 그 위에 조전원수까지 파견되기도 하였다. 이에 비해 양계에서는 큰 적침이 없었던 것도 한 이유겠으나 대체로 익군만으로 국방을 유지하고 있었다. 특히 서북면에서는 군익도 단위로 원수를 파견, 요충지에 방어시설을 만들고 군사력을 배치, 강력한 국방 체제를 갖추고 있었다.

지방에 대규모 적침을 당하면 각 원수를 통해 시위군까지 동원하여야 하는 현실을 타개하기 위해 1378(우왕 4)에는 전국에 익군을 확대 실시한 일도 있었다. 이 시도는 토지제도나 수취체제에서 병농일치의 익군 군사조직을 지탱할 수 있는 바탕이 마련되지 않은 채 추진된 까닭에 결국 반

년만에 철회되었다. 그러나 이로부터 각도 원수가 가능한 한 많은 군사력을 파악하는 추세가 강화되었으며, 이를 바탕으로 1388년(우왕 14)에는 요동 정벌에 나서기에 이르렀다. 요동정벌은 한편으로는 도원수 이상 고위 장수들이 특정 도를 관할하는 가운데 도통사직도 최영崔瑩이라는 특정 장수가 전담하고 그 지휘 군사력도 8도 시위군, 개경 방리군, 해도 수군까지 넓혀진 상태에서 추진된 것이었다. 요동 정벌군은 8도 도통사와 좌·우도통사 휘하에 원수제를 바탕으로 구성된 3군이 소속되는 체제였으나 정작 8도 도통사는 국내에 남고 그 휘하 군사력이 좌·우 도통사에 분속되는 비정상적 지휘체계로 짜여져 출정하게 되었다. 위화도 회군은 이와 같은 비정상적 출정군 지휘체계, 그리고 사적 지휘체계가 바탕이 되는 원수제 때문에 가능했던 것이었다. 따라서 이성계李成桂가 정권을 장악한 단계에서 삼군도통제부를 설치하여 원수제를 약화시키는 작업에 착수하는 것은 당연하였으며, 각 도의 국방 책임자를 원수제와 단절시킨 위에 전임관으로 파견한 것도 같은 맥락에서의 변화였다.

이제까지 살펴본 고려말엽 지방 군사제도의 변화, 발전과정과 짝하여 하삼도를 중심으로 도를 단위로 하는 지방군사제도가 성숙해 가고 있었다. 도를 단위로 하는 지방군제가 기본적 기능을 할 수 있게 된 시기인 창왕昌王 즉위 후에 도순문사는 도절제사都節制使로 개칭되었는데, 정확한 명칭은 병마도절제사兵馬都節制使였다. 도절제사는 이어서 전임관으로 변모한 뒤 조선왕조로 계승되었다. 이로써 고려말 창왕 때부터 파견되기 시작한 병마도절제사는 조선이 건국된 뒤 차츰 제도적 내용을 자세히 갖추어 가게 되었다. 사실 도절제사는 조선을 건국하고자 하고 있던 세력에 의해 그 제도적 내용을 갖추게 되었고, 제도로서 기능한 시기도 대부분 조선 전국 이후여서, 고려의 제도라기보다는 조선의 제도라 해야 적절하였다.

병마도절제사는 1466년(세조 12)에 이르러 병마절도사兵馬節度使로 직함이 바뀌었다. 이 무렵 진관체제鎭管體制가 갖추어지는 변화와 아울러 군역제도 등도 변하하여, 지방군사제도는 도절제사 시기와는 어느 정도 구별되는 내용이 등장하였으나, 기본적인 제도의 틀은 별로 바뀌지 않았다. 이후 그 제도적 기능이 확충, 정비된 뒤 성종 때에 이르러서는 병마절도사제兵馬節度使制가 확립되어 『경국대전(經國大典)』에 수록되었다.

도절제사 및 병사와 관련된 가장 기본적인 내용은 조선 건국 후 6년이 지난 해인 1398년(태조 7) 왕명으로 규정된 바 있다. 이 뒤 바닷가 주요 요충지에 진鎭을 설치하고 병마사를 그 책임자로 파견하게 되면서 한때 도절제사를 혁파하였다가 태종이 정권을 장악한 뒤 다시 설치하는 과정을 밟으면서 도 단위 지방군제와 그 운영 방식의 골격이 갖추어지게 되었다. 이로부터 하삼도에는 상설되는 도절제사직이 두어졌고, 황해도와 강원도에는 관찰사가 겸하는 도절제사직이 두어졌으며, 이들 각도의 도절제사는 각각 영진군체제營鎭軍體制에 입각하여 국방을 담당하게 되었다. 영진군체제의 영은 바로 도순문사 영에서 비롯된 것이었고, 진은 우왕 때 이후 국방 요충지에 위치한 고을들로서 읍성이 축조된 위에 여러 군사적 조치가 취해졌던, 예컨대 경상도의 경우로 보면 울산蔚山, 영해寧海, 영일迎日, 동래東萊 등에 설치되었다. 다시 말하자면 우왕 때 도순문사제의 발전 내용 안에서 조선초기 영진군체제의 골격을 찾아볼 수 있었다.

그리고 조선 건국 후 1408년(태종 8)에 이르는 동안 도절제사제의 내용이 좀 더 구체적으로 정리되었다. 우선 도절제사가 진무소와 수령관 또는 장무 녹사로써 군사지휘기구와 사무기구를 갖춘다는 점이 분명해졌다. 그러나 실제 전투를 자주 벌여야 했던 양계 지역을 제외하면 진무소를 구성하는 진무 또는 군관이라 부르는 도절제사 휘하의 참모진은 그 수가 대폭 축소되고 그 자격 수준도 낮아져, 장수와 장교 사이에 사적 영속관계에 대한 통제가 강화되었음을 볼 수 있었다. 중부와 남부 각도의 도절제사는 주로 해안지역에 설치된 병영과 각 진의 영진군을 지휘하여 국방에 임하는 한편 도내 지방군의 군사훈련을 감독 지휘하도록 되었다. 이렇게 도절제사제의 내용이 갖추어지는 한편, 그 파견되는 도도 정착되었다. 이후로 도절제사는 군사적으로 중요한 양계와 하삼도에는 계속 전임관이 파견되었고, 특히 경상도에는 좌도와 우도로 군사도를 나누어 각각 두어졌으나, 적침의 우려가 적고 사회경제적으로도 어려움을 겪고 있던 황해도와 강원도에는 특별한 이유가 없는 한 관찰사가 도절제사직을 겸직하였으며, 경기에는 도절제사직 자체가 폐지되었다가 진관체제가 편성된 뒤 비로소 관찰사 겸임의 도절제사가 다시 제도화되었다.

고려말엽은 수군이 다시 조직되기는 하였으나 그 운영 원칙 등이 확립되었다고 보기 어려운 상태에 있었다. 해도海道 수군은 때로는 현재의 군산 지역인 진포鎭浦까지 진출하여 활동하였으나, 기본적인 임무는 개경開京 앞의 바다를 지키는 것이었고, 결국 조선 건국 후 경기京畿 수군으로 재편再編되었다. 그 한편 수소戍所에 배치된 전함戰艦을 타고 활동하던 각 도의 수군에 대한 지휘 계통은 육군과 분화되어 있지 않았다. 그 까닭에 도순문사는 휘하의 수군에 대한 지휘권도 아울러 행사하였고, 이로부터 개편된 직책인 조선 건국 후의 각 도 도절제사도 수군에 대한 지휘권을 행사하고 있었다. 그러한 가운데 수군 병력이 지속적으로 증강된 결과 이들에 대한 별도의 지휘 계통이 갖추어져야 할 필요성이 커졌고, 결국 1420년(세종 2)에 하삼도에 국한된 것이기는 하나 수군도안무처치사水軍都安撫處置使를 고정적으로 파견하게 되면서 독자적인 수군의 지휘계통이 수립되었다. 이로써 결국 육군과 수군의 도별 지휘권이 하삼도에서는 각각 병사와 수사에게, 양계에서는 모두 병사에게, 경기·황해·강원도에서는 모두 겸병사兼兵使이자 겸수사兼水使인 관찰사에게 귀속되게 되었다.

세조 때에 이르러 진관체제가 편성되고 각 고을 수령의 병마직함兵馬職

銜 겸대, 관찰사의 병마직함 삭제 등의 조치가 취해짐으로써 병사의 여러 직무가 진관체제를 통해 수행됨과 아울러 그 권한이 매우 강력해졌다. 그러나 곧 예종 때와 성종 즉위 초엽에 걸쳐 중앙 권력의 안정을 도모하는 문신세력의 반발을 받아 1472년(성종 3) 병사의 군사권 남용을 막기 위한 장치로서 각도의 관찰사가 모두 병사를 예겸케 하는 제도가 마련되었다. 이로써 병마절도사제가 확립되고 각도의 관찰사가 겸병사로서 단병사에 대해 확고한 우위를 차지하게 되었던 것이다. 한편 세조 재위 말엽에는 남방 여러 도의 내륙에 유방군留防軍이 배치된 유군거진有軍巨鎭을 설치하고 일부에는 절도부시節度副使를 두어서 내륙의 국방력 강화를 시도한 일이 있었으나 곧 실패로 끝나고 말아, 방어망은 다시 병영과 과거 병마사가 배치된 진鎭에서 비롯된 해안지역의 유군제진有軍諸鎭을 중심으로 편성되었다. 그리고 함길도는 이시애李施愛 반란 사건을 계기로 군사도가 남도와 북도로 나뉘어 각각 병사가 두어지는 변화가 일어났다. 북병사는 평안병사와 함께 국방에서 가장 중요한 직책이었으나, 남병사는 국방보다는 도민道民의 파악을 통한 내란의 방지가 주요 설치 목적이었다.

병마절도사는 관찰사와 같은 종2품의 관직으로서, 성종 때부터는 3품 당상관도 병사로 임명하기 시작하였으나, 그 전에는 수직의 도절제사나 병사는 관찰사가 겸하는 경우 외에는 파견된 적이 없었다. 즉 조선초기 대부분의 기간 동안 도절제사와 병사는 때로는 관찰사보다도 그 임무가 중요시되었다. 세종이 6진을 개척하면서 그 주요 임무를 김종서金宗瑞에게 맡겼고, 김종서는 먼저 함길도의 관찰사를 지낸 뒤 이어서 함길도도절제사로 부임하여 6진 개척을 주관하였던 것에서 특히 양계에서 도절제사나 병사의 중요성이 매우 컸음을 알 수 있었다. 도절제사 및 병사가 수령직을 겸하는 경우도 양계 외에는 드물었고, 임기는 초기부터 2년이었다.

1400년(정종 2) 소위 '사병私兵 혁파'가 이루어져 서울에서 근무하는 시위군 도절제사, 절제사의 위세가 약화된 뒤에야 각도 도절제사가 명실상부한 도의 주장主將이 될 수 있었다. 도절제사라는 직함이 도의 주장의 것으로만 사용되기 시작한 때는 더 뒤인 세종 초엽이었다. 1419년(세종 원년) 대마도의 왜구 본거지를 소탕하기 위한 정벌군의 편성 때 그 총사령관의 직함을 도절제사라 한 것이 각 도 주장의 직함이 아닌 용도로 도절제사 칭호를 사용한 마지막 사례였다. 도절제사와 병사는 그 지위와 책임에 비추어서 자격요건이 중시되어 세종연간 이후 대개 무과 출신자로 임명되었으며, 특별히 무재武才가 있는 문신을 양성하여 유장儒將이라 하여서 주로 양계의 도절제사나 병사로 중용하였다. 그리고 정치적 이유가 개재되어 국왕과 친분이 두터운 사람을 병사로 임명하는 일이 많았음을 볼 수 있었다.

병영에는 병사의 하부기구로서 우후虞侯와 평사評事, 구전군관口傳軍官 등의 품관品官과 진무鎭撫, 영아전營衙前, 공장工匠, 노비 등이 배속되어 있었다. 우후와 평사는 병사의 막료幕僚로서 군사 업무와 문서 업무를 관장하면서 병사의 군사조치를 돕는 중요한 관직이었다. 이들은 평시에도 병사를 대신하여 도내 군사 업무를 감독하기 위해 순행하였고, 병사 유고시에는 우후와 평사 등의 순으로 병사의 직무를 대행하도록 규정되어 있었다. 구전군관은 경군사京軍士가 임명되어 진무소의 구성원으로서 군사들에 대한 지휘를 담당하였고, 대개 병사의 족친이거나 그와 매우 긴밀한 관계에 있는 사람들이 임명되었다.

병사의 가장 중요한 임무는 당연히 국방이었다. 병사는 평상시에는 지방군의 무예훈련과 습진習陣, 무기의 제작과 경비, 군사들의 군장 점검, 성보城堡 등 군사시설의 수축 등을 엄격히 살펴서 국방 태세에 소홀함이 없도록 하여야 했다. 그리고 외적의 침입이 있을 때에는 즉각적으로 대응하여 적절한 군사조치를 취하여야 했고 이에 따라 유사시에는 임기응변하여 군사를 동원해서 조치를 취한 뒤 중앙에 보고할 수 있는 권한이 부여되었다. 국방과 아울러 호랑이나 도둑을 잡는 일, 내란의 방지 및 진압 등 치안에 해당되는 일도 병사의 중요한 임무 또는 기능이었다.

병사가 관장하는 군사력의 범주가 하번의 경군사 및 수군까지 망라하게 됨으로써 병사는 지방민의 파악이라는 중요한 기능을 갖게 되었다. 도별 군적軍籍의 작성 책임자로서 병사는 도내에 거주하는 군사를 파악하였으며, 대열大閱, 습진, 전쟁 등을 위해 병력을 징발할 때에는 그 징발권자이자 징발책임자이기도 하였다. 군사의 징발은 호부虎符와 병부兵符, 밀부密符 등에 의하여 규제되었으며, 이들 부신符信을 통하여 병사가 도별로 군사를 징발하였다. 단병사가 없는 도에서는 겸병사인 관찰사가 병력 징발을 담당하였다. 한편 병사가 직무를 충실히 수행할 수 있도록 진장鎭將 등 서반 외관外官에 대한 포폄褒貶을 주관함은 물론 수령의 군사업무에 대한 포폄에도 참여하였고, 그가 관할하는 관원과 군관, 군사들을 논죄, 처벌할 수 있었다. 이와 같이 도별 최고 군사지휘자이자 군사파악의 총책임자인 병사는, 사실상 병조의 하부기관과 같아서, 병조로부터 철저한 감독을 받았다.

요컨대 병마절도사는 지방민을 외적과 맹수, 도적으로부터 보호하는 한편 군사조직이라는 가장 체계적인 조직망을 통해서 지방민을 파악하기 위하여 도별로 설치, 운용된 관직이었다. 그리고 지방에 거주하는 지방군과 경군사를 도를 단위로 하여 병마절도사를 통해 파악하게 되었다는 점에서 조선초기의 지방군제는 주 · 부 · 군 · 현을 단위로 배치된 지방관을 통해서 그 관할지역 지방군을 파악하던 고려 때의 지방군제보다 한층 조직화되고 발전된 내용을 갖게 되었으며, 그만큼 중앙정부의 지방통치력도 강화되었다고 판단된다.

<부표1> 공민왕 23년(1374년) ~ 우왕 14년(1388년)의 도 단위 장수 임명

양광도		전라도		경상도		서북면		동북면		서해도	
23.7	上元帥 李希泌	23.7	上元帥 睦仁吉	23.7	上元帥 池 奫	즉12	上元帥 이희필	1.4	都元帥 柳 淵	1.8	상원수 나 세
	副元帥 邊安烈		副元帥 林堅味		副元帥 羅 世	1.4	都巡問 李子松	1.8	元 帥 趙仁璧		부원수 朴普老
1.2	부원수 韓邦彦	1.7	원 수 金先致	1.8	부원수 尹承順		都元帥 지 윤		부원수 변안열	3.3	원 수 심덕부
1.10	(都)安撫 鄭 庇	1.11	원 수 河乙沚	1.11	都巡問 曹敏修		泥城상원수 崔公哲	4.11	도순문 黃淑卿	3.5	원 수 지용기
	(도)안무 朴仁桂	2.6	원 수 柳 濚	2.8	元 帥 金 縝	1.5	都體察 黃 裳	8.7	都指揮 李成桂	3.6	원 수 조인벽
2.10	도순문 洪仁桂	2.9	부원수 趙思敏	2.12	도순문 禹仁烈	1.5	體察使 成石璘	9.8	도체찰 조인벽	3.6	원 수 나 세
	원 수 崔公哲	윤9	상원수 나 세		晋州道원수 裵克廉	1.8	西京상원수 임견미		상원수 한방언	3.6	원 수 심덕부
3.1	부원수 池勇奇	3.2	都兵馬 趙希古	3.4	助戰元帥 李 琳		도순문 慶 補		도원수 이성계	3.6	조정원수 박보로
	부원수 印 海	4.9	조전원수 李 琳		安東道부원수 王賓		安州상원수 양백연	10.12	상원수 심덕부	3.7	상원수 박보로
3.2	도원수 王安德	5.3	부원수 睦子安		(3.5安東助戰元帥)		安州원수 李元桂		부원수 洪 徵	3.8	원 수 梁伯益
4.3	원 수 朴修敬	5.8	원 수 池勇奇	3.5	도순문 배극렴		도체찰 지 윤		按撫使 權 和		원 수 나 세
	漢陽道助戰都兵馬使	5.10	원 수 목인길	4.8	원 수 배극렴	1.9	도지휘 이희필		상원수 심덕부		도순문 심덕부
	趙希吉	6.3	元 帥 최공철	5.3	상원수 우인열	2.2	안주부원수 王安德	11.4	부원수 홍 징		조전원수 이성계
4.5	도원수 최공철		元 帥 金用輝	5.윤5	安東원수 하을지	2.3	원 수 朴普老		도원수 이성계		조전원수 임견미
	원 수 王 賓		원 수 李元桂	5.6	安東道원수 朴修敬	2.8	泥城원수 金用輝	11.9	부원수 홍 징		조전원수 변안열
4.9	조전원수 한방언		원 수 金斯革	5.8	合浦도순문 金光富	2.9	도체찰 慶 補		도순문 安 沼		조전원수 柳曼殊
5.4	도순문 安 翊		원 수 鄭 地	5.11	합포도순문 우인열		安州부원수 한방언	11.11	부원수 李 彬	5.4	원 수 심덕부
5.9	상원수 李元紘		원 수 吳 彦	6.1	도순문 박수경		義州원수 金得濟	14.4	원 수 陸 麗		원 수 南佐時

6.4 漢陽道도병마使 柳珣 6.5 도순문 金斯革 6.6 조전원수 吳 彦 7.5 도순문 오 언 8.4 원 수 변안열 원 수 한방언 9.6 원 수 金立堅 체찰사 최공철 9.8 조전원수 왕안덕 都察理 文達漢 都安撫 安 慶 9.8 都巡慰 朴壽年 9.12 원 수 김사혁 11.2 도순문 都 興 11.5 도원수 왕안덕 11.11 상원수 심사혁 12.2 도순문 지용기 13.9 漢陽道원수 趙 琳 14.4 도순문 王承寶	원 수 閔伯萱 원 수 王承寶 원 수 都 興 6.6 (이상 조전원수) 7.4 원 수 지용기 8.4 도순문 이을진 9.8 도순문 尹有麟 9.8 全州부원수 皇甫霖 9.11 도원수 지용기 10.8 <u>도원수</u> 지용기 10.11 도순문 윤유린 11.8 조전원수 曹敏修 13.11 전라도해도원수陳元瑞 14.4 조전원수 金 賞 14.7 전주원수 권 화 14.11 부원수 崔雲海 <u>원 수</u> 김종연	6.9 <u>도순문</u> 배극렴 7.2 도순문 南 秩 7.5 鷄林원수 尹 虎 8.2 도안무 吳季南 8.4 도순문 李居仁 8.6 體覆使 趙 浚 9.2 <u>원 수</u> 柳曼殊 9.6 조전원수 나 세 9.7 조전원수 尹可觀 9.11 도순찰 한방언 9.12 <u>부원수</u> 윤가관 11.1 安東원수 皇甫霖 14.4 <u>상원수</u> 朴 葳 鷄林원수 慶 儀 安東원수 崔 鄲 14.7 부원수 具成老	3.4 부원수 慶 儀 (西京都巡問使) 3.6 西京부원수 李仁立 安州원수 한방언 3.8 義州원수 최공철 3.10 安州상원수 楊伯淵 4.9 西京도순문 林成味 4.11 安州상원수 박보로 5.3 체찰사 印原寶 윤3 安州서원수 崔元沚 5.11 西京원수 慶 儀 6.2 江界원수 홍인계 泥城안무사 최원지 6.3 安州道원수 한방언 6.11 西京道부원수閔伯萱 7.2 西京도순문 朴林宗 8.2 安州道상원수한방언 安州道부원수김용휘 9.8 都巡察 김용휘	14.7 도순문 鄭 曤 **海 道** 2.9 上元帥 孫光裕 4.4 元 帥 羅 世 4.4 원 수 深德符 6.8 원 수 나 세 6.8 원 수 심덕부 6.8 원 수 崔茂宣 7.6 元 帥 鄭 地 9.2 (都)원수 나 세 9.12 도원수 정 지 12.2 (都)원수 정 지	10.10 상원수 王承寶 12.2 도순문 왕안덕 **交州 · 江陵道** 3.4 江陵道원수 최공철 5.6 강릉도원수 조인벽 6.4 강릉도상원수 조인벽 7.3 강릉도부원수 南佐時 강릉도부원수 權文龍 交州道원수 李 崇 8.4 강릉도상원수 조인벽 강릉도부원수 權文龍 9.7 交州江陵道 도체찰 최공철 9.9 강릉도원수 李乙珍 교주도원수 김립견 교주도體覆使 鄭承可 9.10 강릉교주도 都檢察 趙 浚 강릉부원수 권현룡

양광도	전라도	경상도	서북면	동북면	서해도
도원수 왕안덕 14.5 부원수 李承源 원 수 도 흥 원 수 金 湊 원 수 趙 浚 원 수 郭 璇 14.7 원 수 김종연 부원수 도 흥			10.8 도순문 김용휘 10.11 도체찰 都吉敷 11.8 도안무 최원지 11.11 도순문 우인열 12.5 안무사 王 庚 13.11 도순문 鄭熙啓 도안무 최원지 14.3 도안무 최원지 14.4 西京도원수 심덕부 西京부원수 이 무 安州道도원수 정 지 安州道상원수 지용기 安州道부원수 황보림 14.5 泥城원수 홍인계 江界원수 李 嶷		11.4 교주도부원수 김림견 11.5 交州朔方江陵道 조전원수 李 和 조전원수 安 柱 11.6 강릉도도체찰 睦子安 11.9 강릉도원수 이을진 11.10 교주도원수 조인벽 13.9 강릉도원수 이을진 14.4 강릉도부원수 具成老 其 他 23.7 西海·交州道 都巡問 金 庚

*(都巡問 : 都巡問使, 都體察 : 都體察使, 都兵馬 : 都兵馬使, 都檢察 : 都檢察使, 都安撫 : 都按撫使, 都指揮: 都指揮使, 都巡察: 都巡察使, ____은 元帥兼 都巡問使의 元帥職)

<부표 2> 도절제사 및 병사의 출신과 경력

성 명	도절제사, 병사 역임 도와 그 시기	부 친	출 신	경 력	최고관직	비고 및 전거
皇甫琳	전라도 2회(도순문사), 서북면(태조 때)	진주목사 皇甫安	—	고려 전법판서, 밀직부사 참찬문하부사	지중추원사	태조와 함께 위화도회군
慶 儀	서북면(태조 때)	좌시중 慶復興	—	경상, 풍해도 관찰사	참찬문하부사	『太祖實錄』 권 6, 3년6월 己丑
林 整	동북 · 서북면 각 2회, 전라 · 충청도(태종 때)	—	都評議錄事	홍주목, 순제등처병마사, 호 · 이 · 예 · 병 · 형조전서	— 공조판서	『太祖實錄』 권 7, 4년2월 乙丑 『太祖實錄』 권 25, 13년 5월 丙子
金南秀	충청도(태종 때)	밀직부사 金乙珍	玄化寺眞殿直	의주목, 안동부사, 전라감사, 전주부윤	전라감사	『世宗實錄』 권 19, 5년 1월 己亥
鄭 耕	전라도 2회 (세종 때)	고려명장 鄭地	—	지풍주 · 고주사, 호 · 이조전서, 중추원부사	공조 · 병조판서	아들 鄭種도 도절제사 『世宗實錄』 권 13, 3년 7월 己卯
金承霔	경상도, 동북면, 서북면(태종 때)	정주부사 金惟精	興威衛別將	이산진첨절제사, 공 · 예 · 형조전서	부원군	『世宗實錄』 권 23, 6년 2월 甲寅
辛有定	강원도, 충청도(태종 · 세종 때)	판개성부사 辛富	蔭補散員	사헌집의, 삼사좌윤, 부승지, 좌승지, 대사헌	도총제	『世宗實錄』 권 32, 8년 6월 癸酉 태종이 세자일 때 봉상시 관원으로 추천
崔 迤	경기좌도, 전라도, 충청도, 함길도(태종 때)	*江陵君 崔有璉	都評議知印	동지총제, 도총제 형조판서	공조 · 형조 · 호조판서	『世宗實錄』 권 33, 8년 7월 壬寅 태종과 친밀한 관계
馬天牧	전라도 2회(태종 때)	—	蔭補散員		長興府院君	『世宗實錄』 권 51, 13년 2월 丙申
柳龍生	동북면, 경상도, 전라도(태종 때)	고려문하찬성柳淵	—	호조전서, 판한성	형조판서	『世宗實錄』 권 63, 16년 2월 壬申, 恭愍王의 人戚 위화도회군 때 태조의 掌軍鎭撫

성 명	도절제사, 병사 역임 도와 그 시기	부 친	출 신	경 력	최고관직	비 고 및 전 거
延嗣宗	동북면(태종 때)	—	—	길주도찰리사	谷山府院君	『世宗實錄』卷 64, 16년5월 甲申
朴 齡	황해도(태종 때)	—	—	강계첨절제사, 경원병마사, 삭주병마사	도총제	『世宗實錄』 권 66, 16년 12월 丁卯
李 澄	경상좌도(세종 때)	義安大君 李和	散 員	중군총제, 순성진병마사	판도총제부사	『世宗實錄』 권 69, 17년 8월 丙辰, 宗親
河敬復	함길도, 경상도 (世宗 때)	—	武 科	첨총제, 경원 · 경성절제사	판중추원사	함길도 도절제사로 8년 재임, 『世宗實錄』 권 82, 20년 8월 己巳, 아들 河漢도 兵使
柳 濕	전라도, 충청도, 평안도 (태종 때)	고려 시중 柳濯	蔭 補	果毅上將軍, 예 · 이 · 형 · 병조전서	도총제	『世宗實錄』 권 86, 21년 8월 壬午, 태종 元從功臣
曹備衡	평안도, 함길도, 경상도 (세종 때)	—	武 科	親從護軍, 웅진병마사, 의주 · 경원절제사	공조판서, 의정부참찬	『世宗實錄』 권 90, 22년 7월 乙丑
成達生	전라도, 함길도, 평안도 (세종 때)	개성유후 成石瑢	蔭補, 武科	홍덕진병마사, 경성절제사, 동지총제	공조판서, 판중추원사	아들 成勝도 도절제사, 『世宗實錄』권 104, 26년 4월 乙丑
崔閏德	평안도 2회(세종 때)	*襄狀公 崔雲海	蔭補, 武科	경성절제사, 영길도 도순문사	좌의정	太宗이 발탁, 등용, 『世宗實錄』 권110, 27년 12월 甲辰
李思儉	경상도(세종 때)	개성유후 李沃	武 科	좌군첨총제, 중추원부사, 경상좌수사	공조판서	세종 潛邸時 護從, 『世宗實錄』 권113, 28년 9월 甲子
李 恪	함길도, 전라도, 평안도 (세종 때)	—	武 科	중군첨총제, 판강계부사, 경상좌도 · 전라수사	중추원사	『世宗實錄』 권 114, 28년 12월 辛丑
李 蕆	충청도, 평안도(세종 때)	군자판서 李竦	蔭補, 武科	동지총제, 공조 · 병조참	호조판서	『文宗實錄』 권10, 1년 11월 壬寅

金師禹	평안도(세조 때)	—	武科	관, 충청수사, 회령부사	병조판서	『世祖實錄』 권 32, 10년 2월 癸巳
朴從愚	함길도(세조 때)	—	(駙馬)	호조 · 이조판서	雲城府院君	『世祖實錄』 권 33, 10년 7월 己未
郭連城	함길도, 경상도 (세조 때)	—	內禁衛, 武科	첨지중추원사, 仁順府尹	이조참판	從世祖赴京, 『世祖實錄』 권 34, 10년 12월 甲辰
李好誠	경상좌도(세조 때)	—	武科	司僕直長, 거제현령, 첨지원사, 경상우수사	동지중추원사	『世祖實錄』 권 41, 13년 2월 辛酉
韓繼美	평안도(세조 때)	관찰사 韓惠	蔭補	지사간원사, 승지, 이조판서	영중추원사	從世祖赴京, 부원군, 『成宗實錄』 권3, 2년 12월 庚寅
柳河	평안도(세조 때)	—	內禁衛, 武科	첨지중추원사, 仁順府尹	崇政, 文山君	세조정난공신, 『成宗實錄』 권 43, 5년 6월 丁丑
成奉祖	경상도(세종 때)	동지중추원사成揜	蔭補	사헌장령, 동부승지, 형 · 호 · 공조참의	우의정	『成宗實錄』 卷 47, 5년 9월 乙卯 昌成府院君
洪允成	경상좌도(세조 때)	—	文科	겸사복, 사헌장령, 예 · 병조참판	영의정	世祖와 陣書 撰述, 世祖가 발탁, 『成 宗實錄』 권 59, 6년 9월 甲寅
許亨孫	전라도(성종 때)	—	內禁衛, 武科	선전관, 의주목사, 첨지중추원사	지중추원사	『成宗實錄』 권 75, 8년 1월 壬子
吳子慶	평안중도(세조 때)	—	武科	내금위, 함길도도진무, 경원부사	병사	功臣, 『成宗實錄』 卷 95, 9년 8월 辛丑
金嶠	영안북도, 경상좌도, 영안남도, 평안도(세조 · 예	判禮賓寺事金時老	武科	경성절제사, 길주목사, 경원부사	공조판서	6兄弟 모두 무과 급제, 『成宗實錄』 권 124, 11년 12월 甲子

성 명	도절제사, 병사 역임 도와 그 시기	부 친	출 신	경 력	최고관직	비 고 및 전 거
	종 · 성종 때)					
朴仲善	평안도(세조 때)	副知敦寧府事 朴去疎	忠順衛, 武科	선전관, 훈련관부사, 병조참의, 참판, 판서	이조판서	母 沈氏는 昭憲王后의 弟. 『成宗實錄』 권 133, 12년 8월 己巳
朴居謙	경상우도, 충청도 (성종 때)	—	別侍衛, 武科	북청 · 경원부사, 경상수사	도총관	功臣, 『成宗實錄』 권 129, 12년 5월 癸卯
黃致身	忠淸道(世祖 때)	영의정 黃喜	—	동부승지, 경기감사, 공조 · 호조참판	崇祿,판중추원사	太宗賜名, 『成宗實錄』 권 163, 15년 2월 戊午
康袞	忠淸 · 全羅道, 永安南道 (世祖 · 成宗 때)	—	내금위	첨지 · 동지중추원사, 지중추부사	지중추부사	從世祖赴京,功臣,『成宗實錄』 권 163, 15년 2월 己巳
具致寬	平安道(世祖 때)	具陽	文科	승지, 이조 · 호조참판	영의정	『成宗實錄』卷 7, 1년 9월 戊子
具文信	慶尙右道(世祖 때)	공조판서 具緖	내금위	여연진첨사, 강계도절제사	도총관	功臣, 『成宗實錄』 권 178, 16년 윤4월 庚寅
魚有沼	咸鏡北道, 永安北道 (成宗 때)	*魚得海	武科	사복직장, 사헌감찰, 회령부사	공판, 이판, 우찬성	功臣, 『成宗實錄』 권 235, 20년 10월 戊子條, 世祖選爲駕前訓導
李淑琦	永安南 · 北道, 全羅道, 慶尙道(成宗 때)	—	武科	평양 · 녕변판관, 이조판서, 황해 · 영안도 관찰사	형조 · 호조판서	功臣, 『成宗實錄』 권 234, 20년 11월 己未
許琮	咸吉道 2回, 全羅道 (世祖 · 睿宗 · 成宗 때)	—	文科	선전관, 평안병사도사, 동부승지	우의정	世祖擢用, 功臣, 『成宗實錄』 권 287, 25년 2월 癸酉

鄭蘭宗	永安北道, 平安道(成宗 때)	진주목사 鄭賜	文科	동·좌부승지, 겸오위장, 영안·전라도 감사	이판, 우참찬	『成宗實錄』 권 225, 20년 2월 辛丑
李克培	平安道(世祖 때)	우의정 李仁孫	文科	경기·경상도감사, 이·병·형·예조판서	영의정	세조 때에 申叔舟를 따라 野人征伐 『燕山君日記』 권 6, 1년 6월 壬子
李鐵堅	平安道(成宗 때)	—	武科	한성부판관, 훈련원도정	형·호판, 좌찬성	母가 貞憙王后弟, 『燕山君日記』 권 15, 2년 5월 壬子
卞宗仁	全羅·平安·永安南·北道(成宗 때)	—	武科	공조참판, 충청수사	공조판서	功臣, 『燕山君日記』 卷 37, 6년 3월 壬申

*는 도절제사나 병사를 역임한 사람임. —는 미상(未詳)을 나타냄.

<참고문헌>

1. 史料

『高麗史』

『高麗史節要』

『太祖實錄』~『中宗實錄』

『三峰集』

『龍飛御天歌』

『陽村集』

『訥齋集』

『兵政』

『陳法』

『經國大典』

『經國大典註解』

『大典續錄』

『大典後續錄』

『東文選』

『新增東國輿地勝覽』

『制勝方略』

『磻溪隨錄』

『增補文獻備考』

『萬機要覽』

『輿地圖書』

2. 編・著書

李相佰,『李朝建國의 硏究』, 乙酉文化社, 1949.

李相佰,『韓國史』<近世前期篇>, 乙酉文化社, 1962.

李仁榮,『韓國滿洲關係史의 硏究』, 乙酉文化社, 1954.

李鉉淙,『朝鮮前期 對日交涉史硏究』, 韓國硏究院, 1964.

陸軍本部,『韓國軍制史』<近世朝鮮前期篇>, 1968.

陸軍本部,『高麗軍制史』, 1983.

李基白,『高麗兵制史硏究』, 一潮閣, 1968.

李基白,『고려귀족사회의 형성』, 一潮閣, 1990.

高柄翊,『東亞交涉史의 硏究』, 一潮閣, 1970,

金雲泰,『朝鮮王朝行政史』<近世篇>, 博英社, 1970.

邊太燮,『高麗政治制度史硏究』, 一潮閣, 1971.

洪以燮,『세종대왕』, 세종대왕기념사업회, 1971.

河炫綱,『高麗地方制度의 硏究』, 한국연구원, 1978.

車文燮,『朝鮮時代軍制硏究』, 檀國大學校出版部, 1979.

千寬宇,『近世朝鮮史硏究』, 一潮閣, 1979.

李成茂,『朝鮮初期兩班硏究』, 一潮閣, 1980.

蔡連錫,『朝鮮初期 火器硏究』, 一志社,1981.

金泰永,『朝鮮前期土地制度史硏究』, 知識産業社, 1983.

閔賢九,『朝鮮初期의 軍事制度와 政治』 韓國硏究院, 1983.

鄭杜熙,『朝鮮初期政治支配勢力研究』, 一潮閣, 1983.
國防部戰史編纂委員會,『兵將說 · 陣法』, 1983.
李載龒,『朝鮮初期社會構造研究』, 一潮閣, 1984.
李存熙,『朝鮮時代地方行政制度研究』, 一志社, 1990.
尹龍爀,『高麗對蒙抗爭史研究』, 一志社, 1991.
方相鉉,『朝鮮初期 水軍制度』, 민족문화사, 1991.
柳承宙,『朝鮮時代 鑛業史研究』, 고려대출판부, 1993.
尹薰杓,『麗末鮮初 軍制改革研究』, 혜안, 2000
朴元熇,『明初朝鮮關係史研究』, 一潮閣, 2002.
임용한,『朝鮮前期 守令制와 地方通治』, 혜안, 2002.
崔承熙,『朝鮮初期 政治史研究』, 知識産業社, 2002.
연세대학교 국가연구원 편,『중세사회의 변화와 조선 건국』, 혜안, 2005.
金順南,『朝鮮初期 體察使制 研究』, 景仁文化社, 2007.
이기백 · 김용선,『고려사 병지 역주』, 일조각, 2011
육군군사연구소,『한국군사사 5 -조선전기 I 』, 육군본부, 2012.
룩 관텐,『遊牧民族帝國史』(宋基中 譯), 民音社, 1984.

3.論文

金錫亨,「朝鮮初期 國役編成의 基柢」,『震檀學報』14, 1941.
車文燮,「鮮初의 甲士」,『史叢』4, 5, 1959, 1960.
車文燮,「鮮初의 內禁衛」,『史學研究』18, 1964.
車文燮,「鮮初의 忠義 · 忠贊 · 忠順衛」,『史學研究』19, 1967(이상『朝鮮時代 軍制研究』, 檀國 大學校出版部, 1979.에 재수록).
車文燮,「朝鮮前期의 國防體制」,『東洋學』13, 1983.
韓沽劤,「麗末鮮初 巡軍研究」,『震檀學報』22, 1961.

千寬宇, 「朝鮮初期 五衛의 形成」, 『歷史學報』 17 · 18, 1962.
千寬宇, 「朝鮮初期 五衛의 兵種」, 『史學硏究』 18, 1964.
千寬宇, 「五衛와 朝鮮初期의 國防體制」, 『李相佰博士華甲紀念論叢』, 1964(이상 『近世朝鮮 史硏究』, 一潮閣, 1979. 에 再收錄).
李載龒, 「奉足에 對하여」, 『歷史學硏究』 2, 1964(「朝鮮初期의 奉足制」로 『朝鮮初期社會構造 硏究』, 一潮閣, 1984.에 再收錄).
李載龒, 「朝鮮初期 土官에 대하여」, 『震檀學報』 29 · 30, 1966(위의 책에 再收錄).
李載龒, 「朝鮮初期의 水軍」, 『韓國史硏究』 5, 1970(위의 책에 再收錄).
李載龒, 「朝鮮初期의 翼軍」, 『崇田大論文集』 『<人文科學篇>, 1982(위의 책에 再收錄).
李載龒, 「朝鮮初期의 良人農民의 軍役과 土地所有」, 『東洋學』 9, 1979.
許善道, 「麗末鮮初 火器의 傳來와 發達」(上 · 中 · 下), 『歷史學報』 24, 25, 26, 1964.
許善道, 「<制勝方略>硏究」, 『震檀學報』 36, 37, 1973, 1974.
許善道, 「朝鮮前期 火藥兵器의 發達과 그 禁秘策」, 『東洋學』 13, 1983.
許善道, 「近世朝鮮前期의 烽燧」(上 · 下), 『韓國學論叢』 7, 8, 1985.
李基白, 「高麗兩界의 州鎭軍」, 『高麗兵制史硏究』, 一潮閣, 1968.
李基白, 「高麗 末期의 翼軍」, 『李弘稙博士回甲紀念 韓國史學論叢』, 1969(『高麗貴族社會의 形成』, 一潮閣, 1990.에 再收錄).
李泰鎭, 「中央 및 地方軍制의 變化」, 『韓國軍制史』<近世朝鮮前期篇>, 1968.
李成茂, 「朝鮮初期의 鄕吏」, 『韓國史硏究』 5, 1970.
邊太燮, 「高麗兩界의 支配組織」, 『高麗政治制度史硏究』, 一潮閣, 1971.
李樹健, 「朝鮮初期 郡縣制 整備에 대하여」, 『嶺南史學』 1, 1971
全海宗, 「15世紀 東亞情勢」, 『한국사』 9, 국사편찬위원회, 1973.
孫弘烈, 「高麗末期의 倭寇」, 『史學志』 9, 1975.
鄭杜熙, 「朝鮮初期 地理志의 編纂」, 『歷史學報』 69 · 70, 1976.
李鉉淙, 「왜구」, 『한국사』 권 8, 국사편찬위원회, 1978

張炳仁,「朝鮮初期의 觀察使」,『韓國史論』4, 서울대 국사학과, 1978.
林英正,「麗末鮮初의 私兵 -高麗時代 私兵의 發生과 그 背景(上)」,『韓國史論』 7, 國史編纂委員會, 1980.
李章熙,「朝鮮初期 土班武職의 性格」,『韓國史論』7, 國史編纂委員會, 1981.
李章熙,「朝鮮初期 土兵에 대하여」,『藍史鄭在覺博士古稀紀念 東洋學論叢』, 1984.
車勇杰,「朝鮮前期 關防施設의 整備過程」,『韓國史論』 7, 國史編纂委員會, 1981.
金鎔坤,「朝鮮前期 軍糧米의 確保와 運送」,『韓國史論』 7, 國史編纂委員會, 1981.
姜英哲,「朝鮮初期의 軍事道路」,『韓國史論』7, 國史編纂委員會, 1981.
尹龍赫,「高麗의 海島入保策과 蒙古의 前略變化 - 麗蒙戰爭 전개의 一樣相-」,『歷史教育』32, 1982.
李樹健,「世宗朝의 地方統治體制」,『世宗朝文化研究』 I , 1982.
金塘澤,「武臣政權時代의 軍制」,『高麗軍制史』, 1983.
閔賢九,「高麗後期의 軍制」,『高麗軍制史』1983.
閔賢九,「朝鮮初期의 私兵」,『東洋學』13, 1983.
張炳仁,「朝鮮初期의 兵馬節度使」,『韓國學報』34, 1984.
車勇杰,「高麗末 倭寇防戍策으로서의 鎭戍와 築城」,『史學研究』38, 1984.
崔壹聖,「高麗의 萬戶」,『清大史林』4 · 5, 1985.
吳宗祿,「朝鮮初期 兵馬節度使制의 成立과 運用」,『震檀學報』59, 60, 1985, 1986.
吳宗祿,「高麗末의 都巡問使」,『震檀學報』62, 1986.
吳宗祿,「朝鮮初期의 邊鎭防衛와 兵馬僉使 · 萬戶」,『歷史學報』123, 1989.
吳宗祿,「高麗後期의 軍事 指揮體系」,『國史館論叢』24, 1991.
柳昌圭,「朝鮮初 親軍衛의 甲士」,『歷史學報』106, 1985.
張學根,「朝鮮前期水軍萬戶考」,『海士論文集』26, 1987.

崔根成, 「高麗 萬戶府制에 관한 硏究」, 『關東史學』 3, 1988.
崔永昌, 「朝鮮初期의 水軍과 水軍役」, 高麗大 碩士論文, 1989.
方東仁, 「麗·元關係의 再檢討 – 雙城摠管府와 東寧府를 중심으로 –」, 『國史館論叢』 17, 1990.
李存熙, 「觀察使制와 그 運營」, 『朝鮮時代地方行政制度硏究』 一志社, 1990.
河且大, 「朝鮮初期 軍事政策과 兵法書의 發展」, 『軍史』 21, 1990.
金武鎭, 「朝鮮前期 村落의 形成과 村落社會의 諸勢力」, 『國史館論叢』 29, 1991.
金鍾洙, 「16세기 甲士의 消滅과 正兵立役의 變化」, 『國史館論叢』 32, 1992.
오종록, 「朝鮮初期의 營鎭軍」, 『宋甲鎬敎授停年退任紀念論文集』, 1993.
오종록, 「조선초기의 국방정책 –양계(兩界)의 국방을 중심으로–」, 『역사와 현실』 13, 1994.
盧永九, 「朝鮮初期 水軍役과 海領職의 변화」, 『韓國史論』 33, 서울대 국사학과, 1995.
한희숙, 「조선초기 군역과 농민경영에 관한 연구」, 『국사관논총』 61, 1995.
오종록, 「朝鮮初期 正兵의 軍役」, 『韓國史學報』 1, 1996.
金鍾洙, 「朝鮮初期 甲士의 成立과 變質」, 『典農史學』 2, 1996.
윤훈표, 「고려시대 군제사 연구의 현황과 과제」, 『軍史』, 34, 1997.
오종록, 「朝鮮初期의 國防論」, 『震檀學報』 86, 1998.
오종록, 「朝鮮前期 軍事史 硏究의 現況과 課題」, 『軍史』 36, 1998.
윤훈표, 「朝鮮初期 外方武官의 褒貶制」, 『實學思想硏究』 10 · 11, 1999.
尹大遠, 「麗末鮮初 江華의 防禦體制」, 高麗大 碩士論文, 2001.
오종록, 「조선시기 군사사 연구의 동향 –2001~2004년–」, 『軍史』 53, 2004.
윤훈표, 「朝鮮前期 北方開拓과 領土意識」, 『韓國史硏究』 129, 2005.
임용한, 「조선전기의 국방의식」, 『군사연구』 126, 육군본부, 2008.
김동경, 「조선초기의 군사전통 변화와 진법훈련」, 『軍史』 74, 2010.
金順南, 「朝鮮前期 滿浦鎭과 滿浦僉使」, 『史學硏究』 97, 2010.

한국군사연구소, 『한국군사사 4, 고려 II』, 육군본부, 2012.
한국군사연구소, 『한국군사사 5, 조선전기 I』, 육군본부, 2012.
오종록, 「왜구의 침입」, 『한국해양사 III 고려시대』, 한국해양재단, 2013.
內藤雋輔, 「高麗兵制管見」(上,下), 『靑丘學叢』 15, 16, 1931.
北村秀人, 「高麗末 · 朝鮮初期の鄕吏」, 『朝鮮史硏究會論文集』 13, 1976.
井上秀雄, 「『慶尙道續撰地理志』の城郭觀」, 『朝鮮學報』 99, 100, 1981.

여말선초 지방군제 연구

초판 1쇄 인쇄일 | 2014년 11월 27일
초판 1쇄 발행일 | 2014년 11월 28일

지은이 | 오종록
펴낸이 | 정구형
편집장 | 김효은
편집/디자인 | 박재원 우정민 김진솔 윤혜영
마케팅 | 정찬용 정진이
영업관리 | 한선희 이선건 허준영 홍지은
책임편집 | 우정민
인쇄처 | 월드문화사
펴낸곳 | **국학자료원**
등록일 2006 11 02 제2007-12호
서울시 강동구 성내동 447-11 현영빌딩 2층
Tel 442-4623 Fax 442-4625
www.kookhak.co.kr
kookhak2001@hanmail.net

ISBN | 978-89-279-0873-9 *93900
가격 | 18,000원